行政不服審査法
Commentary on Administrative Appeal Act
の逐条解説
［第2版］

宇賀克也

有斐閣

はしがき

　2014（平成26）年の通常国会において，行政不服審査法関連3法が成立した。行政不服審査法は全部改正され，361本の関係法律を整備した「行政不服審査法の施行に伴う関係法律の整備等に関する法律」（整備法）が制定され，行政手続法も一部改正された。行政不服審査法は1962（昭和37）年に制定されたが，2004（平成16）年の行政事件訴訟法の一部改正に合わせて，執行停止要件の緩和と職権による教示の書面によることの義務付けが行われた以外，実質的な改正はなかったので，行政不服審査法制定以来52年ぶりの抜本的な改正が行われたことになる。審理員制度や行政不服審査会等への諮問制度の導入による審理手続の公正性の向上，標準審理期間制度や計画的審理制度の導入による審理手続の迅速性への配慮，不服申立ての種類の原則一元化による分かりやすさの改善，主観的審査請求期間の延長による救済の実効性の向上等，その意義はきわめて大きい。

　本書は，全部改正された行政不服審査法について逐条的に解説するものであるが，同法の基本的な解説書は，著者も刊行しており，他にも存在するため，より詳細な解説を心がけた。また，整備法についても，要点を概説している。

　今回の改訂は，以下の方針で行った。
　第1に，初版刊行後，行政不服審査法施行令，行政不服審査法施行規則，行政不服審査会事務局組織規則，行政不服審査会運営規則が制定されたので，それらについての解説を追記した。
　第2に，改正行政不服審査法がすでに全面施行されていることに鑑み，より詳細な解説が望ましいと思われる箇所について，追記した。
　第3に，本書では，本文中で参考文献を記載しているが，これについても充実を図った。

　本書の刊行に当たっては，有斐閣書籍編集第1部の佐藤文子氏，清田美咲氏

に精緻な編集作業を行っていただき，多くの点で本書を改善することができた。このことについて，心よりお礼申し上げたい。

 2017年1月

宇 賀 克 也

目　次

序　論 …………………………………………………………… I

1　行政不服審査法全部改正の経緯　1
　(1) 訴願法の制定と旧行政不服審査法の制定　1／(2) 旧行政不服審査法の見直し　2
2　新行政不服審査法の概要　4
　(1) 不服申立類型の整理　4／(2) 公正性の向上　5／(3) 利便性の向上　6／(4) 審理手続における手続保障の強化　7／(5) 透明性の向上　8／(6) 審理の迅速化　8

本論　行政不服審査法の逐条解説　11

第1章　総　則 ……………………………………………… 12

第1条（目的等）　12／第2条（処分についての審査請求）　17／第3条（不作為についての審査請求）　18／第4条（審査請求をすべき行政庁）　21／第5条（再調査の請求）　28／第6条（再審査請求）　36／第7条（適用除外）　41／第8条（特別の不服申立ての制度）　55

第2章　審査請求 …………………………………………… 57

第1節　審査庁及び審理関係人　57

第9条（審理員）　57／第10条（法人でない社団又は財団の審査請求）　74／第11条（総代）　75／第12条（代理人による審査請求）　78／第13条（参加人）　79／第14条（行政庁が裁決をする権限を有しなくなった場合の措置）　82／第15条（審理手続の承継）　83／第16条（標準審理期間）　86／第17条（審理員となるべき者の名簿）　90

第2節　審査請求の手続　92

第18条（審査請求期間）　92／第19条（審査請求書の提出）　97／第20条（口頭による審査請求）　104／第21条（処分庁等を経由する審査請求）　105／第22条（誤った教示をした場合の救済）　108／第23条（審査請求書の補正）　118／第24条（審理手続を経ないでする却下裁決）　120／第25条（執行停止）　122／第26条（執行停止の取消し）　127／第27条（審査請求の取下げ）　128

第3節　審理手続　129

第28条（審理手続の計画的進行）　129／第29条（弁明書の提出）　130／第30条（反論書等の提出）　138／第31条（口頭意見陳述）　141／第32条（証拠書類等の提出）　146／第33条（物件の提出要求）　149／第34条（参考人の陳述及び鑑定の要求）　150／第35条（検証）　152／第36条（審理関係人への質問）　153／第37条（審理手続の計画的遂行）　154／第38条（審査請求人等による提出書類等の閲覧等）　162／第39条（審理手続の併合又は分離）　178／第40条（審理員による執行停止の意見書の提出）　179／第41条（審理手続の終結）　180／第42条（審理員意見書）　186

第4節　行政不服審査会等への諮問　189

第43条　189

第5節　裁　決　209

第44条（裁決の時期）　209／第45条（処分についての審査請求の却下又は棄却）　211／第46条（処分についての審査請求の認容）　214／第47条　224／第48条（不利益変更の禁止）　225／第49条（不作為についての審査請求の裁決）　227／第50条（裁決の方式）　231／第51条（裁決の効力発生）　234／第52条（裁決の拘束力）　237／第53条（証拠書類等の返還）　240

第3章　再調査の請求 ……………………………………242

第54条（再調査の請求期間）　242／第55条（誤った教示をした場合の救済）　243／第56条（再調査の請求についての決定を経ずに審査請求がされた場合）　247／第57条（3月後の教示）　249／第58条（再調査の請求の却下又は棄却の決定）　250／第59条（再調査の請求の認容の決定）　252／第60条（決定の方式）　254／第61条（審査請求に関する規定の準用）　256

第4章　再審査請求 ………………………………………260

第62条（再審査請求期間）　260／第63条（裁決書の送付）　262／第64条（再審査請求の却下又は棄却の裁決）　264／第65条（再審査請求の認容の裁決）　267／第66条（審査請求に関する規定の準用）　269

第5章　行政不服審査会等 ………………………………274

第1節　行政不服審査会　274

第1款　設置及び組織　274

第67条（設置）　274／第68条（組織）　277／第69条（委員）　279／

第70条（会長）　284／第71条（専門委員）　285／第72条（合議体）
　　　287／第73条（事務局）　290

　　第2款　審査会の調査審議の手続　292

　　　第74条（審査会の調査権限）　292／第75条（意見の陳述）　295／第
　　　76条（主張書面等の提出）　298／第77条（委員による調査手続）　299
　　　／第78条（提出資料の閲覧等）　300／第79条（答申書の送付等）
　　　306

　　第3款　雑　則　308

　　　第80条（政令への委任）　308

　第2節　地方公共団体に置かれる機関　309

　　第81条　309

第6章　補　則 ……………………………………………………… 315

　　第82条（不服申立てをすべき行政庁等の教示）　315／第83条（教示
　　をしなかった場合の不服申立て）　318／第84条（情報の提供）　322／
　　第85条（公表）　324／第86条（政令への委任）　327／第87条（罰
　　則）　328

附　則 ………………………………………………………………… 330

　　第1条（施行期日）　330／第2条（準備行為）　331／第3条（経過措
　　置）　332／第4条　333／第5条（その他の経過措置の政令への委任）
　　335／第6条（検討）　335

整　備　法　337

整備法の解説 ……………………………………………………… 338

1　関係法律整備の基本方針　338
2　旧行政不服審査法の全部改正の内容と直接関わる整備部分　338
　　(1) 不服申立類型の一元化による用語の整備　338／(2) 不作為について
　　の審査請求の整備　339／(3) 行政不服審査法の規定の適用除外　341／
　　(4) 行政手続法旧27条2項の規定　342／(5) 審理員の指名を要しない
　　場合　342／(6) 主観的不服申立期間　343／(7) 行政不服審査等への
　　諮問を要しない特例　343
3　不服申立前置の見直し　344
　　(1) 不服申立前置を許容する基準　344／(2) 二重前置の廃止　349／(3)
　　見直しの結果　350

資　料

行政不服審査法　352

行政不服審査法施行令　373

◆ **判例索引**　381
◆ **事項索引**　382

著者紹介

宇賀克也（うが　かつや）
　東京大学法学部卒。現在，東京大学大学院法学政治学研究科教授（東京大学法学部教授・公共政策大学院教授を兼担）。
　この間，ハーバード大学，カリフォルニア大学バークレー校，ジョージタウン大学客員研究員，ハーバード大学，コロンビア大学客員教授を務める。

〈主要著書〉

行政法一般
行政法概説Ⅰ〔第5版〕（有斐閣，2013年）
行政法概説Ⅱ〔第5版〕（有斐閣，2015年）
行政法概説Ⅲ〔第4版〕（有斐閣，2015年）
行政法（有斐閣，2012年）
ブリッジブック行政法〔第3版〕（編著，信山社，近刊）
判例で学ぶ行政法（第一法規，2015年）
対話で学ぶ行政法（共編著，有斐閣，2003年）
アメリカ行政法〔第2版〕（弘文堂，2000年）
行政法評論（有斐閣，2015年）

情報法関係
新・情報公開法の逐条解説〔第7版〕（有斐閣，2016年）
個人情報保護法の逐条解説〔第5版〕（有斐閣，2016年）
逐条解説　公文書等の管理に関する法律〔第3版〕（第一法規，2015年）
情報公開・個人情報保護――最新重要裁判例・審査会答申の紹介と分析（有斐閣，2013年）
情報法（共編著，有斐閣，2012年）
情報公開と公文書管理（有斐閣，2010年）
個人情報保護の理論と実務（有斐閣，2009年）
地理空間情報の活用とプライバシー保護（共編著，地域科学研究会，2009年）
災害弱者の救援計画とプライバシー保護（共編著，地域科学研究会，2007年）
大量閲覧防止の情報セキュリティ（編著，地域科学研究会，2006年）
情報公開の理論と実務（有斐閣，2005年）
諸外国の情報公開法（編著，行政管理研究センター，2005年）
情報公開法――アメリカの制度と運用（日本評論社，2004年）
プライバシーの保護とセキュリティ（編著，地域科学研究会，2004年）
解説　個人情報の保護に関する法律（第一法規，2003年）
個人情報保護の実務Ⅰ・Ⅱ（編著，第一法規，2003年，加除式）

ケースブック情報公開法（有斐閣，2002 年）
　情報公開法・情報公開条例（有斐閣，2001 年）
　情報公開法の理論〔新版〕（有斐閣，2000 年）
　行政手続・情報公開（弘文堂，1999 年）
　情報公開の実務Ⅰ・Ⅱ・Ⅲ（編著，第一法規，1998 年，加除式）
　アメリカの情報公開（良書普及会，1998 年）

行政手続・行政情報化関係
　番号法の逐条解説〔第 2 版〕（有斐閣，2016 年）
　行政手続三法の解説〔第 2 次改訂版〕（学陽書房，2016 年）
　論点解説　マイナンバー法と企業実務（日本法令，2015 年）
　完全対応　特定個人情報保護評価のための番号法解説（監修，第一法規，2015 年）
　完全対応　自治体職員のための番号法解説［実例編］（監修，第一法規，2015 年）
　施行令完全対応　自治体職員のための番号法解説［制度編］（共著，第一法規，2014 年）
　施行令完全対応　自治体職員のための番号法解説［実務編］（共著，第一法規，2014 年）
　完全対応　自治体職員のための番号法解説（共著，第一法規，2013 年）
　行政手続法制定資料⑾〜⒂（共編著，信山社，2013〜2014 年）
　行政手続法の解説〔第 6 次改訂版〕（学陽書房，2013 年）
　マイナンバー（共通番号）制度と自治体クラウド（共著，地域科学研究会，2012 年）
　行政手続と行政情報化（有斐閣，2006 年）
　改正行政手続法とパブリック・コメント（編著，第一法規，2006 年）
　行政手続オンライン化三法（第一法規，2003 年）
　行政サービス・手続の電子化（編著，地域科学研究会，2002 年）
　行政手続と監査制度（編著，地域科学研究会，1998 年）
　自治体行政手続の改革（ぎょうせい，1996 年）
　税務行政手続改革の課題（監修，第一法規，1996 年）
　明解　行政手続の手引（編著，新日本法規，1996 年）
　行政手続法の理論（東京大学出版会，1995 年）

政策評価関係
　政策評価の法制度——政策評価法・条例の解説（有斐閣，2002 年）

行政争訟関係
　解説　行政不服審査法関連三法（弘文堂，2015 年）
　Q & A 新しい行政不服審査法の解説（新日本法規，2014 年）
　改正行政事件訴訟法〔補訂版〕（青林書院，2006 年）

国家補償関係
　国家賠償法［昭和 22 年］（日本立法資料全集）（編著，信山社，2015 年）
　国家補償法（有斐閣，1997 年）
　国家責任法の分析（有斐閣，1988 年）

著 者 紹 介

地方自治関係
 地方自治法概説〔第 7 版〕（有斐閣，近刊）
 環境対策条例の立法と運用（編著，地域科学研究会，2013 年）
 地方分権――条例制定の要点（編著，新日本法規，2000 年）
法人法関係
 Q & A 新しい社団・財団法人の設立・運営（共著，新日本法規，2007 年）
 Q & A 新しい社団・財団法人制度のポイント（共著，新日本法規，2006 年）

序　論

1　行政不服審査法全部改正の経緯

(1)　訴願法の制定と旧行政不服審査法の制定

　1882（明治15）年12月に「請願規則」（明治15年太政官布告第58号）が制定され，我が国で初めて行政上の不服申立てを行う権利が認められた。その後，1890（明治23）年10月に行政上の不服申立ての一般法として訴願法（明治23年法律第105号）が制定された。しかし，訴願事項が概括的列記主義であり，(i)租税および手数料の賦課に関する事件，(ii)租税滞納処分に関する事件，(iii)営業免許の拒否または取消しに関する事件，(iv)水利および土木に関する事件，(v)土地の官民有区分に関する事件，(vi)地方警察に関する事件の6つが列記されるにとどまり，また，列記事項が抽象的なため，これらに該当するかが不明確なことも稀でなかったこと，訴願期間が短かったこと，審理手続が不備であり行政救済の視点が弱かったこと，個別法で多くの例外が認められており，かつ，個別法間での不合理な不統一が多かったこと等，多くの欠陥を抱えていた。そのため，戦前からその見直しの動きがあり，議員提出および政府提出の改正案が帝国議会に提出されたこともあったが，成立には至らなかった。

　戦後，1948（昭和23）年から1949（昭和24）年にかけて，一般概括主義を採用するための訴願法改正作業が政府で行われたが，関係方面との調整がつかずに国会提出は断念された。訴願法の全面的な見直しの必要性が広く認識されるようになったのは，行政事件訴訟特例法改正の過程においてであった。同法が訴願前置主義を採用していたため，訴願制度の不備を是正しなければ司法救済を阻害することになるので，行政訴訟制度改革の議論の過程において訴願法の見直しも議論されるようになったのは，必然的な流れであったといえる。

　こうして，1958（昭和33）年に，政府は訴願制度の改正を行うことを閣議了解し，臨時訴願制度改正委員を委嘱することにした。しかし，臨時訴願制度改正委員については制度として曖昧であり，その意見を聴いて訴願法改正という重要な作業を行うのは適切でないという批判があったため，政府は再考し，臨時訴願制度改正委員に代えて，総理府に訴願制度調査会を設置し，そこで改正

要綱を作成することとし，1959（昭和34）年に訴願制度調査会が設けられ，1960（昭和35）年に訴願制度改善要綱が答申された。これを受けて法案作成作業が進められ，1962（昭和37）年に行政不服審査法（以下「旧行政不服審査法」という）が制定されることになった。

(2) 旧行政不服審査法の見直し

旧行政不服審査法は，一般概括主義を採用し，一定の事実行為・不作為に対する救済も認めたこと，不服申立ての種類を整理したこと，教示制度を採用したこと，不服申立人の防御権を強化したこと，不利益変更禁止原則を明記し，行政救済を行政統制よりも重視することを明確にしたこと等，訴願法と比較して，多くの点で改善されたものであることは確かであった。しかし，同じ1962（昭和37）年に制定された行政事件訴訟法がそうであったように，次第に行政救済制度としての不備が認識されるようになった。

1964（昭和39）年の第1次臨時行政調査会第3専門部会第2分科会の「行政手続に関する報告」に含まれている行政手続法草案においては，事前の行政手続と事後の不服申立手続を含む広義の行政手続が対象とされていた。不服申立手続を事前，事後を通じての行政手続の一環としてとらえ，事前か事後のいずれかにおいて一度は口頭審理の機会を与えることとする等，今日からみても注目すべき内容を含むものであったが，この行政手続法草案に対する学界の主たる関心は，事前手続の部分に注がれ，不服申立手続の部分については，すでに旧行政不服審査法が制定されており，その施行から日が浅かったためもあろうが，それほどの関心を引かなかったように思われる。

その後，行政過程における事前手続の一般法である行政手続法が1993（平成5）年に制定された。行政手続法の立法過程は，行政過程における事後手続の一般法である旧行政不服審査法を見直す契機であったといえるし，第2次臨時行政調査会の最終答申においても，「行政苦情処理，行政不服申立て等の諸問題についても，行政手続法との関連を考慮すべきである」と指摘されていた。しかし，行政手続法という通則法の制定やその施行に伴う関係法律の整備が大変な労力を要する作業であったので，この時期に旧行政不服審査法の見直しに着手できなかったことは，真にやむをえなかったと思われる。

そして，行政手続法の施行に向けた準備が一段落した後，総務庁（当時）行

政管理局は行政手続法制定後の大きな課題として旧行政不服審査法の見直しがあることを念頭に置き、1996（平成8）年から事後救済制度調査研究委員会（委員長・小早川光郎東京大学教授〔当時〕）による検討を行政管理研究センターに委託して開始した。さらに、その延長の問題として審理主宰者について、1998（平成10）年に、これも行政管理研究センターへの委託研究として、「行政救済における審理主宰者に関する調査研究委員会」（委員長・高橋滋一橋大学教授）による検討を行っている。

　2000年代になり、意見公募手続導入のための行政手続法改正が課題となり、2004（平成16）年に行政手続法検討会（座長・塩野宏東京大学名誉教授）が開催され、同年の報告を受けて立案作業が行われ、2005（平成17）年にこの改正が実現した。また、2001（平成13）年の司法制度改革推進法の制定を受けて、2000年代前半は、司法制度改革が進行し、2002（平成14）年2月から2004（平成16）年10月にかけて、行政訴訟検討会（座長・塩野宏東京大学名誉教授）で行政事件訴訟法改正の検討が行われた。行政不服審査法と行政事件訴訟法は行政争訟2法といわれるように密接に関連しているので、行政事件訴訟法の改正と併せて、旧行政不服審査法の改正も行うことも考えられたが、行政手続法の改正作業に追われていた行政管理局にとって、同時期に旧行政不服審査法の抜本的見直しに着手する余裕はなく、2004（平成16）年の行政事件訴訟法改正法附則による旧行政不服審査法改正は、執行停止要件の緩和と職権による教示の書面化の義務付けにとどまった。しかし、同年の参議院法務委員会における行政事件訴訟法改正案の附帯決議においては、「適正な行政活動を確保して国民の権利利益を救済する観点から……行政による……権利救済手続も視野に入れつつ……必要な改革を継続すること」が求められており、これは旧行政不服審査法改正も念頭に置いたものと考えられる。

　2005（平成17）年の行政手続法改正の実現により、ようやく、行政管理局としては、旧行政不服審査法改正の準備に本格的に取り掛かることができるようになり、同年10月から行政管理研究センターにおかれた行政不服審査制度研究会（座長・小早川光郎東京大学教授〔当時〕）での検討が始まり、翌2006（平成18）年3月に報告書が公表され、同年10月からは総務副大臣主宰の行政不服審査制度検討会（座長・小早川光郎東京大学教授〔当時〕）での検討が開始され、2007（平成19）年7月の同検討会報告を踏まえ、2008（平成20）年4月に行政

不服審査法案（以下「平成20年法案」という）を国会に提出するに至った。しかし，同法案は，2009（平成21）年7月の衆議院解散により廃案となり，政権交代の結果，新政権の下で総務大臣政務官主催の「行政不服審査法案に関する勉強会」に引き続き，2010（平成22）年8月から総務大臣と行政刷新担当大臣を共同座長とする行政救済制度検討チームで改めて旧行政不服審査法の抜本的な見直しが行われた。このチームではさらに，不服申立前置の見直しも行われたが，2011（平成23）年12月の行政救済制度検討チームの取りまとめを基礎にした立案作業中の2012（平成24）年11月に衆議院の解散があり，再び政権交代が起こった。そして，現政権は，平成20年法案は実質的審議がないまま廃案となったのであり，その内容が国会で否定されたわけではないことから，平成20年法案を基礎にしつつ，同法案への批判や前政権の下での検討結果も踏まえ，さらに各種団体からのヒアリング，パブリックコメント結果も斟酌して，改めて行政不服審査法案を作成した。同法案は2014（平成26）年3月に通常国会に提出され，同年6月6日に参議院本会議で可決成立に至り，同月13日に公布された。行政不服審査法と同日に，361の法律を一括して改正する「行政不服審査法の施行に伴う関係法律の整備等に関する法律」（以下「整備法」という）も成立した（行政不服審査法全部改正と整備法の意義と課題について，宇賀克也＝前田雅子＝大野卓「行政不服審査法全部改正の意義と課題」行政法研究7号1頁以下参照）。

2 新行政不服審査法の概要

全部改正された行政不服審査法（以下「本法」という）の概要は，以下の通りである。

(1) 不服申立類型の整理
(a) 審査請求への原則一元化

旧行政不服審査法の下においては，基本的な不服申立類型は異議申立てと審査請求であり，異議申立ては処分庁に上級行政庁がないとき，審査請求は処分庁に上級行政庁があるときに行われるのが原則であった（5条，6条）。異議申立ては審査請求と比較して簡略な手続であり，処分庁に上級行政庁があるか否かという不服申立人にとっては偶然の事情により，手続保障に差異が生ずるこ

とは不合理であるため，本法は，不服申立類型を基本的に審査請求に一元化し（本法2条，3条），異議申立てという不服申立類型は廃止した。そして，処分庁に対して審査請求がされる場合であっても，後述する審理員制度と行政不服審査会等への諮問制度により，処分庁以外の審査庁への審査請求と同様，公正な手続が保障されるようにした。

(b) 再調査の請求

処分庁以外の行政庁に審査請求をすることができる場合において，要件事実の認定の当否を争う不服申立てが大量に行われるような場合に，処分庁が簡易な手続で迅速に見直しを行う再調査の請求が，法律が特に認める場合に限ってできることとされた（本法5条）。再調査の請求と審査請求のいずれを行うかは選択可能であるが，再調査の請求をしたときは，原則として，それに対する決定を経ないと審査請求をすることはできない（本法5条1項・2項）。

(c) 再審査請求

再審査請求については，審査請求の手続保障の強化により不要になると考えられるものは廃止されたが，専門的な第三者機関の審査を受けたり，全国的な統一性を確保したりする場合のように，特別の意義のあるような再審査請求は存置されることになった（本法6条1項）。

(2) 公正性の向上

(a) 審理員制度

旧行政不服審査法と比較して本法の最大の特色は，公正性の向上を図ったことにある。旧行政不服審査法においては，審理手続を主宰する職員についての規定がなく，原処分に関与した職員が審理を主宰することも禁じられていなかった。これに対し，本法9条は，行政手続法の聴聞主宰者の制度を参考にした審理員制度を採用し，審査請求に係る処分に関与した者等は，審理員の除斥事由としている（同条2項）。すなわち，原処分に関与していない審理員が中立的立場で審理を主宰し，審査請求人と処分庁等が対峙する審理構造が導入されることになる。

(b) 行政不服審査会等への諮問制度

審理員は原処分に関与していること等を除斥事由とし，自己の名において審理を主宰するとはいっても，審査庁の職員であり，審理員制度の導入のみでは，

公正性への国民の信頼が十分に確保されるとはいい難い。そこで，本法は，法律または行政に関する有識者からなる第三者機関としての行政不服審査会を総務省に設置し（67条1項），地方公共団体には，執行機関の附属機関として，行政不服審査会に相当する不服審査機関を設置し（81条1項。事件ごとに設置することも可能とされている。同条2項），審理員による審理の後，原則として，これらの機関への諮問を義務づけている（43条1項）。

(3) 利便性の向上
(a) 審査請求期間の延長

旧行政不服審査法14条1項は，審査請求は，処分があったことを知った日の翌日から起算して60日以内にしなければならないとし，天災その他審査請求をしなかったことについてやむをえない理由があるときは，この限りでないと定めていた。これに対し，本法18条1項は，主観的審査請求期間を3か月に延長し，この期間を経過しても正当な理由があるときは，審査請求することができることとした。

(b) 争訟の一回的解決

2004年改正前の行政事件訴訟法においても，法令に基づく申請に対して不作為の状態が継続している場合の救済のために，不作為の違法確認訴訟が法定されていた。この場合，不作為が違法であるのでなんらかの処分をせよという判決は出せても，許可処分をせよという判決は出せない。そのため，不作為が違法であることを確認する判決が出されても，その後，拒否処分がされる可能性がある。そうすると，申請者は，改めて拒否処分の取消訴訟等を提起しなければならず，救済制度として迂遠なものである。このような場合，申請を許可することを義務づける訴訟を一定の要件の下で提起しうることは学説・裁判例の認めるところであったが，法定されていない訴訟類型であったので，実際には，かかる訴訟を提起しても，認容される可能性はほとんどなかった。2004年に改正された行政事件訴訟法においては，いわゆる申請型義務付け訴訟が法定され，法令に基づく申請に対し不作為の状態が継続している場合，直接，許可処分を義務づける判決を求めることができることとその要件が明確になった。

本法49条3項においては，この申請型義務付け訴訟を参考にして，不作為についての審査請求がなされた場合には，不作為が違法または不当であり，か

つ，当該申請に対して許可処分をすべきものと認めるときは，不作為庁の上級行政庁である審査庁は，当該不作為庁に対し，許可処分をすべき旨を命じ，また，不作為庁である審査庁は，許可処分をすることとされた。すなわち，不作為についての審査請求に対して不作為が違法または不当であるからなんらかの処分をせよという裁決の後，拒否処分がなされ，申請者はさらにその取消しを求める審査請求をしなければならないという事態が生じうる旧行政不服審査法の不備が是正され，争訟の一回的解決が可能になる。

　同様に，申請拒否処分がなされた場合においても，2004年改正前の行政事件訴訟法の下においては，申請拒否処分の取消訴訟で請求が認容されても，別の理由で再度拒否処分がなされる可能性があり，その場合，改めて拒否処分の取消訴訟等を提起しなければならなかったところ，2004年の法改正により，取消訴訟と許可処分の義務付け訴訟を併合提起することにより，争訟の一回的解決を図る道が開けた。本法46条2項においても，申請拒否処分の取消しを求める審査請求がなされた場合，審査庁は，申請許可処分をすべきものと認めるときは，処分庁の上級行政庁である審査庁であれば処分庁に許可処分をすべき旨を命じ，処分庁が審査庁であれば自ら許可処分をすることになり，争訟の一回的解決が可能となった。

(4) 審理手続における手続保障の強化

(a) 口頭意見陳述における質問権の付与

　旧行政不服審査法25条1項ただし書は，審査請求人または参加人が口頭意見陳述の申立てができると定めていたが，処分庁の出席は義務づけられておらず，審査庁は，審査請求人または参加人の意見を聴き置くだけの運用になっているという批判があった。そこで，本法は，審査請求人または参加人の口頭意見陳述は，審理員が全ての審理関係人（審査請求人，参加人，処分庁等）を招集してさせるものとし（31条2項），申立人は，審理員の許可を得て，処分庁等に対し質問を発することができるようになった（同条5項）。

(b) 閲覧請求権の対象の拡大と写しの交付請求権の創設

　旧行政不服審査法33条2項本文は，審査請求人または参加人に，処分庁から提出された書類その他の物件の閲覧請求権を認めていたが，行政手続法18条の文書等閲覧請求権の対象（「当該事案についてした調査の結果に係る調書その他

の当該不利益処分の原因となる事実を証する資料」）よりも限定されたものであり，この点について批判があった。本法38条1項本文はこれを改め，審査請求人または参加人は，(i)聴聞調書および聴聞主宰者の報告書ならびに弁明書，(ii)審査請求人もしくは参加人が提出した証拠書類もしくは証拠物（32条1項）または処分庁等が提出した「当該処分の理由となる事実を証する書類その他の物件」（同条2項），(iii)審理員が所持人に対し提出を求めて提出された書類その他の物件を閲覧することができるとして閲覧請求権の対象を拡大し，さらに，写しの交付請求権も認めている。

(5) 透明性の向上

(a) 情報提供の努力義務

　行政手続法9条2項が，申請に必要な情報の提供の努力義務を行政庁に課したことを参考にして，本法84条は，審査請求，再調査の請求もしくは再審査請求または他の法令に基づく不服申立てにつき裁決等をする権限を有する行政庁に，不服申立てをしようとする者または不服申立てをした者の求めに応じ，不服申立書の記載に関する事項その他の不服申立てに必要な情報の提供に努める義務を課している。

(b) 処理状況の公表

　不服申立てにつき裁決等をする権限を有する行政庁は，当該行政庁がした裁決等の内容その他当該行政庁における不服申立ての処理状況について公表する努力義務を課されている（本法85条）。

(6) 審理の迅速化

(a) 標準審理期間制度

　本法16条においては，行政手続法6条の標準処理期間の制度に範をとった標準審理期間の制度が導入され，審査庁は，審査請求がその事務所に到達してから当該審査請求に対する裁決をするまでに通常要すべき標準的な期間を定めるよう努めるとともに，これを定めたときは，当該審査庁となるべき行政庁および関係処分庁の事務所における備付けその他の適当な方法により公にしておかなければならないこととされた。

(b) **計画的審理制度**

　審理員は，審査請求に係る事件について，審理すべき事項が多数であり，または錯綜しているなど事件が複雑であることその他の事情により，迅速かつ公正な審理を行うため，審理手続を計画的に遂行する必要があると認める場合は，期日および場所を指定して，審理関係人を招集し，あらかじめ，これらの審理手続の申立てに関する意見の聴取を行うことができることとされた（本法37条1項）。

本　論
行政不服審査法の逐条解説

Commentary on Administrative Appeal Act

第1章 総　則

> （目的等）
> 第1条①　この法律は，行政庁の違法又は不当な処分その他公権力の行使に当たる行為に関し，国民が簡易迅速かつ公正な手続の下で広く行政庁に対する不服申立てをすることができるための制度を定めることにより，国民の権利利益の救済を図るとともに，行政の適正な運営を確保することを目的とする。
> ②　行政庁の処分その他公権力の行使に当たる行為（以下単に「処分」という。）に関する不服申立てについては，他の法律に特別の定めがある場合を除くほか，この法律の定めるところによる。

（本条の趣旨）

本条1項は，簡易迅速性という訴訟と比較した行政上の不服申立ての長所を活かしつつ，旧行政不服審査法と比較して手続の公正性をより重視していることを明記している。そして，行政救済と行政統制の双方を目的とすることを明確にしている。本条2項は，本法が行政上の不服申立ての一般法であることを明らかにしている。

(1)　「目的等」（見出し）

旧行政不服審査法1条においては，1項で同法の目的，2項で同法の趣旨を定めていたが，見出しは「この法律の趣旨」となっていた。本条においても，1項で本法の目的，2項で本法の趣旨を定めていることは変わらない。他方，行政手続法1条が同様に1項で同法の目的，2項で同法の趣旨を定めているものの，その見出しは「目的等」となっており，このほうが本条の見出しとして適切と考えられるため，本条の見出しは「目的等」とされた。

(2)　「行政庁」（1項）

国または地方公共団体の機関であって「処分その他公権力の行使」を行う権

限を有するものが、「行政庁」の典型的なものであるが、それに限らず、「処分その他公権力の行使」を行う権限を有する機関または団体を含む。たとえば、裁判所の行う職員の任免（裁判所法64条）は「処分その他公権力の行使」に当たると解されるので、この場合、裁判所は「行政庁」となるし、土地区画整理組合が行う換地処分（土地区画整理法103条）、弁護士会が行う懲戒処分（弁護士法56条2項）も「処分その他公権力の行使」に当たるので、これらの処分を行う場合の土地区画整理組合、弁護士会も「行政庁」に当たる。

(3) 「違法又は不当な」（1項）

抗告訴訟においては、処分の適法性が審理され、裁量の逸脱濫用の場合には処分が違法になるため（行政事件訴訟法30条）、裁量の逸脱濫用の有無は審査できるが、裁量の逸脱濫用とまではいえない場合に、裁量権行使の妥当性を審査すること、すなわち当不当の審査をすることはできない。これに対し、行政不服審査は、行政の自己統制としての性格を持つため、当不当の問題を審査しても、権力分立原則に反することはない。そこで、行政不服審査法は、違法な場合に限らず不当な場合にも不服申立てが理由があるものとして処分の取消し等が行えることとしている。もっとも、不当を理由として処分の取消しを行った例がほとんどみられないことはかねてより指摘されている（総務庁オンブズマン制度研究会報告第3「我が国における行政救済制度の現状と問題点」(3)「行政不服審査法」（1986年）参照。この当不当の判断遺脱が裁決固有の瑕疵となるかの点を含め、「不当」概念を精緻に分析したものとして、稲葉馨「行政法上の『不当』概念に関する覚書き」行政法研究3号7頁以下参照）。

(4) 「処分その他公権力の行使」（1項）

行政事件訴訟法3条2項の「処分その他公権力の行使」と同義であり、いわゆる処分性を有する行政作用である。権力的事実行為も含まれる。旧行政不服審査法は、「公権力の行使に当たる事実上の行為で、人の収容、物の留置その他その内容が継続的性質を有するもの」（2条1項）のみを処分に含めていた。しかし、これらの継続的事実行為が処分に含まれることに異論はないので明記する実益に乏しいのみならず、行政事件訴訟法および行政手続法の処分の定義規定においては、権力的事実行為が処分に含まれる旨は明記されていないもの

本論 第1章 総　則

の，解釈上肯定されている。そして，行政事件訴訟法および行政手続法の処分には非継続的な権力的事実行為も含まれると解されるので，本法においても，それと異なる処分概念をとるべきではない。したがって，本項の「処分その他公権力の行使」には非継続的な権力的事実行為も含まれると解される。もっとも，非継続的な権力的事実行為の場合，不服申立てが行われても不服申立ての利益が失われていると思われるので，不服申立ては不適法として却下されることになると考えられる。旧行政不服審査法の下においては，非継続的な権力的事実行為に対する不服申立ては対象外として却下されることとされていたので，理由付けは異なるが，却下という結論には変わりはない。

(5)　「国民」(1項)

　自然人に限らず，法人その他の団体を含み，日本国籍を有しない外国人や外国資本の法人も含む。

(6)　「簡易迅速かつ公正な手続の下で」(1項)

　旧行政不服審査法は，簡易迅速な手続による国民の権利利益の救済を図ることを目的規定において明記していたが，公正な手続の下で不服申立てをすることができるための制度を設けることは目的規定に定められていなかった。しかし，1993年の行政手続法制定は1962年の旧行政不服審査法制定の約30年後に行われたため，この間の国内外における適正手続の水準の向上を反映して，旧行政不服審査法に比較して，かなり手続水準を向上させるものであった。その結果，行政過程における事前手続の一般法である行政手続法と比較して，行政過程における事後手続の一般法である旧行政不服審査法の手続水準が見劣りするものとなっていた。また，2004年の行政事件訴訟法改正により，行政事件訴訟法の救済水準が大きく向上したが，改正法附則による旧行政不服審査法改正は，執行停止要件の緩和と職権による教示を書面により行うことの義務付けにとどまった。そのため，行政事件訴訟法と比較して旧行政不服審査法の行政救済制度の不備も顕著になった。このような背景の下で，本法は，公正な手続の下で不服申立てをすることができるための制度を定めることを目的規定において明記し，行政不服審査制度の簡易迅速性という長所を維持しつつも，審理員制度および行政不服審査会等への諮問制度の導入等により，手続の公正性

第 1 条（目的等）

を高めている。

(7) 「広く行政庁に対する不服申立てをすることができるための制度を定めることにより」（1項）

　旧行政不服審査法は，その前身である訴願法の概括的列記主義を改め，一般概括主義を採用した。本法も旧行政不服審査法の一般概括主義を継承したことから，「広く行政庁に対する不服申立てをすることができる」と規定した。

(8) 「国民の権利利益の救済を図るとともに，行政の適正な運営を確保することを目的とする」（1項）

　本法は，不服申立人による不服申立てを通じて「国民の権利利益の救済を図る」という行政救済機能と，当該不服申立てを通じて違法または不当な行政が是正され「行政の適正な運営を確保する」という行政統制機能を有する。訴願法は行政統制機能を重視し，行政救済機能については不備が多かった。そこで，旧行政不服審査法は，不利益変更禁止原則を明記したり，教示制度を設ける等，行政救済をより重視する立場をとった。本法は，行政救済機能を一層向上させたといえる。「国民の権利利益の救済を図る」という規定は，不服申立人本人の権利利益の救済に資する限りにおいて本法の不服申立てが認められること，すなわち，本法の規定に基づく不服申立てが主観争訟であることを含意している。したがって，不服申立適格のある者のみが本法の規定に基づく不服申立てをすることができ，狭義の不服申立ての利益が失われれば，本法の規定に基づく不服申立ては不適法になることも含意されている。

(9) 「行政庁の処分その他公権力の行使に当たる行為（以下単に「処分」という。）に関する不服申立てについては」（2項）

　旧行政不服審査法2条1項の「処分」の定義においては，「各本条に特別の定めがある場合を除くほか」と規定されている。これは，同法40条3項，47条3項において「処分（事実行為を除く。）」と規定されているように，事実行為を除いている場合があったからである。本法においても，46条，48条，56条，59条1項，65条1項の処分は事実行為を除くこととされている。しかし，これらの各条項において事実行為を除くことは明記されているから，「処分」

を定義する本項においては「各本条に特別の定めがある場合を除くほか」と明示しなくても混乱は生じないと考えられる。そこで，本項には，「各本条に特別の定めがある場合を除くほか」という留保は規定されなかった。

⑽ 「他の法律に特別の定めがある場合を除くほか，この法律の定めるところによる」(2項)

　本法が行政上の不服申立ての一般法としての性格を有すること，他の法律に特別の定めがある場合には他の法律の特別の定めが特別法として本法に優先して適用されることを明確にしている。他の法律の特別の定めの例として，国家公務員法90条2項がある。すなわち，一般職の国家公務員がその意に反して著しく不利益な処分（降任，降給，休職，免職という分限処分等）または懲戒処分を受けた場合，人事院に対してのみ審査請求をすることができることとされ（同法90条1項），審査庁の特例が定められている。また，同法89条1項に規定する処分（一般職の国家公務員の意に反する降任等の不利益処分または懲戒処分）および法律に特別の定めがある処分を除くほか，一般職の国家公務員に対する処分については，本法による不服申立てをすることができず，一般職の国家公務員がした申請に対する不作為についても同様とされている（同条2項）。そして，本法に基づく審査請求ができないこととされたものについて，公平審査制度の一環として，災害補償審査申立て（国家公務員災害補償法24条1項），給与決定審査申立て（一般職の職員の給与に関する法律21条1項）等の独自の救済制度が設けられている。また，国家公務員法90条1項に規定する審査請求についても，本法2章（審査請求）の規定を適用しないこととされている（国家公務員法90条3項）。

　個別法で本法に基づく不服申立てをすることができないとしている例は少なくない。その中には，整備法による改正前から処分と不作為の双方を適用除外としているものもあったが（地方公務員法49条の2第2項，自衛隊法49条7項等），多くは処分についてのみ適用除外としていた。しかし，整備法による改正により，処分と不作為の双方を対象とする適用除外規定に改正された（行政手続法27条1項，情報公開・個人情報保護審査会設置法15条等参照）。なお，上級行政庁でないものを上級行政庁とみなす特例の例として，独立行政法人医薬品医療機器総合機構法35条2項がある（みなし上級行政庁の他の例について，宇賀克也・解

説行政不服審査法関連三法〔弘文堂，2015年〕186頁以下参照）。

> （処分についての審査請求）
> 第2条　行政庁の処分に不服がある者は，第4条及び第5条第2項の定めるところにより，審査請求をすることができる。

（本条の趣旨）
　旧行政不服審査法においては，処分についての基本的不服申立類型は異議申立てと審査請求であった。本条は，処分についての不服申立類型を原則として審査請求に一元化する趣旨を示している。

(1)　「行政庁の処分に不服がある者」
　本法の規定に基づく不服申立てが主観争訟であることから，「行政庁の処分に不服のある者」とは不服申立適格を有する者を意味する。不服申立適格が抗告訴訟の原告適格と同一であるか否かについて，学説上は議論があり，行政不服審査法は抗告訴訟よりも行政統制を重視していること等を理由として，不服申立適格を原告適格よりも広く解する説も少なくない。しかし，最判昭和53・3・14民集32巻2号211頁（主婦連ジュース事件）は，不服申立適格を有する者とは，当該処分により自己の権利もしくは法律上保護された利益を侵害された者または必然的に侵害されるおそれのある者を意味すると判示し，不服申立適格と原告適格は同一であるという立場を採っている。不服申立適格と原告適格が同一であるとすると，2004年の行政事件訴訟法改正で設けられた同法9条2項の解釈規定は不服申立適格の判断においても類推適用されるべきことになる。

(2)　「第4条」
　本法4条は審査請求をすべき行政庁を規定している。

(3)　「第5条第2項」
　本法5条2項は再調査の請求をした場合には，それに対する決定を経た後で

本論 第1章 総　則

なければ審査請求をすることができないのが原則であることと，その例外として，再調査の請求に対する決定を経ずに審査請求をすることができる場合について規定している。

(4) 「審査請求をすることができる」

　旧行政不服審査法4条1項柱書で規定されていた一般概括主義の採用を含意している。旧行政不服審査法においては，基本的な不服申立類型として異議申立てと審査請求が存在していたが，本法においては，異議申立ての類型は廃止され，基本的な不服申立類型は審査請求に一元化されたため，「審査請求をすることができる」と規定されている。旧行政不服審査法においては，異議申立ては基本的に処分庁に上級行政庁がないときに認められており，審査請求は基本的に処分庁に上級行政庁があるときに認められていたが，異議申立ては審査請求と比較して不服申立人の手続保障が不十分であり，上級行政庁の有無という不服申立人にとっては無関係な相違により，不服申立手続における手続保障の水準に差異が生ずることは不合理である。また，異議申立てと審査請求という複数の不服申立類型が存在することは，不服申立人にとってわかりにくいという問題がある。そこで本法は，審理員制度および行政不服審査会等への諮問という手続等の導入により審査請求における手続保障の水準を向上させることによって，審査請求への原則一元化を図ったのである。

（不作為についての審査請求）
第3条　法令に基づき行政庁に対して処分についての申請をした者は，当該申請から相当の期間が経過したにもかかわらず，行政庁の不作為（法令に基づく申請に対して何らの処分をもしないことをいう。以下同じ。）がある場合には，次条の定めるところにより，当該不作為についての審査請求をすることができる。

（本条の趣旨）
　旧行政不服審査法においては，不作為についての不服申立てとして，異議申立てと審査請求があったが，本条は，不作為についての不服申立てを審査請求

第3条（不作為についての審査請求）

に一元化する趣旨を明確にしている。

(1) 「法令に基づき行政庁に対して処分についての申請をした者」

　不作為についての審査請求の不服申立適格を有する者は，法令に基づき行政庁に対して処分についての申請をした者であることを示している。行政事件訴訟法37条の定める不作為の違法確認訴訟の原告適格（「処分又は裁決についての申請をした者」）と同じである。

(2) 「相当の期間」

　本条にいう「相当の期間」は，行政手続法6条の規定に基づく標準処理期間とは必ずしも一致しない。行政庁が長すぎる標準処理期間を定めている場合には，標準処理期間経過前であっても，「相当の期間」が経過していると判断されることはありうるし，逆に，行政庁が短すぎる標準処理期間を定めている場合には，標準処理期間が経過していても「相当の期間」を経過していないと判断されることも理論的にはありうる。もっとも，標準処理期間が「相当の期間」を判断するに当たり，有力な参考になるということはいえる。なお，行政事件訴訟法3条5項が定める不作為の違法確認訴訟についても「相当の期間」という文言が用いられているが，本条においては，行政庁の不作為が違法な場合に限らず不当な場合にも「相当の期間」が経過していることになるのに対し，行政事件訴訟法3条5項においては，行政庁の不作為が違法な場合にのみ「相当の期間」が経過していることになるから，同一の文言が用いられているものの，両者は一致しない。本条の「相当の期間」のほうが行政事件訴訟法3条5項の「相当の期間」よりも一般的には短いと考えられる。「相当の期間」の経過の有無の判断基準時は，審査請求提起時ではなく，審理手続の終結時である。

(3) 「行政庁の不作為（法令に基づく申請に対して何らの処分をもしないことをいう。以下同じ。）がある場合には」

　旧行政不服審査法2条2項は，「不作為」を「法令に基づく申請に対し，相当の期間内になんらかの処分その他公権力の行使に当たる行為をすべきにかかわらず，これをしないこと」と定義していた。これに対し，本条は，「不作為」を「法令に基づく申請に対して何らの処分をもしないこと」と定義しており，

19

「不作為」の定義を変更している。旧行政不服審査法2条2項の「処分その他公権力の行使に当たる行為」という表現を本条では「処分」に変更したのは，本法1条2項において，処分を「行政庁の処分その他公権力の行使に当たる行為」と定義しているので，本条で重ねて「その他公権力の行使に当たる行為」を明記する必要はないからである。また，旧行政不服審査法2条2項の「相当の期間内に」「すべきにかかわらず」という部分が本条で規定されていないのは，不作為という文言が，一般には何らの行為をしないという客観的事実を意味するため，規範的要素を捨象して定義することとしたためである。

(4) 「次条の定めるところにより」

これは，審査請求をすべき行政庁について定めている4条により，不作為についての審査請求をすべき行政庁が定まることを意味する。処分についての審査請求については2条で「第4条及び第5条第2項の定めるところにより」と規定されているのに対し，本条では「第5条第2項の定めるところにより」の部分は規定されていない。その理由は，5条が定める再調査の請求は，処分に対してのみ行うことができ，不作為については行うことができないからである。

(5) 「当該不作為についての審査請求をすることができる」

旧行政不服審査法においては，不作為について，原則として，不作為庁に対する異議申立てとその直近上級行政庁に対する審査請求の選択が不服申立人に認められていた（7条本文）。本法が，審査請求の手続水準を向上させることによって不服申立類型を基本的に審査請求に一元化し，異議申立てを廃止する趣旨は，処分についてのみならず，不作為についても妥当するので，本法は不作為についての異議申立てを廃止し，不作為については審査請求により争うこととしている。

不作為についての審査請求をすることができるための要件は，(i)法令に基づき行政庁に対して処分についての申請をした者（不服申立適格を有する者）による申立てであること，(ii)当該申請から相当の期間が経過していること，(iii)行政庁の不作為があることである。(ii)は形式的には判断できず実体的判断を必要とするが，それは本案の問題ではなく，あくまでも不服申立ての適法要件であることを明確にするため，「不作為……がある場合には……審査請求をすること

ができる」という表現を用いている。

> （審査請求をすべき行政庁）
> 第4条　審査請求は，法律（条例に基づく処分については，条例）に特別の定めがある場合を除くほか，次の各号に掲げる場合の区分に応じ，当該各号に定める行政庁に対してするものとする。
> 1　処分庁等（処分をした行政庁（以下「処分庁」という。）又は不作為に係る行政庁（以下「不作為庁」という。）をいう。以下同じ。）に上級行政庁がない場合又は処分庁等が主任の大臣若しくは宮内庁長官若しくは内閣府設置法（平成11年法律第89号）第49条第1項若しくは第2項若しくは国家行政組織法（昭和23年法律第120号）第3条第2項に規定する庁の長である場合　当該処分庁等
> 2　宮内庁長官又は内閣府設置法第49条第1項若しくは第2項若しくは国家行政組織法第3条第2項に規定する庁の長が処分庁等の上級行政庁である場合　宮内庁長官又は当該庁の長
> 3　主任の大臣が処分庁等の上級行政庁である場合（前二号に掲げる場合を除く。）　当該主任の大臣
> 4　前三号に掲げる場合以外の場合　当該処分庁等の最上級行政庁

（本条の趣旨）

　本条は，不服申立類型が基本的に審査請求に一元化され，かつ，審理手続が原則として一段階になることを踏まえて，審査請求をすべき行政庁を定めている。

(1)　「審査請求は」（柱書）

　処分についての審査請求（2条）および不作為についての審査請求（3条）の双方について，審査請求をすべき行政庁を本条で一括して規定している。

(2)　「法律（条例に基づく処分については，条例）に特別の定めがある場合を除くほか」（柱書）

　本条は，審査請求をすべき行政庁について，処分庁または不作為庁に上級行

政庁がある場合とない場合について定めている。審査請求をすべき行政庁について特別の定めがあれば，特別法の一般法に対する優先原則により，当該特別の定めが優先することは当然であるが，実際に個別法において，かかる特別の定めが置かれているので，本項において，特別の定めがある場合には一般法の例外となることを明記している。本法25条3項（「処分庁の上級行政庁又は処分庁のいずれでもない審査庁」），46条1項ただし書（「審査庁が処分庁の上級行政庁又は処分庁のいずれでもない場合」）においても，一般原則の例外として，審査庁が処分庁の上級行政庁または処分庁のいずれでもない場合について規定されている。条例に基づく処分については，地方自治に配慮して，旧行政不服審査法においても，条例で審査請求をすべき行政庁を定めることが認められていたが，本条もその方針を踏襲している。

(3) 「処分庁等」（1号）

処分をした行政庁（処分庁）または不作為に係る行政庁（不作為庁）を意味する。

(4) 「上級行政庁がない場合」（1号）

「上級行政庁」とは，当該行政事務に関し，処分庁等を指揮監督する権限を有する行政庁を意味する。指揮権とは，上級機関が下級機関に対して，その所掌事務について，方針等を命令する権限であり，監督権とは，下級機関の行為を監視し，その行為の適法性および合目的性を担保する権限である（指揮監督権の具体的内容については，宇賀克也・行政法概説Ⅲ〔第4版〕〔有斐閣，2015年〕57頁参照）。旧行政不服審査法においては，処分庁等に上級行政庁がない場合には，処分庁等に異議申立てを行うのが原則であったが，本法は，異議申立てという不服申立類型を廃止し，審査請求という不服申立類型に一元化したため，処分庁等に上級行政庁がない場合の審査請求は，当該処分庁等に対して行うことになる。

会計検査院の国の機関における位置付けについては議論があるが（宇賀・行政法概説Ⅲ 247頁以下参照），実務上は行政機関として位置づけられ，行政機関の保有する情報の公開に関する法律（以下「行政機関情報公開法」という）2条1項6号，行政機関の保有する個人情報の保護に関する法律（以下「行政機関個人

第 4 条（審査請求をすべき行政庁）

情報保護法」という）2条1項6号により，これらの法律の対象機関になっている。会計検査院の長が行政機関個人情報保護法に基づく開示請求，訂正請求，利用停止請求に対して行う決定については，会計検査院の長には上級行政庁がないので，会計検査院の長に審査請求をすることになる。人事院は内閣の所轄（所轄の意味について，宇賀・行政法概説Ⅲ 59 頁，138 頁参照）の下に置かれるが（国家公務員法3条1項前段），職権行使の独立性が保障されており，内閣には人事院に対する指揮監督権がないので，人事院総裁が「行政機関の長」として行政機関情報公開法に基づく開示請求に対して行った決定に対する審査請求については，人事院総裁に対して審査請求を行うことになる。府省の外局として置かれる委員会（内閣府の外局として置かれている公正取引委員会〔私的独占の禁止及び公正取引の確保に関する法律（以下「独占禁止法」という）27 条 1 項〕，国家公安委員会〔警察法 4 条 1 項〕，個人情報保護委員会〔個人情報の保護に関する法律（以下「個人情報保護法」という）59 条 1 項〕，総務省の外局として置かれている公害等調整委員会〔公害等調整委員会設置法 2 条〕，法務省の外局として置かれている公安審査委員会〔公安審査委員会設置法 1 条の 2〕，厚生労働省の外局として置かれている中央労働委員会〔労働組合法 19 条の 2 第 1 項〕，国土交通省の外局として置かれている運輸安全委員会〔運輸安全委員会設置法 3 条 1 項〕，環境省の外局として置かれている原子力規制委員会〔原子力規制委員会設置法 2 条 1 項〕）は内閣総理大臣または各省大臣の所轄の下に置かれ（独占禁止法 27 条 2 項，警察法 4 条 1 項，個人情報保護法 59 条 2 項参照），職権行使の独立性が保障されており（独占禁止法 28 条，個人情報保護法 62 条，公害等調整委員会設置法 5 条，公安審査委員会設置法 3 条，運輸安全委員会設置法 6 条，原子力規制委員会設置法 5 条参照），内閣総理大臣または各省大臣は委員会に対する指揮監督権を有しない。したがって，公正取引委員会の委員長が「行政機関の長」として行政機関情報公開法に基づく開示請求に対して行った決定に対する審査請求について，公正取引委員会の委員長には上級行政庁はなく，公正取引委員会の委員長に対して審査請求を行うことになる。

　国立国会図書館の館長は，衆参両院の議長が，両議院の議院運営委員会と協議の後，国会の承認を得て，これを任命するが（国立国会図書館法 4 条 1 項），衆参両院の議長についても上級行政庁は存在しない（もっとも本法 7 条 1 項 3 号の規定により本法 2 条，3 条規定の適用除外）。司法研修所教官の任免は最高裁判所が行うが（裁判官以外の裁判所職員の任免等に関する規則 2 条 3 号），最高裁判所に

本論 第1章 総　則

も上級行政庁は存在しない。独立行政法人等の保有する情報の公開に関する法律の対象法人である独立行政法人等にも上級行政庁は存在しない（主務大臣は上級行政庁に当たらない）ので，同法に基づく開示請求に対する不開示決定についての審査請求は当該独立行政法人等に対してなされることになる。普通地方公共団体の長にも上級行政庁は存在しない。普通地方公共団体の長以外の執行機関（委員会および委員）は，長の所轄の下に置かれるが（地方自治法138条の3第1項），職権行使について独立性を保障されているので，上級行政庁は存在しない。特別地方公共団体の長（特別区長，一部事務組合の管理者等）にも上級行政庁は存在しない。日本弁護士連合会が弁護士法60条1項の規定に基づき弁護士または弁護士法人に対して行った懲戒処分に対する審査請求については，日本弁護士連合会に上級行政庁は存在しないので，日本弁護士連合会に審査請求をすることになる。

　民間法人であっても，法律の特別の定めにより主務大臣に審査請求が認められている例がある。たとえば，ガス事業法において，指定試験機関が行う試験事務に係る処分またはその不作為について不服がある者は，経済産業大臣に対して審査請求をすることができるとされている（49条の2前段）。この場合において，経済産業大臣は，本法25条2項および3項，46条1項および2項ならびに49条3項の規定の適用については，指定試験機関の上級行政庁とみなされる（同条後段）。

(5)　「処分庁等が主任の大臣……である場合　当該処分庁等」（1号）

　主任の大臣には内閣という上級行政庁が存在するが，主任の大臣は，(i)事務統括権，職員の服務統督権（内閣府設置法7条1項，国家行政組織法10条），(ii)法律案・政令案の閣議請議権（内閣府設置法7条2項，国家行政組織法11条），(iii)府令または省令制定権（内閣府設置法7条3項，国家行政組織法12条1項），(iv)告示発出権（内閣府設置法7条5項，国家行政組織法14条1項），(v)訓令・通達発出権（内閣府設置法7条6項，国家行政組織法14条2項）を有するので，その自律性にかんがみ，当該主務大臣に帰属する行政事務に係る不服申立てについては，主任の大臣に処理させることが適切と考えられる。そこで，本号は，主任の大臣が処分庁等である場合には，上級行政庁がない場合と同様，当該主任の大臣に審査請求をすることとしている。

(6) 「処分庁等が……宮内庁長官……である場合　当該処分庁等」(1号)

　宮内庁はかつては総理府の外局であったが，2001（平成13）年の中央省庁等改革により内閣府の特別な機関になった（内閣府設置法48条。宇賀・行政法概説Ⅲ 152頁）。したがって，宮内庁長官には，内閣府の主任の大臣たる内閣総理大臣（内閣府設置法6条），および内閣府を統轄する内閣が上級行政庁として存在する。しかし，宮内庁長官は，(i)事務統括権，職員の服務統督権（宮内庁法8条3項），(ii)命令制定権（同法18条1項，内閣府設置法58条4項），(iii)告示発出権（宮内庁法8条5項），(iv)訓令・通達発出権（同法8条6項）を有するので，その自律性にかんがみ，宮内庁長官に帰属する行政事務に係る不服申立てについては，宮内庁長官に処理させることが適切と考えられる。そこで，本号は，宮内庁長官が処分庁等である場合には，当該宮内庁長官に審査請求をすることとしている。

(7) 「処分庁等が……内閣府設置法（平成11年法律第89号）第49条第1項……国家行政組織法（昭和23年法律第120号）第3条第2項に規定する庁の長である場合　当該処分庁等」(1号)

　内閣府設置法49条1項および国家行政組織法3条2項に規定する庁とは，府省の外局として置かれる庁のことである（宇賀・行政法概説Ⅲ 204頁以下）。外局として置かれる庁の上級行政庁は，主任の大臣および内閣である。外局として置かれる庁の長は長官であり（内閣府設置法50条，国家行政組織法6条），外局として置かれる庁の長官は，(i)事務統括権，職員の服務統督権（内閣府設置法58条1項，国家行政組織法10条），(ii)法律に基づく命令制定権（内閣府設置法58条4項，国家行政組織法13条1項），(iii)告示発出権（内閣府設置法58条6項，国家行政組織法14条1項），(iv)訓令・通達発出権（内閣府設置法58条7項，国家行政組織法14条2項）を有するので（宇賀・行政法概説Ⅲ 206頁），その自律性にかんがみ，庁の長官に帰属する行政事務に係る不服申立てについては，庁の長官に処理させることが適切と考えられる。そこで，本号は，庁の長官が処分庁等である場合には，当該庁の長官に審査請求をすることとしている。

(8) 「処分庁等が…内閣府設置法（平成11年法律第89号）第49条……第2項……に規定する庁の長である場合　当該処分庁等」(1号)

本論 第1章 総　則

　法律で国務大臣をもってその長に充てることと定められている委員会（大臣委員会）には，特に必要がある場合に庁を置くことができる（内閣府設置法49条2項）。大臣委員会に置かれる庁の長官の上級行政庁は大臣委員会である。内閣府設置法58条の庁には大臣委員会に置かれる庁も含まれるので（同法49条2項・3項），大臣委員会に置かれる庁の長官も，(i)事務統括権，職員の服務統督権（同法58条1項），(ii)法律に基づく命令制定権（同条4項），(iii)告示発出権（同条6項），(iv)訓令・通達発出権（同条7項）を有する。したがって，その自律性にかんがみ，大臣委員会に置かれる庁の長官に帰属する行政事務に係る不服申立てについては，大臣委員会に置かれる庁の長官に処理させることが適切と考えられる。そこで，本号は，大臣委員会に置かれる庁の長官が処分庁等である場合には，当該庁の長官に審査請求をすることとしている。

　なお，現在，大臣委員会は国家公安委員会のみであるが，国家公安委員会には庁は置かれておらず（国家公安委員会が管理する警察庁は，内閣府設置法49条2項の庁ではなく，内閣府設置法56条，警察法15条の規定に基づく特別の機関である），内閣府設置法49条2項の定める庁は存在しない（すでに廃止されているが，防衛省に昇格する前の大臣庁であった防衛庁に防衛施設庁が置かれていた例，大臣委員会であった金融再生委員会に金融監督庁が置かれていた例がある。宇賀・行政法概説Ⅲ 149頁，196頁）。

(9)　「宮内庁長官又は内閣府設置法第49条第1項若しくは第2項若しくは国家行政組織法第3条第2項に規定する庁の長が処分庁等の上級行政庁である場合　宮内庁長官又は当該庁の長」(2号)

　宮内庁長官または外局の庁である長官もしくは大臣委員会に置かれる庁の長官が処分庁等である場合には，その自律性にかんがみ，上級行政庁がない場合と同様に扱うこととしているため，本号は，これらの機関が処分庁等の上級行政庁である場合においても，審査請求は宮内庁長官または外局の庁である長官もしくは大臣委員会に置かれる庁の長官の上級行政庁に対してではなく，宮内庁長官または外局の庁である長官もしくは大臣委員会に置かれる庁の長官に対して行うこととしている。たとえば，宮内庁長官の下級行政機関である京都事務所長が行った処分に対する審査請求は，宮内庁長官の上級行政庁である内閣総理大臣または内閣に対して行われるのではなく，宮内庁長官に対して行われ

ることになる。また，内閣府の外局の長である金融庁長官が指揮監督権を有する財務局長が行った処分に対する審査請求は，金融庁長官の上級行政庁である内閣総理大臣または内閣に対して行われるのではなく，金融庁長官に対して行われることになるし，国土交通省の外局の長である海上保安庁長官の下級行政機関である管区海上保安本部長が行った処分に対する審査請求は，海上保安庁長官の上級行政庁である国土交通大臣または内閣に対して行われるのではなく，海上保安庁長官に対して行われることになる。

⑽ 「主任の大臣が処分庁等の上級行政庁である場合　当該主任の大臣」（3号）

　処分庁等の上級行政庁が主任の大臣である場合には，主任の大臣の自律性にかんがみ，上級行政庁がない場合と同様に扱うこととしているため，審査請求は主任の大臣の上級行政庁である内閣に対してではなく，主任の大臣に対して行うことになる。たとえば，内閣に置かれる復興庁の主任の大臣は内閣総理大臣であり（宇賀・行政法概説Ⅲ 132頁参照），その下級行政機関である復興局長が行った処分に対する審査請求は，内閣総理大臣の上級行政庁である内閣に対して行われるのではなく，内閣総理大臣に対して行われることになる。また，内閣府の長である内閣総理大臣の下級行政機関である沖縄総合事務局長が行った処分に対する審査請求は，内閣に対して行われるのではなく，内閣総理大臣に対して行われることになるし，国土交通大臣の下級行政機関である地方運輸局長が行った処分に対する審査請求は，国土交通大臣の上級行政庁である内閣に対して行われるのではなく，国土交通大臣に対して行うことになる。

⑾ 「（前二号に掲げる場合を除く。）」（3号）

　処分庁等が宮内庁長官または内閣府設置法49条1項もしくは国家行政組織法3条2項に規定する庁の長である場合には，審査請求はこれらの機関に対してすることになり（前述⑹⑺参照），主任の大臣が審査庁になるわけではないので，本条の規定の適用を除外している（内閣府設置法49条2項の庁は現存しないが，仮に存在しても，その上級行政庁は大臣委員会のみになるので，主任の大臣に対する審査請求にはならない〔前述⑻参照〕）。

　これらの機関が処分庁等の上級行政庁である場合も，審査請求はこれらの

本論 第1章 総　則

機関に対してすることになり（前述(9)参照），主任の大臣が審査庁になるわけではないので，本条の規定の適用を除外している。

(12)　「前三号に掲げる場合以外の場合　当該処分庁等の最上級行政庁」（4号）

　旧行政不服審査法においては，審査主体の中立性を高めるため，できる限り処分庁以外の者が不服申立てを審査すべきという立場から，処分庁に上級行政庁が存在する場合には，上級行政庁に対する審査請求を原則としていた。本法は，異議申立てを廃止して原則として審査請求に一元化したが，処分庁等に上級行政庁が存在する場合には処分庁等以外の者が不服申立てを審査すべきという立場から，処分庁等の上級行政庁に審査請求することを原則としている。問題は上級行政庁が複数存在する場合にどの上級行政庁に審査請求をするかである。旧行政不服審査法においては直近上級行政庁を原則的な審査庁とする方針を採用していた。これに対し本号は，審査請求人に本府省や地方公共団体の長の審査を受ける機会を確保すること，不服審査の統一性を確保すること，審査の公正中立性をできる限り確保することという観点から，最上級行政庁，すなわち，それ以上の上級行政庁を有しない行政庁を審査庁とする方針を採っている。たとえば，上席検察官が処分を行った場合，その上級行政庁は下から検事正，検事長，検事総長，法務大臣になるので，最上級行政庁である法務大臣に審査請求をすることになる。運輸支局長が処分を行った場合，その上級行政庁は下から地方運輸局長，国土交通大臣になるので，最上級行政庁である国土交通大臣に審査請求をすることになる。簡易裁判所が処分を行った場合，その上級行政庁は下から地方裁判所，高等裁判所，最高裁判所になるので，最上級行政庁は最高裁判所になる（裁判所法80条）。

> （再調査の請求）
> **第5条①**　行政庁の処分につき処分庁以外の行政庁に対して審査請求をすることができる場合において，法律に再調査の請求をすることができる旨の定めがあるときは，当該処分に不服がある者は，処分庁に対して再調査の請求をすることができる。ただし，当該処分について第2条の規定により

第 5 条（再調査の請求）

審査請求をしたときは，この限りでない。
② 前項本文の規定により再調査の請求をしたときは，当該再調査の請求についての決定を経た後でなければ，審査請求をすることができない。ただし，次の各号のいずれかに該当する場合は，この限りでない。
1 当該処分につき再調査の請求をした日（第 61 条において読み替えて準用する第 23 条の規定により不備を補正すべきことを命じられた場合にあっては，当該不備を補正した日）の翌日から起算して 3 月を経過しても，処分庁が当該再調査の請求につき決定をしない場合
2 その他再調査の請求についての決定を経ないことにつき正当な理由がある場合

（本条の趣旨）
　本条は，不服申立類型の審査請求への原則一元化の例外として，再調査の請求について定めている。要件事実の認定の当否に係る不服申立てが大量になされるような場合には，処分庁以外の行政庁に対する審査請求を先行させるよりも，処分の内容を熟知している処分担当者が不服申立てを契機として簡易迅速な手続で処分を見直すことが，府省本府に審査請求が集中して審理が遅延する事態を回避し，国民にとっても迅速な救済を可能にする利点がある。そこで，かかる場合に，法律が特に再調査の請求を認めていれば，不服申立人は再調査の請求と審査請求を選択でき，再調査の請求を選択した場合には，原則として，その決定を経てからでないと審査請求をすることができないことを定めている。

(1) 「行政庁の処分につき処分庁以外の行政庁に対して審査請求をすることができる場合において」（1 項本文）
　旧行政不服審査法における異議申立ては，(i)上級行政庁がないとき（6 条 1 号），(ii)処分庁が主任の大臣または宮内庁長官もしくは外局の長もしくはこれらに置かれる庁の長であるときに当たるため審査請求をすることができない場合（同条 2 号），(iii)以上に該当しない場合（処分庁以外の審査庁に審査請求をすることができる場合）であって，法律に異議申立てをすることができる旨の定めがある場合（同条 3 号）のいずれかの場合に認められていた。このうち，(i)の場

29

本論 第1章 総　則

合については，本法は，異議申立てという不服申立類型を廃止して審査請求に一元化したため，異議申立てに代わり審査請求をすることになる。(ⅱ)の場合についても，これらの行政庁に審査請求をすることになる。他方，(ⅲ)の場合には，旧行政不服審査法下において審査請求をすることができたが，法律の特別の定めにより異議申立てをすることも認められ，この場合，原則として異議申立てを審査請求に前置することとされていた（異議申立前置。旧20条）。処分の内容等を把握している処分庁が，審査請求よりも簡易な手続（審理員による審理も行政不服審査会等への諮問もない）により要件事実の認定の当否を見直すことは，簡易迅速な国民の権利利益の救済および審査庁の負担軽減に資する。そこで本項は，上記(ⅲ)の場合のうちの一部について，個別の法律に定めがある場合に限り，特別に再調査の請求を認める方針を採った（再調査の請求という名称は，昭和34年法律第147号による国税徴収法全部改正の際に用いられた例がある〔同法166条〕）。

(2) 「法律に再調査の請求をすることができる旨の定めがあるとき」（1項本文）

本法は不服申立類型を基本的には審査請求に一元化しているが，要件事実の認定の当否に係る不服申立てが大量に行われるような場合について，申立てを契機として処分庁が当該処分の再調査を行うことに特に意義がある場合に例外的に，個別の法律で再調査の請求をすることができる旨の定めを置くこととしている。

国の機関が行う処分について，従前，個別法において異議申立前置が法定されていたのは，国税通則法，関税法（とん税法で準用，とん税法の当該準用規定を特別とん税法で準用），道路運送車両法，労働保険の保険料の徴収等に関する法律（労働者災害補償保険法および石綿による健康被害の救済に関する法律において準用）であった。整備法による改正にあたっては，当該処分に係る要件事実の認定の当否に係る大量の不服申立てを処分庁が簡易迅速に見直す意義が特に大きいか否かという観点から精査が行われ，国税通則法，関税法（とん税法で準用，とん税法の当該準用規定を特別とん税法で準用）に限定して再調査の請求が認められることになった。

地方公共団体の機関が行う処分については，従前，地方自治法，児童扶養手当法，道路法等の多くの法律で異議申立てが審査請求に前置して行われること

第5条（再調査の請求）

になっていたが，整備法により，基本的には，従前の異議申立てが審査請求に，従前の審査請求が再審査請求に変更された。ただし，公害健康被害の補償等に関する法律に基づき，環境省の附属機関である公害健康被害補償不服審査会に対して行われる審査請求については，公害の影響に起因する疾病多発地域の指定が補償給付の前提であり，特定の地域・時期に大量の不服申立てが行われる可能性があるため，法定受託事務に係る裁定的関与として行われる審査請求審理の前段階において，処分庁である都道府県知事に対する再調査の請求が認められた（同法106条1項）。

　旧行政不服審査法においては，審査請求中心主義の観点から，審査請求をすることができる場合に例外的に異議申立てが認められるのは法律に特別の定めがある場合に限られ，条例で異議申立てを定めることは認めていなかった。また，実態としても，条例に基づく処分についての審査請求件数を団体別・条例別でみると，情報公開条例，個人情報保護条例，税条例関係が比較的には多数であるものの，それでも多い団体で年間20件前後であるから，再調査の請求を条例で認める必要性が高いとはいえない。そこで本項においても，平成20年法案と同様，例外的に再調査の請求が認められるのは法律に定める場合に限られることとし，条例により再調査の請求を定めることは認めていない。

(3) 「処分庁に対して再調査の請求をすることができる」（1項本文）

　要件事実の認定の当否に係る不服申立てが大量に行われるものについて，処分の内容等を把握している処分庁が審査請求よりも簡易迅速な手続である再調査により処分を見直すことは，国民の権利利益の迅速な救済の観点から意義が認められる。かかる事案が審査請求の審理を行うことが多いと想定される内閣府本府・本省の審理員に集中した場合には，審理が著しく遅延し，簡易迅速な救済を旨とする本法の意義が没却されるおそれがある一方，処分庁であれば，再調査の請求に係る事案における要件事実の認定を自ら行っているので，再度見直すことは大きな負担にはならないと考えられる。そこで，本項は再調査の請求を処分庁に対して行うことを認めている。

　「処分庁等」ではなく「処分庁」とされているのは，不作為の場合は再調査の請求の対象にならないからである。法律により再調査の請求ができるとされている場合であっても，再調査の請求を選択しなければならないわけではなく，

本 論 第1章 総　則

審査請求を選択することもできる。

　平成20年法案においては，再調査の請求ができる場合には審査庁の負担軽減を主たる目的として審査請求に前置することを義務づけていたのに対し，本項が再調査の請求と審査請求の選択制を採用したのは，再調査の請求が認められる場合であっても，要件事実の認定の当否ではなく，通達の解釈を争いたいような場合には，再調査の請求を審査請求に前置する意義に乏しく，直ちに審査請求をすることを認めることが不服申立人の便宜にかなうと考えられたからである。また，再調査の請求の対象となる処分については裁判所への出訴について不服申立前置が法定されている場合が稀でないが，かかる場合に再調査の請求を審査請求に前置すると，二重前置になり，司法救済を大きく遅延させるおそれもある。このことも，再調査の請求と審査請求を選択制にした理由である。さらに，行政手続法により処分の事前手続が整備されたため，処分庁が審査請求の前に簡易な手続で見直しを行う必要性が低下したこと，処分庁は職権による見直しが可能なことも，再調査の請求と審査請求を選択制にした理由である。

　なお，再調査の請求には，本法61条により，本法10条（法人でない社団または財団の審査請求），11条（総代），12条（代理人による審査請求），19条1項（審査請求書の提出），同条2項・4項・5項3号（審査請求書の記載事項），20条（口頭による審査請求），25条1項・2項・4項～7項（執行停止），26条（執行停止の取消し），27条（審査請求の取下げ），39条（審理手続の併合または分離）に係る規定等が準用されている。

(4)　「ただし，当該処分について第2条の規定により審査請求をしたときは，この限りでない」（1項ただし書）

　再調査の請求と審査請求の両者を並行して審理することは争訟経済の観点から妥当ではない。そこで，再調査の請求と審査請求のいずれを行うかは不服申立人の選択に委ね，不服申立人が審査請求を選択したときは再調査の請求はできないこととしている。

(5)　「再調査の請求をしたときは，当該再調査の請求についての決定を経た後でなければ，審査請求をすることができない」（2項柱書本文）

第5条（再調査の請求）

　本人が再調査の請求を選択した場合には，要件事実の認定の当否について，まず処分庁が判断を示すことは，審査庁の負担の軽減にも資することになる。したがって，再調査の請求をしたにもかかわらず，その決定を経ることなく審査請求を提起し，両者が並行して係属する状態を許容することは，争訟経済の観点から妥当とはいえない。そこで，再調査の請求についての決定を経た後でなければ審査請求をすることができないことを原則としている（この点は，平成20年法案と変わらない）。「再調査の請求についての決定を経た」とは，旧行政不服審査法20条の場合（名古屋高金沢支判昭和56・2・4行集32巻2号179頁）と同様，却下決定を含まないと解される。しかし，不適法として却下すべきでないにもかかわらず誤って却下した場合には，再調査請求人の責に帰すべき理由がないにもかかわらず審査請求の道を閉ざすべきではないので，「再調査の請求についての決定を経た」と解すべきと思われる（最判昭和36・7・21民集15巻7号1966頁参照）。なお，再調査の請求を行い決定前に当該請求を取り下げて審査請求を行うことは，審査請求期間内であれば可能である。

(6)　「ただし，次の各号のいずれかに該当する場合は，この限りでない」
　（2項柱書ただし書）

　再調査の請求をしたときは，当該再調査の請求についての決定を経た後でなければ，審査請求をすることができないのが原則であるが，決定の前置を義務づけることが不合理な場合には例外を認めることとしている。旧行政不服審査法20条1号は「処分庁が，当該処分につき異議申立てをすることができる旨を教示しなかったとき」，平成20年法案5条1号は「処分庁が，当該処分につき再調査の請求をすることができる旨を教示しなかった場合」に，異議申立てまたは再調査の請求についての決定を経ずに審査請求をすることができるとしていた。しかし，本項は，これらに対応する規定を設けていない。旧行政不服審査法においては異議申立てと審査請求の双方をできる場合には異議申立前置が原則とされ，平成20年法案においても再調査の請求は審査請求に前置することが原則とされていたのに対し，本法は，再調査の請求と審査請求の選択を認めており，再調査の請求に対する決定を経ることが審査請求の適法要件となるのは再調査の請求をした場合に限定されている。再調査の請求をすることができる旨の教示がされなかったことにより再調査の請求をせずに審査請求がさ

本論　第1章　総則

れた場合も当然，再調査の請求を前置せずに審査請求の審理が行われることになる。そのため，再調査の請求がされた場合に限定して，それについての決定を経ないで審査請求をすることが認められる例外を定めた。

⑺　「当該処分につき再調査の請求をした日……の翌日から起算して3月を経過しても，処分庁が当該再調査の請求につき決定をしない場合」（2項1号）

　旧行政不服審査法20条2号に対応する規定である。再調査の請求をした日の翌日から起算して3月を経過しても，処分庁が当該再調査の請求につき決定をしない場合には，再調査の請求により迅速な救済を与えるというこの不服申立制度の趣旨が実現されていないことになり，決定前置を義務づけることにより，不服申立人の権利利益の救済をむしろ遅延させるおそれがある。そこで，本号は，再調査の請求についての決定の前置を義務づけないことにしている。「再調査の請求をした」とは，適法な請求をした場合に限られると解される。

　なお，平成20年法案5条2号においては，再調査の請求をした日から2か月を経過しても処分庁が当該再調査の請求につき決定しない場合においては審査請求をすることができるとしていた。本項1号の「3月」よりも短い「2月」としていた理由は，総務省行政不服審査制度検討会最終報告（2007年7月）において，「再調査請求についての決定は，迅速になされることが望ましく，再調査請求がされていることをもって不相当に長い期間，審査請求をすることができないとすることは，国民の権利利益の救済の観点から問題である。他方で，再調査には一定の期間を要するものでもある。そこで，再調査請求があった日から2か月を経過しても再調査請求についての決定がされないときは，請求人の申立てにより審査請求に移行する手続を保障する」べきとされたことによる。すなわち，平成20年法案においては再調査の請求は審査請求に前置するものとされていたので，審査請求の機会を不当に遅延させることがないようにとの配慮があり，さらに，訴訟との関連で審査請求前置が定められている場合もあるので，なおさら再調査の請求前置により国民の権利利益の救済を不当に遅延させないようにすべきとの考慮が働いたのである。しかし，平成23年度に行われた行政不服審査法施行状況調査によれば，審査請求に前置される異議申立てが2か月以内に処理されたのは約46パーセントにすぎず，3か月を超える

ものが約9パーセント存在した。再調査は異議申立ての審理よりもさらに簡略な手続ではあるものの，上記の統計にかんがみ，2か月以内で再調査の請求についての決定を出すことを原則とすることが現実的かどうか懸念が生ずることになった。また，本法は，平成20年法案と異なり，再調査の請求と審査請求の選択制を採用しているので，自ら再調査の請求を選択した者についてはその決定までに通常要すると考えられる3か月間待たせることになったとしても，過度な負担を課すことにはならないと思われる。

そこで，本号は，旧行政不服審査法20条2号と同様，不服申立てをした日の翌日から起算して3か月を経過しても，処分庁が当該再調査の請求につき決定をしない場合に審査請求をすることができるとしている。

(8)「(第61条において読み替えて準用する第23条の規定により不備を補正すべきことを命じられた場合にあっては，当該不備を補正した日)」（2項1号）

再調査の請求をした日から3か月というのは，適法な再調査の請求の審理に必要な期間を定めたものと考えられるので，「再調査の請求をした」とは適法な再調査の請求をしたという意味と解される。そこで，補正を命じられた場合にあっては補正した日を起算点とすることを明確にしている。

(9)「その他再調査の請求についての決定を経ないことにつき正当な理由がある場合」（2項2号）

旧行政不服審査法20条3号に対応する規定である。適法な再調査の請求が誤って不適法であるとして却下された場合には，適法に再調査の請求が前置されたと解され，再調査の請求の決定時に「却下の決定である場合にあっては，当該却下の決定が違法な場合に限り審査請求をすることができる旨」（本法60条2項）の教示が義務づけられているので，これは「正当な理由がある場合」に該当しない。したがって，本号はセービングクローズとして設けられているといえる。

本論 第1章 総　則

> **（再審査請求）**
> **第6条①** 行政庁の処分につき法律に再審査請求をすることができる旨の定めがある場合には，当該処分についての審査請求の裁決に不服がある者は，再審査請求をすることができる。
> **②** 再審査請求は，原裁決（再審査請求をすることができる処分についての審査請求の裁決をいう。以下同じ。）又は当該処分（以下「原裁決等」という。）を対象として，前項の法律に定める行政庁に対してするものとする。

（本条の趣旨）

　平成20年法案においては，再審査請求制度を全廃することとしていたが，本法は，市町村の機関が行った処分について都道府県の機関への審査請求を経て国の機関に再審査請求をするような場合に審査庁を1つに限定することへの疑問があること，再審査請求制度の廃止が，再審査請求をする手続的権利を制限する面があることも考慮し，審査請求の手続水準が向上したことを踏まえても，なお，存続意義が認められる再審査請求制度は存置することとした。

(1)　「行政庁の処分につき」（1項）

　再審査請求の対象は処分に限られ，不作為は対象にならない。その理由は，不作為についての審査請求における違法または不当の判断の基準時（この問題について，大江裕幸「審査請求における違法性・不当性判断の基準時考察のための一視点——包括的検討に向けた予備的考察」小早川光郎先生古稀記念『現代行政法の構造と展開』〔有斐閣，2016年〕479頁以下参照）は当該審査請求における審理手続終結時であるから，その時点における判断が示されたにとどまり，棄却裁決を受けても，その後改めて不作為の状態が継続していれば，再度不作為についての審査請求を行うことができるので再審査請求を認める意義に乏しいこと，不作為についての審査請求に対して許可等の処分をする旨を命ずる裁決が出された場合に当該裁決に不服があれば，当該処分に対して審査請求をすることができることにある。なお，旧行政不服審査法においても，再審査請求は不作為については認められていなかった。

第6条（再審査請求）

(2) 「法律に再審査請求をすることができる旨の定めがある場合には」（1項）

　本法は基本的な不服申立類型を審査請求に一元化しており，再審査請求は，審査請求に対する裁決後の手続として特に意義がある場合に限り特別に認めることとし，個別の法律が定める場合に限り再審査請求ができることとした。個別法においては，厚生年金保険法，労働者災害補償保険法等のように，専門技術性を有する第三者機関が再審査請求の審理を行うものについては，再審査請求を存置している。ただし，従前は個別法において再審査請求を前置することとしていた処分については，審査請求前置とすることとし，審査請求に対する裁決後は再審査請求を行わず訴訟を提起することを選択できるようにするため，再審査請求前置は全廃された。

　地方公共団体の機関が行う処分については，各種の法律（地方自治法，建築基準法，生活保護法等）において，国等の機関に対する再審査請求が認められてきた（いわゆる裁定的関与。宇賀克也・地方自治法概説〔第6版〕（有斐閣，2015年）364頁以下参照）。従前個別の法律で，公正な審理手続を通じた不服申立人の手続保障の確保の観点からのみ再審査請求ができることとされていたものについては，審査請求の手続保障の水準の向上により存続意義が乏しくなったことから再審査請求制度が廃止されたが（給与その他の給付に関する処分について地方自治法206条6項の削除，行政財産を使用する権利に関する処分について同法238条の7第6項の削除，公の施設を利用する権利に関する処分について同法244条の4第6項の削除，過料の処分について同法255条の3第4項の削除，職員の賠償責任に関する処分について地方公営企業法34条の改正による再審査請求への読替部分の削除），判断の統一性および事務の適正処理の確保のために認められている再審査請求については，なおその意義が認められることから存置されている（生活保護法66条1項，児童福祉法59条の4第2項等）。また，異議申立てを前置したうえで国等に対する審査請求を定めている法律については，異議申立てが審査請求に改正されたことに伴い，従前の審査請求は再審査請求として存置する方針が採られた。ただし，公害健康被害の補償等に関する法律の異議申立ては再調査の請求（106条）となり，審査請求（109条）との選択制になった。

　なお，旧行政不服審査法においては，権限の委任があった場合の再審査請求に関する規定が置かれていたが（8条1項2号・3項），本法4条3号は，審査請

本論 第1章 総　則

求をすべき行政庁を原則として処分庁等の最上級行政庁としたため、上下関係のない行政庁に処分権限を委任した場合を除いて、審査庁に差異は生じないことになるため、これらに対応する規定は置かれていない。もっとも、裁定的関与として、国等の機関に対する審査請求または再審査請求が個別法で定められている場合、地方自治法153条等の規定に基づく権限の委任があった場合について、個別法で再審査請求または再々審査請求について規定している例がある。たとえば、従前、法定受託事務（宇賀・地方自治法概説〔第6版〕124頁以下参照）に係る普通地方公共団体の長その他の執行機関の処分について裁定的関与としての審査請求が法定されていたが（地方自治法旧255条の2）、当該処分権限が当該執行機関の事務を補助する職員もしくは当該執行機関の管理に属する機関の職員または当該執行機関の管理に属する行政機関の長に委任された場合において、委任を受けた職員または行政機関の長がその委任に基づいてした処分については、本法4条4号により、処分庁の最上級行政庁となる普通地方公共団体の長その他の執行機関に審査請求が行われることになる。しかし、裁定的関与により、判断の統一性や事務の適正処理を確保する必要性は否定されないので、当該委任をした執行機関が裁決をしたときは、他の法律に特別の定めがある場合を除くほか、当該委任をした執行機関が自ら当該処分をしたものとした場合におけるその処分に係る審査請求をすべき者に再審査請求をすることができるとしている（地方自治法255条の2第2項）。

　また、地方自治法252条の17の2第1項の規定に基づく事務処理の特例を定める条例（宇賀・地方自治法概説〔第6版〕65頁以下参照）の定めるところにより市町村が処理することとされた事務のうち法定受託事務に係る市町村の処分についての審査請求の裁決に不服がある者は、当該処分に係る事務を規定する法律またはこれに基づく政令を所管する各大臣に対して再審査請求をすることができるが（同法252条の17の4第4項）、市町村長が事務処理の特例により市町村が処理することとされた事務のうち法定受託事務に係る処分をする権限をその補助機関である職員またはその管理に属する行政機関の長に委任した場合において、委任を受けた職員または行政機関の長がその委任に基づいてした処分につき、同法255条の2第2項の再審査請求の裁決があったときは、裁定的関与により、判断の統一性や事務の適正処理を確保する必要性は否定されないので、当該裁決に不服がある者は、再々審査請求をすることができるとしてい

る。そして，この場合において，再々審査請求は，当該処分に係る再審査請求もしくは審査請求の裁決または当該処分を対象として，当該処分に係る事務を規定する法律またはこれに基づく政令を所管する各大臣に対してするものとされている（同法252条の17の4第5項）。

　同様に，指定都市の長が児童福祉法59条の4第1項の規定によりその処理することとされた事務のうち第1号法定受託事務（宇賀・地方自治法概説〔第6版〕125頁参照）に係る処分をする権限をその補助機関である職員またはその管理に属する行政機関の長に委任した場合において，委任を受けた職員または行政機関の長がその委任に基づいてした処分につき，地方自治法255条の2第2項の再審査請求の裁決があったときは，裁定的関与により，判断の統一性や事務の適正処理を確保する必要性は否定されないので，当該裁決に不服がある者は，同法252条の17の4第5項から第7項までの規定の例により，厚生労働大臣に対して再々審査請求をすることができるとしている（児童福祉法59条の4第3項）。

　旧行政不服審査法においては，条例に基づく処分について条例に規定があるときは再審査請求をすることを認めていた（8条1項1号かっこ書）。しかし，本法4条4号は，審査請求は処分庁の最上級行政庁に対して行うことを原則としているので，条例に基づく処分について審査請求に対する裁決を経た後にさらなる審査請求を認める意義に乏しいと考えられること，実際にも条例の規定に基づき再審査請求がなされた例は確認できないことから，本項では，条例に基づく処分について条例で再審査請求制度を設けることを認めていない。

　なお，再々審査請求が認められている場合もあるが，再々審査請求についての規定は本法にはない。再々審査請求は本法に基づく不服申立てではなく，個別法に基づく独自の不服申立類型として位置づけられている。ただし，その手続については，本法4章の再審査請求の規定が準用されている（地方自治法252条の17の4第6項参照）。

(3) 「当該処分についての審査請求の裁決に不服がある者は」（1項）

　再審査請求は，審査請求の裁決を経た後において，当該裁決に不服のある者が提起するものであることを明確にしている。

本論 第1章 総　則

(4)　「再審査請求をすることができる」（1項）

　本法66条1項により、審査請求に係る規定（本法2章〔9条3項、18条（3項を除く）、19条3項ならびに5項1号および2号、22条、25条2項、29条（1項を除く）、30条1項、41条2項1号イおよびロ、4節、45条から49条までならびに50条3項を除く〕）が準用されている。

(5)　「原裁決（再審査請求をすることができる処分についての審査請求の裁決をいう。以下同じ。）又は当該処分（以下「原裁決等」という。）を対象として」（2項）

　審査請求に対する裁決と再審査請求に対する裁決の区別を明確にするため、再審査請求をすることができる処分についての審査請求の裁決を「原裁決」と呼ぶこととしている。

　旧行政不服審査法においては、再審査請求の対象は、原裁決または原処分のいずれかを再審査請求人が選択することができると解されていた。本項もその立場を踏襲している。

　原裁決により審査請求が認容され原処分が全部取り消された場合には、処分時に遡及して原処分が失効することになるため、原処分の取消しを求めることはできず、原裁決に不服のある利害関係人（審査請求人は請求が全部認容されているため不服申立ての利益がない）は原裁決を対象にして再審査請求をする以外に選択の余地はない。このような場合があるため、再審査請求の対象を原処分に一元化することはできない。

　他方、再審査請求の対象を原裁決に一元化することも適切でない。再審査請求が認容されて原裁決が取り消された場合、再審査請求に対する裁決の拘束力（本法66条において準用される本法52条1項）により審査庁は改めて審査請求に対する裁決をしなければならないことになり、原処分の取消しを求める者にとっては、紛争を早期に解決するためには原処分の取消しを求めるほうが一回的解決が図られ望ましいと思われるからである。また、個別法において、審査請求後一定期間を経過しても裁決がなされない場合に棄却裁決がなされたものとみなして再審査請求をすることができるとしている場合（国民年金法101条2項、生活保護法65条2項参照）、原裁決はみなし裁決であるので、これを再審査請求の対象とすることは適切ではなく、原処分を再審査請求の対象とすべきと考え

られる。

　さらに，不服申立人が原裁決の取消しを求める再審査請求を提起し，原処分の執行停止を申し立てたとき，再審査庁が処分庁の上級行政庁でない場合に原処分の執行停止権限を付与することについては理論的に疑問がありうる。原処分の執行停止を申し立てたい者は，原処分に対する再審査請求を選択すべきことになろう。原裁決の取消しを求める再審査請求において，再審査庁が処分庁の上級行政庁でない場合に，原裁決と併せて原処分の取消しもすることができるかについても議論がある。かかる場合，原処分の取消しを求めるのであれば，原処分を対象に再審査請求をすべきことになろう。

　なお，原処分と原裁決の双方の取消しを求めることを再審査請求人に義務づける立法政策も考えられないわけではないが，再審査請求人が一方のみの取消しを希望しているにもかかわらず，双方を対象としてそれぞれの違法または不当を争わせることになり，簡易迅速な権利利益の救済の趣旨に反することになり適切とはいえない。

　以上のように，再審査請求の対象を原処分または原裁決のいずれかに一元化することはできず，また双方を対象とすることを義務づけることも適切でないため，本項は，いずれを選択するかを再審査請求人の選択に委ねているのである。

(6) 「前項の法律に定める行政庁に対してするものとする」（2項）

　再審査請求は，特に必要があると認められる場合に，個別の法律により定められるものであるため，再審査請求をすべき行政庁については，審査請求をすべき行政庁（本法4条参照）と異なり，本法に一般的な定めが置かれているわけではなく，個別の法律で定められることになる。

（適用除外）
第7条①　次に掲げる処分及びその不作為については，第2条及び第3条の規定は，適用しない。
　1　国会の両院若しくは一院又は議会の議決によってされる処分
　2　裁判所若しくは裁判官の裁判により，又は裁判の執行としてされる処

本論 第1章 総　則

　　分
　3　国会の両院若しくは一院若しくは議会の議決を経て，又はこれらの同意若しくは承認を得た上でされるべきものとされている処分
　4　検査官会議で決すべきものとされている処分
　5　当事者間の法律関係を確認し，又は形成する処分で，法令の規定により当該処分に関する訴えにおいてその法律関係の当事者の一方を被告とすべきものと定められているもの
　6　刑事事件に関する法令に基づいて検察官，検察事務官又は司法警察職員がする処分
　7　国税又は地方税の犯則事件に関する法令（他の法令において準用する場合を含む。）に基づいて国税庁長官，国税局長，税務署長，収税官吏，税関長，税関職員又は徴税吏員（他の法令の規定に基づいてこれらの職員の職務を行う者を含む。）がする処分及び金融商品取引の犯則事件に関する法令（他の法令において準用する場合を含む。）に基づいて証券取引等監視委員会，その職員（当該法令においてその職員とみなされる者を含む。），財務局長又は財務支局長がする処分
　8　学校，講習所，訓練所又は研修所において，教育，講習，訓練又は研修の目的を達成するために，学生，生徒，児童若しくは幼児若しくはこれらの保護者，講習生，訓練生又は研修生に対してされる処分
　9　刑務所，少年刑務所，拘置所，留置施設，海上保安留置施設，少年院，少年鑑別所又は婦人補導院において，収容の目的を達成するためにされる処分
　10　外国人の出入国又は帰化に関する処分
　11　専ら人の学識技能に関する試験又は検定の結果についての処分
　12　この法律に基づく処分（第5章第1節第1款の規定に基づく処分を除く。）
② 国の機関又は地方公共団体その他の公共団体若しくはその機関に対する処分で，これらの機関又は団体がその固有の資格において当該処分の相手方となるもの及びその不作為については，この法律の規定は，適用しない。

（本条の趣旨）
本条は，本法が一般概括主義をとることを前提として，適用除外について定

めるものである。旧行政不服審査法と異なり，処分のみならず不作為も対象とした適用除外規定になっているのは，本法における不作為についての審査請求が，旧行政不服審査法におけるそれと異なり，単なる事務処理の促進を目的とするものではなく，申請に対して一定の処分をすべきかも審理するものとなり，したがって，処分についての審査請求を適用除外とすべき理由が，不作為についての審査請求にも妥当することとなったからである。

(1) 「次に掲げる処分及びその不作為については，第2条及び第3条の規定は，適用しない」（1項柱書）

　旧行政不服審査法の適用除外規定は，処分のみを対象としており，不作為を対象としていなかった。その理由は，旧行政不服審査法における不作為についての不服申立ては，不作為庁に対して事務処理の促進を義務づけるものであり，適用除外とされたものについても事務処理の遅延を防止することは，迅速な救済により国民の権利利益の保護を図ろうとする法の趣旨に合致するからであった。これに対して，本項が処分のみならず不作為も含めて本法2条および3条の規定の適用除外としているのは，不作為についての不服申立ての性格の変化による。すなわち，本法における不作為についての不服申立ては，不作為の有無，不作為の違法または不当の有無を審理するにとどまらず，不作為が違法または不当な場合において一定の処分（許可等）をすべきかも審理するものになっているのである。

　本項1号～4号は，国会，裁判所，会計検査院という内閣から独立した機関が，当該分野の特性を踏まえた独自の手続で処分を行うものであり，審査請求の審理を通じて一定の処分をすべきかを判断することは適切でないと考えられる。また，本項5号～7号は，本法の審査請求よりも慎重な手続で審理するものであり，本法の定める審査請求の審理を通じて一定の処分をすべきかを判断することは適切でないと考えられる。さらに，本項8号～11号は処分の性格に照らし本法の規定を適用することが適切でないと考えられるものである。本項12号の本法に基づく処分に係る審査請求を認めた場合，同じ事案において同じ審査庁が，他の法律等に基づく処分についての審査請求の審理と本法に基づく処分についての審査請求の審理を並行して行う状態が生じることになり，争訟経済の観点から好ましくないのみならず，審理の迅速性を阻害するおそれ

本論 第1章 総　則

がある。

　本項は、再調査の請求に係る規定（5条）、再審査請求に係る規定（6条）は適用しない旨を明記していない。しかし、再調査の請求は処分について審査請求をすることができる場合においてのみ認められるのであるから、処分について審査請求をすることができない以上、再調査の請求もできないことは当然である。また、再審査請求は、処分についての審査請求の裁決に不服がある者が行うものであるため、審査請求の対象とならない処分についての再審査請求はありえない。このように、本項に掲げる事項について、本法5条、6条の規定が適用されないのは当然であるので、その旨の明文の規定は置かれていない。

(2)　「国会の両院若しくは一院又は議会の議決によってされる処分」（1項1号）

　国会または地方議会が慎重な手続により行った処分であり、審査請求を通じて再検討しても結果が覆ることは想定し難いと考えられたため適用除外とされている。議員の懲罰決議（国会法121条1項、地方自治法134条1項）がその例である。

(3)　「裁判所若しくは裁判官の裁判により、又は裁判の執行としてされる処分」（1項2号）

　裁判所または裁判官が慎重な手続により行った処分であり、審査請求を通じて再検討しても結果が覆ることは想定し難いと考えられたため適用除外とされている。「裁判により……される処分」の例として、過料の裁判（非訟事件手続法120条1項）、宗教法人の解散命令（宗教法人法81条1項）、法人の清算人の選任（金融商品取引法100条の9）が、「裁判の執行としてされる処分」の例として、刑事裁判の執行の指揮（刑事訴訟法472条）がある。

(4)　「国会の両院若しくは一院若しくは議会の議決を経て、又はこれらの同意若しくは承認を得た上でされるべきものとされている処分」（1項3号）

　国会または地方議会が慎重な手続により関与して行われた処分であり、審査請求を通じて再検討しても結果が覆ることは想定し難いと考えられたため適用

除外とされている。「国会の……議決を経て」される処分の例として公共用財産の用途の廃止・変更等（国有財産法13条1項本文），「議会の議決を経て……される処分」の例として中央選挙管理会の委員の任命（公職選挙法5条の2第2項），公有財産を使用する権利に関する旧慣の変更・廃止または新たな使用の許可（地方自治法238条の6），「国会の……同意……を得た上で」される処分の例として中央選挙管理会の委員の心身の故障または職務上の義務違反等を理由とする罷免（公職選挙法5条の2第4項2号・3号），「国会の……承認を得た上で」される処分の例として日本に特別の功労のある外国人の帰化の許可（国籍法9条），「両院……の同意……を得た上で」される処分の例として人事官のうち2人以上が同一の政党に属することとなった場合における人事官の罷免（国家公務員法8条3項），「議会の……同意……を得た上でされる」処分の例として，建築基準法3章の基準に適合しない建築物に対する除却，移転，修繕，模様替，使用禁止または使用制限の命令（建築基準法11条1項）がある。

(5) 「検査官会議で決すべきものとされている処分」（1項4号）

検査官会議が慎重な手続により行った処分であり，審査請求を通じて再検討しても結果が覆ることは想定し難いと考えられたため適用除外とされている。弁償責任の検定（会計検査院法32条1項・2項，予算執行職員の責任に関する法律4条1項本文）がその例である。

(6) 「当事者間の法律関係を確認し，又は形成する処分で，法令の規定により当該処分に関する訴えにおいてその法律関係の当事者の一方を被告とすべきものと定められているもの」（1項5号）

「当事者間の法律関係を確認し，又は形成する処分」は本来は抗告訴訟で争われるべきものである。しかし，当該処分または裁決の性質に照らし，法律関係の当事者間で争わせることが適切な場合があり，かかる場合には，「法令の規定により当該処分に関する訴えにおいてその法律関係の当事者の一方を被告とすべきものと定められている」ことがある。これが行政事件訴訟法4条の定める当事者訴訟である。たとえば，収用委員会が行う権利取得裁決のうち損失補償に関する訴訟は，土地収用法133条3項の規定により，土地所有者または関係人が原告となる場合には起業者を被告とし，起業者が原告となる場合には

本論 第1章 総　則

土地所有者または関係人を被告とすることとされており，損失補償に直接の利害関係を有する当事者間で争わせることとしている。損失補償については，文化財保護法41条2項の規定に基づく補償金額の決定，植物防疫法20条3項の規定に基づく補償金額の決定，道路運送法69条5項の規定に基づく補償金額の裁定等，形式的当事者訴訟の対象となっているものが多い（文化財保護法41条3項・4項，植物防疫法20条6項・7項，道路運送法69条6項・7項等）。このように形式的当事者訴訟（形式的当事者訴訟としての理解への疑問について，中川丈久「行訴法4条前段の訴訟（いわゆる形式的当事者訴訟）について——土地収用法における損失補償訴訟の分析」小早川光郎先生古稀記念『現代行政法の構造と展開』〔有斐閣，2016年〕509頁以下参照）の対象となっているものについて本法に基づき不服申立てを認めることは，当該処分または裁決について抗告争訟を肯定することになり，形式的当事者訴訟の対象とした趣旨と矛盾することになるので，適用除外としている。

(7) 「刑事事件に関する法令に基づいて検察官，検察事務官又は司法警察職員がする処分」（1項6号）

刑事事件に関する法令に基づいて検察官，検察事務官または司法警察職員がする処分については，刑事訴訟法により公正中立性の高い司法による抗告手続が整備されているし，刑事事件は同法に基づき一体的に処理されているので，国民の権利利益の救済も刑事訴訟法の定めるところに委ねることが適当と思われる。そこで，これらの処分は適用除外とされている。本号に該当する例として，差押状，記録命令付差押状または捜索状の執行中の当該場所への出入りの許可（刑事訴訟法112条1項），死刑，懲役，禁錮または拘留の言渡しを受けた者が逃亡したとき，または逃亡するおそれがあるときに検察官または司法警察職員が行う収容状の発布（同法485条）がある。

(8) 「国税又は地方税の犯則事件に関する法令……に基づいて国税庁長官，国税局長，税務署長，収税官吏，税関長，税関職員又は徴税吏員（他の法令の規定に基づいてこれらの職員の職務を行う者を含む。）がする処分」（1項7号）

これは旧行政不服審査法制定時から置かれていたのと同様の適用除外規定で

あり，立法当時に念頭に置かれていたのは通告処分（宇賀克也・行政法概説Ⅰ〔第5版〕〔有斐閣，2013年〕）であった。確かに，通告処分に従えば同一事件について刑事訴追をされることがなくなり，他方，通告処分を受けてから所定の期間内に履行しない場合には告発が行われ刑事手続に移行することになるから，かかる二者択一を迫るという意味で処分性を肯定することも考えられる（第2種市街地再開発事業計画の決定の公告があった日から起算して30日以内に宅地等の対償の払渡しを受けることとするか，またはこれに代えて建築部分の譲受け希望の申出をするかの選択を余儀なくされることを第2種市街地再開発事業計画の決定の処分性を肯定する理由の1つとした最判平成4・11・26民集46巻8号2658頁参照）。通告処分（国税犯則取締法14条1項，関税法138条1項）が処分性を有するとしても，犯則調査は実質的には刑事手続としての性格を有し（最判昭和59・3・27刑集38巻5号2307頁），通告処分に従わないと刑事手続に移行するので，刑事手続に準じて適用除外とされている。なお，関税法に基づく通告処分について，最判昭和47・4・20民集26巻3号507頁は，「関税法においては，犯則者が通告処分の旨を任意に履行する場合のほかは，通告処分の対象になった犯則事案についての刑事手続において争わせ，右手続によって最終的に決すべきものとし，通告処分については，それ自体を争わしめることなく，右処分はこれを行政事件訴訟の対象から除外することとしているものと解するのが相当である」と判示しており，この判決に従えば，通告処分については，そもそも処分性がないので，本号により適用除外にする必要はないことになる。

(9) 「金融商品取引の犯則事件に関する法令……に基づいて証券取引等監視委員会，その職員（当該法令においてその職員とみなされる者を含む。），財務局長又は財務支局長がする処分」（1項7号）

金融商品取引に犯則調査の制度が導入されたのは，1992（平成4）年であり（当時の証券取引法11章，外国証券業者に関する法律38条の2，金融先物取引法6章），このとき，国税または地方税の犯則事件に関する法令に基づく処分と同様の理由から，個別法において，旧行政不服審査法の規定の適用除外とする規定が設けられた。このときには，旧行政不服審査法4条1項7号の適用除外規定自体を改正せずに個別法の改正という方法が採られたのは，改正法附則において他の法律を改正するのは価値判断を要せずに当然に改正されるべきものに限定さ

本論 第1章 総　則

れるべきであると考えられたからである。そこで，一般法である旧行政不服審査法自体を改正せずに，個別法による改正にとどめられることになった。その後，1993（平成5）年に行政手続法が制定されたが，金融証券取引の犯則事件に関する法令の規定に基づく処分が，国税または地方税の犯則事件に関する法令の規定に基づく処分と性質が同一であることから，同法3条6号において，併せて適用除外とされた。そこで，旧行政不服審査法を全部改正するに当たり，金融商品取引の犯則事件に関する法令に基づいて行われる処分については，個別法（整備法による改正前の金融商品取引法227条参照）ではなく本法自体に置くこととされた。

⑽　「（他の法令において準用する場合を含む。）」（1項7号）

　国税もしくは地方税の犯則事件に関する法令または金融商品取引の犯則事件に関する法令の規定が準用されている場合には，本法の規定の適用を同様に除外する必要があるため，「他の法令において準用する場合を含む」と規定されている。準用の具体例として，犯罪による収益の移転防止に関する法律30条が，金融商品取引法9章（犯則事件の調査等）の規定を準用している例がある。なお，行政手続法3条6号においても，金融商品取引の犯則事件に関する法令の規定が準用されている場合に行政手続法2章～4章の2の規定の適用を除外する必要があるため，同号の改正で平仄を合わせている。

⑾　「学校，講習所，訓練所又は研修所において，教育，講習，訓練又は研修の目的を達成するために，学生，生徒，児童若しくは幼児若しくはこれらの保護者，講習生，訓練生又は研修生に対してされる処分」（1項8号）

　最判昭和49・7・19民集28巻5号790頁は，「大学は，国公立であると私立であるとを問わず，学生の教育と学術の研究を目的とする公共的な施設であり，法律に格別の規定がない場合でも，その設置目的を達成するために必要な事項を学則等により一方的に制定し，これによって在学する学生を規律する包括的権能を有するものと解すべきである」と判示し，いわゆる部分社会論（宇賀・行政法概説 I 38頁）を認めた。大学以外であっても，学校，講習所，訓練所または研修所とその学生，生徒，児童もしくは幼児もしくはこれらの保護者，講

習生,訓練生または研修生の関係は,行政庁と私人の一般的な関係とは異なる特性を有している。これらの場において,教育,講習,訓練または研修の目的を達成するために学生等に行われる処分は通常の処分とは異なる性格を有しており,本法の定める不服申立ての対象とすることが適切ではないと判断されたため,適用除外とされている。本号に該当する例としては,学校教育法35条1項の規定に基づく市町村教育委員会による児童の出席停止命令がある。

⑿ 「刑務所,少年刑務所,拘置所,留置施設,海上保安留置施設,少年院,少年鑑別所又は婦人補導院において,収容の目的を達成するためにされる処分」(1項9号)

これらの施設においてされる処分は,本人の意思に反して施設に拘束されているという特殊な環境下において,収容の目的を達成するためにされるものであることから,本法の規定に基づく不服申立ての対象とすることは適切ではないと判断され適用除外とされている。本号に該当する例としては,受刑者に対する刑罰の執行,保護処分を受けた少年に対する矯正教育の授与,少年の資質の鑑別,補導処分に付された未成年の女子の更生のための補導,刑事被告人等の身体の自由の拘束等がある。

⒀ 「外国人の出入国又は帰化に関する処分」(1項10号)

最大判昭和53・10・4民集32巻7号1223頁(マクリーン事件)は,「憲法22条1項は,日本国内における居住・移転の自由を保障する旨を規定するにとどまり,外国人がわが国に入国することについてはなんら規定していない」とし,憲法上,わが国に入国する自由が外国人に保障されておらず,在留の権利ないし引き続き在留することを要求する権利も保障されているものではないと判示している。このように外国人の出入国に関する処分については,基本的には,国家主権に基づき国家が決定することができることから,本法の定める不服申立てに係る規定を適用することは適切ではないと考えられた。同様に,国籍を付与するか否かも,国家主権に基づき国家が決定することができるものと考えられることから,本法の規定の適用が除外された。本号に該当する例としては,外国人の上陸の許可に係る処分(出入国管理及び難民認定法9条1項等),在留資格の変更許可に係る処分(同法20条1項),在留期間の更新に係る処分(同法21

本論 第1章 総 則

条1項)，出国の確認に係る処分（同法25条1項），帰化の許可に係る処分（国籍法4条，9条）等がある。

　なお，行政手続法3条1項10号においては，難民の認定に関する処分も適用除外になっている。出入国管理及び難民認定法においては，従前は，旧行政不服審査法に基づかない異議の申出制度があったため，同法の規定の適用を除外していたが（平成16年法律第73号による改正前の出入国管理及び難民認定法61条の2の4第1項），2004（平成16）年の出入国管理及び難民認定法改正の際に，難民の認定に関する処分についても，旧行政不服審査法の規定を適用することになった。難民の認定をしない処分，難民の認定申請に係る不作為，難民認定の取消しについては，本法に基づく審査請求を法務大臣に対してすることができる（出入国管理及び難民認定法61条の2の9）。

⒁　「専ら人の学識技能に関する試験又は検定の結果についての処分」（1項11号）

　人の学識技能に関する試験または検定（資格試験等）は，人の学識技能という簡単には測定できないものを試験・検定委員等が測定するもので，一般に客観的評価になじみにくいものであり，試験・検定委員等の専門技術的裁量に大幅に依存してなされるという判断過程の特殊性に照らし，本法の規定の適用が除外された。「専ら」という限定が付されているので，「人の学識技能に関する試験又は検定の結果」とそれ以外の事項が総合的に考慮される場合には，本号に該当しないことになる。

⒂　「この法律に基づく処分」（1項12号）

　本法に基づく処分については，審査庁等の不服申立審理機関がすでに判断を示している。たとえば，審査請求に対する裁決が出された場合，再審査請求が個別法で認められている場合は別として，当該裁決に対して重ねて審査請求を認める必要はなく，簡易迅速な救済を与えることを目的とする本法の目的に照らしても，屋上屋を架す必要はない。そこで，本法に基づく処分については，本法2条，3条の規定を適用しないこととしている。

　なお，旧行政不服審査法においては4条1項柱書において，「（この法律に基づく処分を除く。）」と規定されていたのに対し，本条柱書では処分のみならず

第7条（適用除外）

不作為についても適用除外とすることとしたうえで，処分および不作為の双方についての審査請求の規定が適用除外されるものを列記した本項各号の1つとして本号が設けられている。

本法に基づく処分として本法2条，3条の規定の適用除外になるのは，審理員が行う総代の互選命令（11条2項），審理員が行う参加人の許可（13条1項），審査庁が行う審査請求人の地位の承継の許可（15条6項），審理員による審理手続を経ないで行う審査庁の却下裁決（24条1項・2項），口頭意見陳述の申立ての審理員による拒否（31条1項），口頭意見陳述への補佐人の出頭の審理員による許可（同条3項），口頭意見陳述の審理員による制限（同条4項），口頭意見陳述における質問の審理員による許可（同条5項），書類その他の物件の審理員による留置（33条後段），参考人の陳述，鑑定の審理員による採否決定（34条），検証の審理員による採否決定（35条），審理関係人への質問の審理員による採否決定（36条），提出書類等の閲覧または写し等の交付について審理員が行う処分（38条1項），提出書類等の閲覧の日時および場所の指定（同条3項），写し等の交付の手数料の審理員による減免（同条5項），審理員による手続の併合または分離（39条），審理員による審理手続の終結（41条1項・2項），審査庁が行う裁決（45〜47条，49条），処分庁が行う再調査の請求の決定（58条，59条），再審査庁が行う裁決（64条，65条），内閣総理大臣が行う専門委員の任命（71条2項），内閣総理大臣が行う専門委員の解任（同条3項），口頭意見陳述の申立ての行政不服審査会による拒否（75条1項），口頭意見陳述への補佐人の出頭の行政不服審査会による許可（同条2項），主張書面または資料の閲覧または写し等の交付に関する行政不服審査会による処分（78条1項），提出書類等の閲覧の日時および場所の指定に関する行政不服審査会による処分（同条3項），写し等の交付の手数料の行政不服審査会による減免（同条5項）である。

⒃ 「（第5章第1節第1款の規定に基づく処分を除く。）」（1項12号）

「第5章第1節第1款の規定」とは，行政不服審査会の設置および組織に関する規定である。行政不服審査会の委員に対する処分，具体的には，総務大臣が行う委員の任命（69条1項・2項）および罷免（69条3項・7項），報酬を得て他の職務に従事し，または営利事業を営み，その他金銭上の利益を目的とする事業を行うことの申請に対する不許可（同条10項）は，不服申立手続における

本論 第1章 総　則

処分ではない。本号で本法2条，3条の規定の適用を除外する理由は，審査庁等の不服申立審理機関が判断済みであるために再度争わせる実益に乏しく，不服申立ての迅速な処理を阻害するということであるが，行政不服審査会の委員に対する処分には，この理由が妥当しないことになる。そこで，上記の「第5章第1節第1款の規定に基づく処分」については，本法2条，3条の規定の適用を除外しないこととしている。

(17)　「国の機関又は地方公共団体その他の公共団体若しくはその機関に対する処分で」（2項）

「国の機関」とは，行政機関のみならず，立法機関，司法機関も含むので，国会，裁判所も含まれる。また，内閣も含まれる。もっとも，本項が主として念頭に置いているのは，内閣の統轄の下にある行政機関（宇賀・行政法概説Ⅲ第3部参照）である。旧行政不服審査法57条4項においては，教示に係る「前三項の規定は，地方公共団体その他の公共団体に対する処分で，当該公共団体がその固有の資格において処分の相手方となるものについては，適用しない」と定め，国の機関に対する処分については言及していなかった。これに対し，行政手続法4条1項においては，「国の機関又は地方公共団体若しくはその機関に対する処分（これらの機関又は団体がその固有の資格において当該処分の名あて人となるものに限る。）及び行政指導並びにこれらの機関又は団体がする届出（これらの機関又は団体がその固有の資格においてすべきこととされているものに限る。）については，この法律の規定は，適用しない」と規定しており，国の機関に対する処分についても明記している。国の機関に対して一般私人と異なる立場でなされる処分と，地方公共団体その他の公共団体もしくはその機関に対して一般私人と異なる立場でなされる処分とを区別する理由はないので，本項は「国の機関」に対する処分も明記している。

「地方公共団体」とは，普通地方公共団体と特別地方公共団体の双方を指す（地方自治法1条の3第1項）。「公共団体」とは，法令の規定に基づいてその存立の目的を与えられた団体を意味し，一般的には，その存立の目的を達成するために必要な公権力を付与されたものをいう（吉国一郎ほか共編・法令用語辞典〔第9次改訂版〕〔学陽書房，2009年〕243頁参照）。具体的には，土地改良区，土地区画整理組合，水害予防組合等の公共組合，独立行政法人，国立大学法人，大

学共同利用機関法人さらに一部の特殊法人，認可法人も「公共団体」に当たると解される。「その機関」とは，地方自治法または個別の法律により，地方公共団体その他の公共団体に置かれる執行機関，補助機関，附属機関，分掌機関等を意味する。

⒅　「これらの機関又は団体がその固有の資格において当該処分の相手方となるもの」（2項）

　本項の「固有の資格」とは，旧行政不服審査法57条4項，行政手続法4条1項かっこ書の「固有の資格」と同義であり，一般私人ではなく国の機関または地方公共団体その他の公共団体もしくはその機関であるからこそ立ちうる特有の立場を意味する。処分の名あて人が「国の機関又は地方公共団体その他の公共団体若しくはその機関」（以下「国の機関等」という）に限定されていれば，一般私人では立ちえない「固有の資格」に立つものと解することができる。たとえば，地方公共団体が地方財政法5条の4第1項の規定により（協議制の例外としての）起債の許可を総務大臣に申請して，総務大臣または都道府県知事がその起債を許可するといったような場合を考えると，起債の許可は，一般私人がその名あて人となることはできず，地方公共団体が固有の資格で名あて人となる。もっとも，国の機関等が処分の名あて人になる場合に特例が設けられており，特例部分のみをみると処分の名あて人が国の機関等に限定されているようにみえるが，実質的には，そうでない場合があることにも留意する必要がある。たとえば，医療法7条1項は，病院を開設しようとするときは，開設地の都道府県知事の許可を受けなければならないと定めており，同法6条は，国が開設する病院については，政令で特別の定めをすることができるとしている。そして，医療法施行令1条では，国が開設する病院につき，主務大臣は，開設地の都道府県知事の許可に代えて，厚生労働大臣の承認を得なければならないと規定している。この場合には，厚生労働大臣の承認の部分のみをみると，国のみを対象とした規制のようにもみえるが，一般私人を対象とした許可の特例にすぎないので，国が名あて人となる場合であっても，固有の資格には当たらないと解される（宇賀克也・行政手続三法の解説〔第2次改訂版〕〔学陽書房，2016年〕80頁参照）。

　処分の相手方が国の機関等に限定されていない場合であっても，当該事務に

本 論 第1章 総　則

ついて国の機関等が原則的な担い手として想定されている場合には,「固有の資格」に該当する。たとえば,水道事業を経営しようとする者は,厚生労働大臣の認可を受けなければならないが（水道法6条1項）,事業は,原則として市町村が経営するものとし,市町村以外の者は,給水しようとする区域をその区域に含む市町村の同意を得た場合に限り,水道事業を経営することができるものとされている（同条2項）。すなわち,民間事業者も市町村の同意を得て水道事業を経営することができるが,原則的には,市町村が水道事業の経営主体として想定されているのである。したがって,市町村は「固有の資格」で水道事業経営の認可を受けていると解される。他方,一般旅客自動車運送事業（バス事業）を経営しようとする者は,国土交通大臣の許可を受けなければならないが（道路運送法4条1項）,許可基準は,(i)当該事業の計画が輸送の安全を確保するため適切なものであること,(ii)前記(i)に掲げるもののほか,当該事業の遂行上適切な計画を有するものであること,(iii)当該事業を自ら適確に遂行するに足る能力を有するものであることであり（同法6条各号）,申請者が国の機関等であることを特別扱いする要件は皆無である。したがって,地方公共団体がバス事業の許可を国土交通大臣から受ける場合,一般私人と同等の立場で許可を受けることになり,「固有の資格」に当たらない。

　独立行政法人,国立大学法人,特殊法人等の公共団体に対する処分の場合,行政手続法4条2項柱書にいう「当該法人の監督に関する法律の特別の規定に基づいてされるもの」,たとえば,独立行政法人,国立大学法人,特殊法人等の設立根拠法に規定されている改善命令等の処分は「固有の資格」に該当するが,各種業法に基づき一般の法人と同等の立場でなされる処分については,「固有の資格」に該当しない。たとえば,日本電信電話株式会社,東日本電信電話株式会社または西日本電信電話株式会社に対して総務大臣が行う監督命令は,これらの会社の設立根拠法である日本電信電話株式会社等に関する法律16条2項の規定に基づくもので,「固有の資格」に該当する。他方,これらの会社が総務大臣から電気通信事業の登録を受けることは,業法である電気通信事業法9条の規定に基づくもので,「固有の資格」に該当しない。日本放送協会が,放送法20条2項2号または3号の業務を行おうとするときの総務大臣の認可（放送法20条9項）は,一般放送事業者とは異なる特別の規制であるので,「固有の資格」に該当すると解される。

⑴⑼ 「及びその不作為については」（2項）
　旧行政不服審査法57条4項は，処分を行うに当たっての教示規定であるため，処分のみについて適用除外を定めている。しかし，本条においては，不作為についての審査請求の性格の変更に伴い，処分のみならず不作為についての審査請求も適用除外の対象としているので，本項においても，国の機関等に対する不作為についても適用除外としている。

⑵⑳ 「この法律の規定は，適用しない」（2項）
　本条1項各号に掲げる事項については，「第2条及び第3条の規定は，適用しない」と定めているのに対し，本項では「この法律の規定は，適用しない」と定めている。その理由は，本項に定める国の機関等に対する処分または不作為については，本法に基づく不服申立ての対象外とするにとどまらず，旧行政不服審査法57条4項と同様に，本法6章（補則）において規定する教示等の規定も含めて適用除外することとしているからである。

> （特別の不服申立ての制度）
> 第8条　前条の規定は，同条の規定により審査請求をすることができない処分又は不作為につき，別に法令で当該処分又は不作為の性質に応じた不服申立ての制度を設けることを妨げない。

（本条の趣旨）
　本条は，本法による審査請求をすることができない処分または不作為であっても，別の法令で不服申立てを認めることは妨げられないことを確認するものである。

⑴ 「前条の規定」
　本法7条の適用除外の規定をさす。

⑵ 「同条の規定により審査請求をすることができない処分又は不作為につき，別に法令で当該処分又は不作為の性質に応じた不服申立ての制度

本論 第1章 総　則

を設けることを妨げない」

　本条は，旧行政不服審査法4条2項に対応する規定である。旧行政不服審査法4条1項は同法の適用除外を処分のみを対象として規定していたことから，同法4条2項も処分のみを対象とする規定であった。これに対し，本条は，不作為も対象としている。

　本法に基づく審査請求をすることができない処分または不作為であっても，行政上の不服申立てが不要であるわけではないので，その性質に応じた特別の不服申立制度を他の法令で設けることは妨げられない。旧行政不服審査法4条2項は，そのことを確認する規定であり，本条も，同様のことを確認的に規定している。国の機関が普通地方公共団体に対して行う許可（地方自治法245条1号ホ）の拒否に対し，普通地方公共団体は，国地方係争処理委員会に対し，当該国の関与を行った国の行政庁を相手方として，文書で，審査の申出をすることができるとされているのが（同法250条の13第1項），他の法令に基づく特別の不服申立ての例である。その他，刑事収容施設の長の措置についての審査の申請（刑事収容施設及び被収容者等の処遇に関する法律157条1項），鉱業等に係る処分についての裁定の申請（鉱業法133条），固定資産課税台帳に登録された価格に関する審査の申出（地方税法432条1項），特許法に基づく審判の請求（特許法121条1項，123条1項，125条の2第1項，126条1項），補償額の決定についての異議の申出（自衛隊法105条7項）等も，個別法に基づく独自の不服申立ての例である。

第 2 章　審査請求

第 1 節　審査庁及び審理関係人

（審理員）
第 9 条① 　第 4 条又は他の法律若しくは条例の規定により審査請求がされた行政庁（第 14 条の規定により引継ぎを受けた行政庁を含む。以下「審査庁」という。）は，審査庁に所属する職員（第 17 条に規定する名簿を作成した場合にあっては，当該名簿に記載されている者）のうちから第 3 節に規定する審理手続（この節に規定する手続を含む。）を行う者を指名するとともに，その旨を審査請求人及び処分庁等（審査庁以外の処分庁等に限る。）に通知しなければならない。ただし，次の各号のいずれかに掲げる機関が審査庁である場合若しくは条例に基づく処分について条例に特別の定めがある場合又は第 24 条の規定により当該審査請求を却下する場合は，この限りでない。
　1　内閣府設置法第 49 条第 1 項若しくは第 2 項又は国家行政組織法第 3 条第 2 項に規定する委員会
　2　内閣府設置法第 37 条若しくは第 54 条又は国家行政組織法第 8 条に規定する機関
　3　地方自治法（昭和 22 年法律第 67 号）第 138 条の 4 第 1 項に規定する委員会若しくは委員又は同条第 3 項に規定する機関
② 　審査庁が前項の規定により指名する者は，次に掲げる者以外の者でなければならない。
　1　審査請求に係る処分若しくは当該処分に係る再調査の請求についての決定に関与した者又は審査請求に係る不作為に係る処分に関与し，若しくは関与することとなる者
　2　審査請求人
　3　審査請求人の配偶者，4 親等内の親族又は同居の親族
　4　審査請求人の代理人
　5　前二号に掲げる者であった者
　6　審査請求人の後見人，後見監督人，保佐人，保佐監督人，補助人又は

補助監督人
7　第13条第1項に規定する利害関係人
③　審査庁が第1項各号に掲げる機関である場合又は同項ただし書の特別の定めがある場合においては，別表第1の上欄に掲げる規定の適用については，これらの規定中同表の中欄に掲げる字句は，それぞれ同表の下欄に掲げる字句に読み替えるものとし，第17条，第40条，第42条及び第50条第2項の規定は，適用しない。
④　前項に規定する場合において，審査庁は，必要があると認めるときは，その職員（第2項各号（第1項各号に掲げる機関の構成員にあっては，第1号を除く。）に掲げる者以外の者に限る。）に，前項において読み替えて適用する第31条第1項の規定による審査請求人若しくは第13条第4項に規定する参加人の意見の陳述を聴かせ，前項において読み替えて適用する第34条の規定による参考人の陳述を聴かせ，同項において読み替えて適用する第35条第1項の規定による検証をさせ，前項において読み替えて適用する第36条の規定による第28条に規定する審理関係人に対する質問をさせ，又は同項において読み替えて適用する第37条第1項若しくは第2項の規定による意見の聴取を行わせることができる。

（本条の趣旨）

　旧行政不服審査法においては，審査庁の補助機関による審理手続の公正中立性に対する配慮が欠如していたことの反省を踏まえ，本条は，行政手続法の聴聞主宰者の制度等を参考にして，原処分に関与していない等の要件を満たす審理員が自己の名において審理手続を主宰すること，審理員の除斥事由，審理員の指名を要しない場合とその場合における審査庁による審理手続について定めている。

(1)　「第4条」（1項柱書本文）

　法律（条例に基づく処分については，条例）に特別の定めがある場合以外について，審査請求をすべき行政庁が本法4条で定められている。すなわち，審査請求をすべき行政庁の原則を定めているのが本法4条である。

(2) 「他の法律若しくは条例の規定により審査請求がされた行政庁」（1項柱書本文）

本法4条は，審査請求をすべき行政庁についての一般法であり，他の法律または条例の規定により審査請求をすべき行政庁について特別の定めが置かれれば，特別法として一般法に優先することになる。条例の規定により審査請求をすべき行政庁の特例を定めることができるのは，条例に基づく処分に限られる。平成20年法案においては，「他の法律の規定により審査請求がされた行政庁」（8条1項柱書）と定められており，条例に基づく処分については，条例で審査請求をすべき行政庁の特例を定めることができることが明示されていなかったので，本項は，そのことを明記している。

(3) 「（第14条の規定により引継ぎを受けた行政庁を含む……）」（1項柱書）

本法14条は，行政庁に審査請求がされた後，法令の改廃により当該審査請求につき裁決をする権限を当該行政庁が有しなくなったときは，当該行政庁は，審査請求書または審査請求録取書および関係書類その他の物件を新たに当該審査請求につき裁決をする権限を有することとなった行政庁に引き継がなければならないと定めている。

(4) 「（以下「審査庁」という。）」（1項柱書）

旧行政不服審査法には審査庁の定義規定は置かれていなかったが，本項は審査庁の定義を明確にしている。すなわち，本法4条または他の法律もしくは条例の規定により審査請求がされた行政庁（本法14条の規定により引継ぎを受けた行政庁を含む）は，審査請求の適法性を審理し，審理を行うべき場合には審理員を指名し，審査請求に対して裁決を行う権限を有し義務を負う。かかる権限と義務を有する行政庁を本項で審査庁と定義している。

(5) 「審査庁に所属する職員」（1項柱書本文）

審理員は審査庁の補助機関として位置づけられているので，審査庁に所属する職員から指名される。審査庁に所属する職員には，任期付き職員や非常勤職員も含まれる。

(6)　「(第17条に規定する名簿を作成した場合にあっては，当該名簿に記載されている者)」(1項柱書)

「第17条に規定する名簿」とは，審理員となるべき者の名簿である。本法17条では，「審理員となるべき者の名簿を作成するよう努める」とされ，審理員名簿の作成の努力義務が審査庁となるべき行政庁に課されるにとどまっているため，審理員名簿が作成されていない場合もありうる。そのため，「名簿を作成した場合にあっては」と規定されている。審理員となるべき者の名簿が作成されている場合にあっては，当該審査庁となるべき行政庁および関係処分庁の事務所における備付けその他の適当な方法により公にしておくことが審査庁となるべき行政庁に義務づけられているから，審査請求をしようとする者は，あらかじめ審理員候補を知ることができ，除斥事由の有無も確認することができる。このように，審理員名簿は，審理の公正性を確保することに資するものとして作成されるのであるから，審理員名簿を作成した以上，審理員は，同名簿に記載されている者のうちから指名しなければならないこととしている。

(7)　「第3節に規定する審理手続(この節に規定する手続を含む。)を行う者を指名する」(1項柱書本文)

本法2章3節に規定する審理手続を審理員が主宰することを明確にしている。このほか，本法2章1節(本節)に規定する総代の互選命令(11条2項)，参加人の許可(13条1項)についても審理員が行うことから，「(この節に規定する手続を含む。)」とされている。旧行政不服審査法においては，審査請求についての裁決を行う審査庁が，審査請求の審理権限も有することを所与とし，実際には，審査庁の職員が，審査庁の補助機関として審理の事務を補佐していた。しかし，いかなる職員が審理事務を行うのか，裁決書の起案を誰が行うのか等についての定めはなかった。そのため，原処分に関与した職員が，審理手続を主宰したり，裁決書を起案したりすることも妨げられないと解されていた。また，聴聞主宰者については，(i)当該聴聞の当事者または参加人，(ii)前記(i)に規定する者の配偶者，4親等内の親族または同居の親族，(iii)前記(i)に規定する者の代理人または補佐人，(iv)前記(i)〜(iii)に規定する者であったことのある者，(v)前記(i)に規定する者の後見人，後見監督人，保佐人，保佐監督人，補助人または補助監督人，(vi)参加人以外の関係人，は除斥事由として定められているのに

対し，旧行政不服審査法においては，これらの密接な利害関係人も審理手続を主宰することを禁じられていなかった。そのため，本法は，審理の公正中立性，客観性を向上させ，行政不服審査制度に対する国民の信頼を確保し，国民の権利利益の救済と行政の適正な運営を確保するため，処分に関与していないこと等を要件とする審理員制度を導入することになったのである。

　審理員の指名は，同一の審査請求事件について1名であるのが通常であろうが，複数の審理員を指名することが禁じられているわけではない。2つの法律の専門知識が重要な事件において，それぞれの法律について専門知識を有する者を審理員として指名し，相互に補完しあうことにより，適正かつ迅速な審理を行うことが望ましい場合も考えうる。このように複数の審理員を指名した場合には，審理員の決定は合議によることになる。複数の独任制機関の合議で決定する場合，監査委員にあっては代表監査委員，自治紛争処理委員にあっては代表自治紛争処理委員のように，複数の独任制機関を代表するものを定めておくことが望ましいので，審査庁は，2人以上の審理員を指名する場合には，そのうち1人を，当該2人以上の審理員が行う事務を総括する者として指定することとされている（本法施行令1条1項）。

(8)　「その旨を審査請求人及び処分庁等（審査庁以外の処分庁等に限る。）に通知しなければならない」（1項柱書本文）

　「その旨」とは，特定の職員（○○課長△△）が審理員に指名された旨である。誰が審理員に指名されたかは重要な事実であるので，審査請求人および処分庁等の双方に通知することを審査請求がされた行政庁に義務づけている。ただし，審査庁と処分庁等が一致する場合には，処分庁等への通知は無意味であるので，通知義務があるのは「（審査庁以外の処分庁等に限る。）」としている。

(9)　「次の各号のいずれかに掲げる機関が審査庁である場合……は，この限りでない」（1項柱書ただし書）

　有識者を構成員とする第三者機関が審査庁であり，そこで実質的審理が行われる場合には，個別法において，審理を主宰する委員や審判官等が法定されており，審理を主宰する者について，当該処分に関与していないこと等の要件を満たす者が審理に当たっていると考えられることから，審理主宰者の公正性は

本論　第2章　審査請求

担保されているし，専門技術性，政治的中立性等の要件も満たされ，合議体により慎重な判断がなされることが制度上担保されていると考えられる。したがって，審理員による審理を経る実益がないので，審理員の指名は行われない。本項各号において，審理員を指名する必要がないと考えられる第三者機関を列記し，それ以外の機関であって，審理員を指名する必要がないと認められる場合には，個別法において，審理員に関する規定の適用を除外することとしている（その例について，宇賀・解説行政不服審査法関連三法192頁以下参照）。

⑽ 「条例に基づく処分について条例に特別の定めがある場合……は，この限りでない」（1項柱書ただし書）

条例に基づく処分については，地方自治の尊重の観点から，条例に特別の定めがある場合には審理員制度を適用しないこととしている。たとえば，行政機関情報公開法に基づく不開示決定に対して審査請求がされた場合，内閣府情報公開・個人情報保護審査会が実質的な審理を行っていると認められるため，審理員制度の適用が除外されているが（行政機関情報公開法18条1項），情報公開条例に基づく不開示決定に対する審査請求がなされた場合においても，第三者機関である情報公開審査会において実質的審理が行われており，審理員制度を適用する実益がないと考えるのであれば，条例で審理員制度の適用除外を定めることができる。個人情報保護条例に基づく開示決定等に対する審査請求の場合も同様のことがいえる。実際，地方公共団体においては，一般に，情報公開条例，個人情報保護条例に基づく開示決定等または開示請求等に係る不作為についての審査請求について，審理員制度の適用を除外している（東京都情報公開条例19条，東京都個人情報の保護に関する条例24条，神奈川県情報公開条例15条の3，神奈川県個人情報保護条例39条の3参照）。

⑾ 「第24条の規定により当該審査請求を却下する場合は，この限りでない」（1項柱書ただし書）

審査請求人が本法23条の規定に基づく補正命令を受けたにもかかわらず，所定の期間内に不備を補正しないとき（本法24条1項），審査請求期間を徒過している等，審査請求が不適法であって補正することができないことが明らかなとき（同条2項）には，除斥事由の定められた審理員による審理を行う実益

第 9 条（審理員）

がないので，審理員の指名を要しないこととしている。なお，審査請求適格がない者による審査請求は不適法であり却下されることになるが，審査請求書を見たのみでは審査請求適格についての判断が困難な場合には，審査請求が不適法であって補正することができないことが明らかとはいえないので，審理員の指名を行い，審査請求適格についての審理も行うことになる。

⑿ 「内閣府設置法第 49 条第 1 項……に規定する委員会」（1 項 1 号）
　本項 1 号は，第三者裁決機関としての行政委員会を列記している。内閣府設置法 49 条第 1 項に規定する委員会とは，内閣府に外局として置かれる委員会である。

⒀ 「内閣府設置法第 49 条……第 2 項……に規定する委員会」（1 項 1 号）
　法律で国務大臣をもってその長に充てることを定められている内閣府設置法 49 条第 1 項に規定する委員会（大臣委員会）に，特にその必要がある場合において置かれる委員会である。現在，その例はない。

⒁ 「国家行政組織法第 3 条第 2 項に規定する委員会」（1 項 1 号）
　省の外局として置かれる委員会である。

⒂ 「内閣府設置法第 37 条……に規定する機関」（1 項 2 号）
　本号は，一般的には第三者諮問機関としての性格を有する審議会等（宇賀・行政法概説Ⅲ 210 頁以下）を列記している。審議会等であっても，有識者からなる第三者機関が審査庁として審理を行っている場合には，上記⑿～⒁の行政委員会と同様の第三者裁決機関であるため，審理員制度の適用を除外している。内閣府設置法 37 条に規定する機関とは，内閣府本府に法律または政令の定めるところにより置かれる審議会等を意味するので，懇談会等の行政運営上の会合（いわゆる私的諮問機関）（宇賀・行政法概説Ⅲ 229 頁以下）は含まれない。

⒃ 「内閣府設置法……第 54 条……に規定する機関」（1 項 2 号）
　内閣府の外局である委員会または庁に，法律または政令の定めるところにより置かれる審議会等である。法律または政令の定めるところにより置かれるも

のに限られるので、懇談会等の行政運営上の会合（いわゆる私的諮問機関）は含まれない。なお、宮内庁は内閣府の外局としての庁ではないため、宮内庁に置かれる審議会等（宮内庁法16条1項）は、内閣府設置法54条に規定する機関には当たらない。内閣府設置法54条に規定する機関とは別に、宮内庁法16条1項に規定する機関を本項が規定しなかったのは、以下の理由による。

　内閣府設置法37条2項、54条、国家行政組織法8条においては、重要事項に関する調査審議、不服審査その他学識経験を有する者等の合議により処理することが適当な事務をつかさどらせるための合議制の機関を置くことができる旨規定しており、「不服審査」を処理する事務をつかさどる合議制機関を明示している。これに対し、宮内庁法16条1項は、「宮内庁には、その所掌事務の範囲内で、法律又は政令の定めるところにより、重要事項に関する調査審議その他学識経験を有する者等の合議により処理することが適当な事務をつかさどらせるための合議制の機関を置くことができる」と規定しており、「不服審査」を処理する事務をつかさどる合議制機関を明示していない。これは、宮内庁が、皇室関係の国家事務および政令で定める天皇の国事に関する行為に係る事務をつかさどり、御璽国璽を保管することを任務とし（同法1条2項）、その所掌事務（同法2条）に照らして、不服申立てを処理する合議制機関が置かれることは想定し難いからであり、また、実際にも、宮内庁に不服申立てを処理する合議制機関が置かれたことはない。そこで、本項は、宮内庁法16条1項に規定する機関は列記しなかったのである。

⒄　「国家行政組織法第8条に規定する機関」（1項2号）
　省、委員会、庁に法律または政令の定めるところにより置かれる審議会等である。その中には、国家行政組織法上は審議会等として位置づけられながら、不服申立てに対する裁決権限を有するものもある。中央更生保護審査会がその例であり、地方更生保護委員会がした決定について、同法および本法の定めるところにより、審査を行い裁決をすることを所掌事務の1つとしている（更生保護法4条2項2号）。なお、本号に定める機関は、法律または政令の定めるところにより置かれるものに限られるので、懇談会等の行政運営上の会合（いわゆる私的諮問機関）は含まれない。

第9条（審理員）

⒅ 「地方自治法（昭和22年法律第67号）第138条の4第1項に規定する委員会」（1項3号）

　地方公共団体にその執行機関として置かれる委員会である（具体例について，宇賀・地方自治法概説〔第6版〕288頁以下参照）。

⒆ 「地方自治法（昭和22年法律第67号）第138条の4第1項に規定する……委員」（1項3号）

　地方公共団体にその執行機関として置かれる独任制の監査委員である。

⒇ 「同条第3項に規定する機関」（1項3号）

　地方公共団体に執行機関の附属機関として置かれる審議会等の機関である（地方自治法138条の4第3項本文は，「普通地方公共団体は，法律又は条例の定めるところにより，執行機関の附属機関として自治紛争処理委員，審査会，審議会，調査会その他の調停，審査，諮問又は調査のための機関を置くことができる」と定めている）。執行機関は法律で設置しなければならないが，附属機関は法律または条例の定めるところにより設置することができる。法律または条例に基づかない懇談会等の行政運営上の会合（いわゆる私的諮問機関）は含まれない。附属機関が審査庁になる場合としては，建築審査会（建築基準法94条），開発審査会（都市計画法50条），土地利用審査会（国土利用計画法20条）がある。

(21) 「審査庁が前項の規定により指名する者は，次に掲げる者以外の者でなければならない」（2項柱書）

　審理員の公正中立性を確保するために除斥事由を定めている。総務省の行政不服審査制度検討会報告においては，審理員について，当該処分に関与した者を除斥事由とすべきとする一方，極めて小規模な組織においては，審査請求の審理を主宰する資質・経験等を有する適任者が全て当該処分に関与しており，当該処分に関与した者を除斥事由とする原則を貫徹した場合，適任者を審理員に指名することが不可能になることも想定しうるので，やむをえない理由があるときには，例外とすることを容認していた。しかし，同検討会においても，事前に特定の職員を審理員に指名しておいたり，弁護士等の適当な人材を非常勤職員として任用したりする方法を講ずることによって，当該処分に関与した

者を除斥事由とする原則を維持することは可能であるとする意見も出されていた。本法は、後者の意見に従い、平成20年法案と同様、当該処分に関与した者を除斥事由とする原則の例外を認めていない。

(22)　「審査請求に係る処分若しくは当該処分に係る再調査の請求についての決定に関与した者」（2項1号）

　本項が定める除斥事由については、処分庁等に関するものと審査請求人または参加人に関するものに大別されるが、本号は、処分庁等に関する事由について定めている。原処分に関与した者が審理員に指名された場合、予断を抱いてしまったり、原処分を弁護しようとする意識が働いたりして、客観性の高い公正中立な審理を行うことが困難になることが懸念される。また、当該職員が審理員として公正中立を旨として審理を行うことはありうるが、公正中立性に対する国民の信頼を確保することは困難と考えられる。同様のことは、再調査の請求についての決定に関与した者についてもいえる。そこで、「審査請求に係る処分若しくは当該処分に係る再調査の請求についての決定に関与した者」は審理員の除斥事由とされている。審査請求に係る処分に関与した者とは、当該処分を行うか否かの判断に関する事務を実質的に行った者に限らず、当該事務を直接または間接に指揮監督した者も含まれる。具体的には、当該処分をするか否かを判断するための調査に携わった者、当該処分の決定書を起案した者、当該処分の決裁をした者、当該処分について指揮監督権を行使した者、当該担当課には所属しないが当該処分について協議を受けた者、原処分の事前手続である聴聞手続の主宰者等が含まれる。他方、当該処分の所管課には所属しているが、当該処分に全く関与していない場合には、本号の除斥事由に該当しない。当該処分の根拠となる法令、審査基準、処分基準、解釈通達について、照会を受けて一般的な解釈を教示したにとどまる者も、本号の除斥事由に該当しない。

(23)　「審査請求に係る不作為に係る処分に関与し、若しくは関与することとなる者」（2項1号）

　不作為についての審査請求の場合、当該不作為に係る処分手続が進行中であれば、「不作為に係る処分に関与」した者になり、当該手続がいまだ開始されていなければ、「不作為に係る処分に……関与することとなる者」になる。こ

れらの者についても，処分についての審査請求の場合と同様の理由から除斥事由としている。

⑷ 「審査請求人」（2項2号）
　本項2号〜7号は，審査請求人または参加人に関係する除斥事由である。審理員は審査庁の職員のうちから指名されるが，審査庁の職員が当該審査庁に対して審査請求をすることが禁じられているわけではないので，審査請求人を審理員の除斥事由として定めておかないと，審査請求人を審理員に指名することが理論上は起こりうる。その場合，審理の公正中立性が根本から否定されることはいうまでもない。そこで，本号は，審査請求人を審理員の除斥事由として法定している。本項が同じく審理関係人である参加人を除斥事由として定めていないのは，参加人が審査請求に参加するためには審理員の許可が必要であり（本法13条1項），審理員の指名時には，理論上，参加人は存在しないからである。もっとも，審理手続開始後，審理員またはその同居の親族等が，審査請求手続に参加を申し立てる可能性はありうる。かかる事態は，公正中立性を阻害することになり，回避されなければならない。そこで，審査庁は，かかる場合，当該審理員に係る本条1項の規定による指名を取り消さなければならないこととしている（本法施行令1条2項）。

⑸ 「審査請求人の配偶者，4親等内の親族又は同居の親族」（2項3号）
　審査請求人と密接な親族関係を有する場合，審理員が公正中立性を保つことには疑念が生じうる。そこで，審査請求人と密接な親族関係を有する者も除斥事由としている。除斥事由に当たる親族の範囲は，裁判官（民事訴訟法23条），公証人（公証人法22条1号）等に係る除斥規定を参考に定められている。きわめて稀にしか生じえないが，審理の係属中に審査請求人が審理員と婚姻した場合，どのように考えるかという問題がある。本項の除斥事由は，指名に当たってのものであるから，指名時に除斥事由に該当していなければ，事後的に本号に定める状態になったとしても，指名が違法になるわけではなく，当該審理員の下で進められてきた審理手続が，瑕疵を帯びることになるわけでもない。しかし，本号の除斥事由が定められた趣旨にかんがみれば，審査請求人の配偶者となった審理員が審理の主宰を継続することが避けられるべきことはいうまで

もない。したがって，かかる場合には，審査庁は，当該審理員の指名を取り消さなければならない（本法施行令1条2項）。

⑯ 「審査請求人の代理人」（2項4号）
　親族でない場合であっても，審査請求人の代理人は審査請求人と密接な利害関係を有するので，除斥事由として定められている。

⑰ 「前二号に掲げる者であった者」（2項5号）
　現在は審査請求人の配偶者，4親等内の親族または同居の親族ではないが，過去にそうであった者も，審理主宰者としての公正中立性に疑念が生ずるので，除斥事由として定められている。また，平成20年法案8条2項4号においては，審査請求人の代理人であった者は除斥事由として定められていなかったが，現在は審査請求人の代理人ではないが，原処分または当該処分についての再調査の請求，原処分に先行する聴聞手続等において代理人であった者が審理を主宰する可能性も皆無ではなく，かかる者については，審査請求人の配偶者，4親等内の親族または同居の親族であった者と同様の疑念が生ずるので，除斥事由として定められている。

⑱ 「審査請求人の後見人，後見監督人，保佐人，保佐監督人，補助人又は補助監督人」（2項6号）
　親族でない場合であっても，これらの者は，法制度上，審査請求人を補助する立場にあり，公正中立性に疑念が生ずるので，除斥事由として定められている。

⑲ 「第13条第1項に規定する利害関係人」（2項7号）
　本法13条1項は，「利害関係人（審査請求人以外の者であって審査請求に係る処分又は不作為に係る処分の根拠となる法令に照らし当該処分につき利害関係を有するものと認められる者をいう。以下同じ。）は，審理員の許可を得て，当該審査請求に参加することができる」と定めている。ここでいう「利害関係人」とは，審査請求の結果に法律上の利害関係を有する者を意味する。かかる利害関係人は，審理員の許可を得て参加人になることができるが，参加しない

第9条（審理員）

場合においても，利害関係人である以上，利害関係に基づく偏向を排除できず，審理員としての公正中立性が確保できないおそれがあることから，除斥事由として定められている。

(30)　「審査庁が第1項各号に掲げる機関である場合又は同項ただし書の特別の定めがある場合においては，別表第1の上欄に掲げる規定の適用については，これらの規定中同表の中欄に掲げる字句は，それぞれ同表の下欄に掲げる字句に読み替えるものとし，第17条，第40条，第42条及び第50条第2項の規定は，適用しない」（3項）

第三者裁決機関が審査庁となる場合または本条1項ただし書の特別の定めがある場合には，審理員ではなく，審査庁が審理することになるため，審理員による審理の主宰を前提とする規定についての読替えが必要になる。(i)審理員が指名されないため，審理員を審査庁に読み替える場合（11条2項，13条1項・2項，28条，30条1項・2項，同条3項の一部，31条1項，同条2項の一部，同条3項から5項まで，32条3項，33条から37条まで，38条1項から3項までおよび5項，39条，41条1項・2項，同条3項の一部），(ii)単に審理員を審査庁に読み替えるのにとどまらず，審査庁が審理する構造になることに伴う必要な読替えをする場合（25条7項，29条1項・2項・5項，30条3項の一部，31条2項の一部，41条3項の一部，44条，50条1項4号，本法施行令2条）がある。

(31)　「前項に規定する場合において」（4項）

本条3項に規定する場合，すなわち，審査庁が本条1項各号に掲げる第三者機関である場合または同項柱書ただし書の特別の定めがある場合を意味する。なお，本条1項柱書ただし書においては，審理員の指名をしない場合として，本法24条の規定により当該審査請求を却下する場合も定めているが，この場合には，本法2章3節の審理手続の規定が適用されないので，本項の対象とされていない。

(32)　「審査庁は，必要があると認めるときは」（4項）

審査庁が審理を主宰する場合には，必要に応じ，その委員または補助機関の職員に一定の審理手続を行わせるようにすることができるようにするため，旧

行政不服審査法31条に相当する規定として本項が置かれている。同条は，審査庁が，その職員に審査請求人または参加人の口頭意見陳述を聴かせ，参考人の意見陳述を聴かせ，検証をさせ，または審査請求人もしくは参加人の審尋をさせることができるとしている。本条3項の場合においては，審理員は指名されず，審査庁が審理を行うことになるので，その職員にこれらの手続を行わせることができる旨の明文の規定を置くこととしたのである。平成20年法案においては，旧行政不服審査法31条に相当する規定は置かれておらず，審理員が指名されない場合における審査庁の職員に同条が定める手続を行わせることとするかは，個別法に委ねる方針が採られていたが，統一性を確保するため，本項の規定が設けられた。旧行政不服審査法31条においても，これらの手続を職員に行わせるか否かは，審査庁の裁量に委ねられており，本項においても，審査庁が必要があると認めるときに限り，その職員にこれらの手続を行わせることとしている。

(33) 「その職員」（4項）

「その職員」とは，旧行政不服審査法31条の「その庁の職員」と同義である。東京地判平成6・3・25行集45巻3号811頁は，同条の趣旨は，行政機構が複雑化し，審査庁自らにおいて審査請求の審理手続を処理するには困難が伴うことにかんがみ，審理手続の適正化および合理化を図るために，審査庁の権限の一部をその職員に委譲して，その庁の職員として行うことを認めたものであり，かかる趣旨に照らせば，「その庁の職員」とは，審査庁の指揮監督権の下に審査庁の事務を補助する職員をいうものと解するのが相当であり，当該職員が審査庁の指揮監督権に服するのであれば，必ずしも審査庁の内部部局に属する職員に限られるものではないと判示している。そして，警察法15条は，国家行政組織法8条の3に規定する特別の機関として，国家公安委員会に警察庁を設置する旨を定め，警察庁は，国家公安委員会の管理の下に，警察法5条3項所定の国家公安委員会の権限に属させられた事務について国家公安委員会を補佐する機関とされている（同法17条）ところ，暴力団員による不当な行為の防止等に関する法律3条の規定に基づく暴力団の指定に係る審査請求の審理は国家公安委員会の権限に属する事務である（同法26条1項）ことから，警察庁は，当該事務について，国家公安委員会を補佐することになるので，国家公安委員

第9条（審理員）

会に対する不服申立てに関する規則（当時）3条1項の規定に基づき警察庁長官から指名された審理官らは，本件各陳述の聴取の事務の実施に関しては，国家公安委員会の事務を補助する職員として，旧行政不服審査法31条に規定する「その庁の職員」に当たるものと解するのが相当であると判示されている。その控訴審の東京高判平成7・5・30行集46巻4＝5号553頁も，この点について，同様の立場をとり，控訴を棄却している。本項の「その職員」も，審査庁の指揮監督下でその事務を補助する職員を意味する。審査庁に置かれる審議会等の合議制機関に対しては，単に監視権のみが認められるが（佐藤功・行政組織法〔新版・増補〕〔有斐閣，1985年〕240頁），これも指揮監督権の一環をなすので，審議会等の委員も，「その職員」に含まれる。

審理員については，「審査庁に所属する職員」（本条1項柱書本文）という表現が使用されているのに対し，本項では，「その職員」という異なる表現が用いられているのは，以下の理由による。審理員は，本項の手続を処理するにとどまらず，書類その他の物件の提出を求め（本法33条），鑑定の採否を自ら決定する（本法34条）等の手続を審査庁の指揮を受けずに自己の責任において実施し，事件記録を作成し，事案の概要，審理関係人の主張の要旨，審査庁がすべき裁決の案とその理由を記載した審理員意見書も作成し，これらを審査庁に提出する責任を負うこと（本法42条），審査請求人に主任の大臣等や地方公共団体の長による審理を受ける機会を保障するとともに，運用の統一性を確保するために，処分庁等の最上級行政庁を審査庁とすることを原則としていること（本法4条4号）にかんがみ，地方支分部局の長がした処分に係る審査請求を主任の大臣が審査庁として審理する場合には，当該地方支分部局の職員を審理員に指名することは適当でないと考えられる。したがって，かかる場合の当該地方支分部局の職員は，本項の「その職員」には該当するものの，本法9条1項の「審査庁に所属する職員」には該当しないと解すべきと思われる。この意味においては，「審査庁に所属する職員」と「その職員」は完全には一致せず，前者は後者の部分集合になる。

また，本項の規定が適用される審査庁は，一般的には，行政委員会または審議会等の合議制機関であるが，その事務処理を補佐する体制は一様ではなく，審査庁の指揮監督の下にその事務処理を補佐する職員が，「審査庁に所属する職員」とはいえない場合もある。たとえば，地方自治法138条の4第1項の委

本論 第2章 審査請求

員会である都道府県公安委員会の場合，独自の事務局を有せず，都道府県公安委員会の庶務は，警視庁または道府県警察本部において処理される（警察法44条）。都道府県公安委員会は，都道府県警察を管理するので（同法38条3項），都道府県警察の職員に対する指揮監督権は有し，都道府県警察の職員は本項の「その職員」に当たると解することができるが，都道府県公安委員会が審査庁となる場合，都道府県警察の職員は，「審査庁に所属する職員」には当たらないと解する余地もある。しかし，本項が定める手続は，旧行政不服審査法31条に規定する手続と同様，審査請求人，参加人，参考人の意見陳述を聴き，検証を行い，審理関係人に質問をすること等をして，客観的な事実を把握し，審査庁の判断の基礎となる情報として審査庁に報告を行うためのものであり，自らの名において一定の判断を行う審理員とは職責が異なる。したがって，本項の「その職員」の範囲は，本条1項の「審査庁に所属する職員」と一致する必要はなく，旧行政不服審査法31条に関する上記裁判例と同様に解すべきと考えられる。

以上の点に照らし，本項では，本条1項とは異なり，「審査庁に所属する職員」ではなく，「その職員」と規定している。なお，旧行政不服審査法31条においては，「その庁の職員」と規定していたのに対し，本項が「その職員」と規定したのは，「その庁の職員」という表現は他の使用例が乏しく（検察庁法10条2項参照），行政手続法（3条1項6号参照）を始め，一般的には「その職員」という表現が用いられているからである。

㉞ 「（第2項各号……に掲げる者以外の者に限る。）」（4項）

本条2項各号は，審理員の除斥事由について定めている。本項が定める「その職員」は，客観的な事実把握のための手続のみを行う点で審理員とは異なるが，しかし，これらの手続を行う職員についても，その公正中立性は確保される必要があるため，審理員と同様の除斥事由を定めている。

㉟ 「（第1項各号に掲げる機関の構成員にあっては，第1号を除く。）」（4項）

本条1項各号に掲げる機関は，第三者機関であり，かかる第三者機関が，その公正中立性，専門性に照らし，原処分について，諮問を受けて答申をしたり，

協議を受けて同意をしたり，意見を述べたりすることがある。また，当該第三者機関が処分庁等であることもある。かかる場合において，当該第三者機関の構成員（委員）は，本条2項1号に該当することになると考えられる。しかし，そのような場合には，個別法令において，原処分および審査請求の双方に，公正中立性，専門性の観点から有識者を関与させようとしたものと考えられるから，当該第三者機関の構成員（委員）が本項の定める手続を行えないとすることは適切ではないと思われる。そこで，かかる第三者機関の構成員（委員）については，本条2項1号の除斥事由に係る規定は適用しないこととしている。本項でいう「構成員」は，当該第三者機関の委員であり，当該第三者機関に置かれる専門委員や事務局職員は含まれない。

(36)「前項において読み替えて適用する第31条第1項の規定による審査請求人若しくは第13条第4項に規定する参加人の意見の陳述を聴かせ，前項において読み替えて適用する第34条の規定による参考人の陳述を聴かせ，同項において読み替えて適用する第35条第1項の規定による検証をさせ，前項において読み替えて適用する第36条の規定による第28条に規定する審理関係人に対する質問をさせ，又は同項において読み替えて適用する第37条第1項若しくは第2項の規定による意見の聴取を行わせることができる」（4項）

審査庁がその職員に行わせることができる手続は，(i)審査請求人または参加人の意見の陳述を聴かせること，(ii)参考人の陳述を聴かせること，(iii)検証をさせること，(iv)審理関係人に対する質問をさせること，(v)審理手続の申立てについて審理関係人の意見の聴取を行わせることである。以上のうち，(i)〜(iv)は，旧行政不服審査法31条においても規定されていた（なお，(iv)の審理関係人に対する質問は，同条では審尋と呼ばれていた）。これに対し，(v)は，本項で新たに規定されたものである。(v)は，意見の聴取という点において(i)と共通であるし，審理手続の計画的進行のために，審理手続の申立ての有無ならびにその内容および理由を聴くものであり，(i)〜(iv)と同様，審査庁の最終的な判断内容となるものではなく，審査庁の判断のための情報を収集する性質のものであるため，本項に規定された。

本 論 第2章 審査請求

> **（法人でない社団又は財団の審査請求）**
> **第10条** 法人でない社団又は財団で代表者又は管理人の定めがあるものは，その名で審査請求をすることができる。

（本条の趣旨）
　本条は，法人格なき社団または財団について，民事訴訟における当事者能力に対応する不服申立資格について定めるものである。

(1) 「法人でない社団又は財団」
　権利能力のない社団または財団である。わが国においては，法人は，民法その他の法律の規定によらなければ，成立しないこととされている（民法33条）。そのため，代表者または管理人の定めがあっても法人格を有しない社団または財団が少なくない。一般社団法人及び一般財団法人に関する法律により，公益目的も営利目的も有しない団体が法人格を取得しやすくなったが，一般社団法人または一般財団法人として法人格を取得するためには，定款の認証（同法13条，155条），設立の登記（同法22条，163条）等の手続が必要であり，一般財団法人の場合，設立に際して設立者（設立者が2人以上あるときは，各設立者）が拠出をする財産の価額の合計額は，300万円を下回ってはならないとされていること（同法153条2項），団体が法人格を取得するか否かは国民の選択に委ねられており，法人格の取得を強制できないことにかんがみ，本条において，法人でない社団または財団の審査請求資格について規定している。

(2) 「代表者又は管理人の定めがあるもの」
　法人でない社団または財団であっても，代表者または管理人の定めがあるものについては，責任の所在も明確であり，外部に対して団体の名を表示して活動していることから，民事訴訟法29条においても当事者能力を認めている。旧行政不服審査法10条においても，法人でない社団または財団で代表者または管理人の定めがあるものについては，不服申立資格を認めていた。本条もこれに倣い，かかる団体に審査請求資格を認めたものである。審査請求人が法人格のない社団または財団である場合にあっては代表者または管理人の資格を証

する書面を審査請求書の正本に添付しなければならない（本法施行令4条3項）。審査請求をした後に，代表者または管理人が交代した場合には，従前の代表者または管理人がその資格を失ったことを書面で審査庁（審理員が指名されている場合において，審理手続が終結するまでの間は，審理員）に届け出なければならず（同3条2項），新しい代表者または管理人の資格を証する書面を提出しなければならない（同条1項本文）。参加人が法人格のない社団または財団である場合も代表者または管理人の資格を書面で証明しなければならず（同条3項による同条1項の規定の準用），代表者または管理人がその資格を失ったときは，書面でその旨を審査庁（審理員が指名されている場合において，審理手続が終結するまでの間は，審理員）に届け出なければならない（同条3項による同条2項の規定の準用）。

> （総代）
> 第11条① 多数人が共同して審査請求をしようとするときは，3人を超えない総代を互選することができる。
> ② 共同審査請求人が総代を互選しない場合において，必要があると認めるときは，第9条第1項の規定により指名された者（以下「審理員」という。）は，総代の互選を命ずることができる。
> ③ 総代は，各自，他の共同審査請求人のために，審査請求の取下げを除き，当該審査請求に関する一切の行為をすることができる。
> ④ 総代が選任されたときは，共同審査請求人は，総代を通じてのみ，前項の行為をすることができる。
> ⑤ 共同審査請求人に対する行政庁の通知その他の行為は，2人以上の総代が選任されている場合においても，1人の総代に対してすれば足りる。
> ⑥ 共同審査請求人は，必要があると認める場合には，総代を解任することができる。

（本条の趣旨）

本条は，共同で行われる審査請求手続を円滑に進めるための特例について定めるものである。

(1)「多数人」(1項)

総代が3人以下とされていることに照らし,「多数人」は4人以上と解される。

(2)「共同して審査請求をしようとするときは」(1項)

同一の処分に対して共同で審査請求をする場合が典型的な場合である。また,同一の事実上および法律上の原因に基づく処分については,共同不服申立てをすることができるとする説が有力である。

(3)「3人を超えない総代を互選することができる」(1項)

審理手続の円滑化のために,共同審査請求人の互選による総代の選出を認めたものである。本条は,旧行政不服審査法11条と同旨の規定である。

(4)「共同審査請求人が総代を互選しない場合において,必要があると認めるときは,第9条第1項の規定により指名された者(以下「審理員」という。)は,総代の互選を命ずることができる」(2項)

共同審査請求人が総代を互選しない場合であっても,審理手続の円滑化のために審理員が必要と認めたときは,審理員は総代の互選命令を出すことができることとしている。この命令に共同審査請求人が従わない場合,当該審査請求は不適法になるので,却下されることになる。旧行政不服審査法11条2項においては審査庁(異議申立てにあっては処分庁または不作為庁,再審査請求にあっては再審査庁)に総代互選命令権限が付与されていたが,本法においては,審理員が審理手続を主宰することから,総代互選命令権限を審理員に付与している。

(5)「総代は,各自,他の共同審査請求人のために,審査請求の取下げを除き,当該審査請求に関する一切の行為をすることができる」(3項)

総代を互選して審理手続の円滑化を図る趣旨に照らし,総代には,基本的に審査請求に関する一切の行為を行う権限が付与されているが,審査請求の取下げは,各審査請求人が熟慮して判断すべきであるので,総代の権限に含めていない。総代が,各自,審査請求に関する行為をすることができるとされているのは,総代が共同で権限を行使しなければならないとした場合,手続の円滑な

進行が阻害されるおそれがあるからである。

(6) 「総代が選任されたときは，共同審査請求人は，総代を通じてのみ，前項の行為をすることができる」(4項)

　総代が選任されたにもかかわらず，共同審査請求人各自が審査請求に関する行為（審査請求の取下げを除く）をすることができることとした場合，総代の選任による審理手続の円滑化という目的が阻害されることになるので，共同審査請求人は，総代を通じてのみ，審査請求の取下げ以外の行為をすることができることとしている。総代が審査請求をする場合にあっては，総代の資格を証する書面（総代選任書）を審査請求書の正本に添付しなければならない（本法施行令4条3項）。審査請求をした後に，総代がその資格を失ったときは，書面でその旨を審査庁（審理員が指名されている場合において，審理手続が終結するまでの間は，審理員）に届け出なければならず（同3条2項），新しい総代が選任された場合には，その資格を証する書面を提出しなければならない（同条1項本文）。

(7) 「共同審査請求人に対する行政庁の通知その他の行為は，2人以上の総代が選任されている場合においても，1人の総代に対してすれば足りる」(5項)

　総代の互選による審理手続の円滑化の趣旨にかんがみ，共同審査請求人に対する行政庁の通知その他の行為は，複数の総代が選任された場合においても，1人の総代に対して行えば足りることとし，通知その他の行為を受けた総代の責任において，各共同審査請求人に連絡することとしている。

(8) 「共同審査請求人は，必要があると認める場合には，総代を解任することができる」(6項)

　総代を互選しても，総代が不適任であることが判明した場合には，総代を解任する必要があるため，本項は，共同審査請求人に総代解任権限があることを明確にしている。

本 論　第2章　審査請求

> **（代理人による審査請求）**
> **第12条①**　審査請求は，代理人によってすることができる。
> ②　前項の代理人は，各自，審査請求人のために，当該審査請求に関する一切の行為をすることができる。ただし，審査請求の取下げは，特別の委任を受けた場合に限り，することができる。

（本条の趣旨）
　本条は，審査請求を代理人によってすることができることと，代理人の権限について定めるものである。

⑴　「審査請求は，代理人によってすることができる」（1項）
　本条は，旧行政不服審査法12条と同旨の規定である。代理人は，弁護士，税理士，行政書士等の士業に携わる者である必要はない。代理人による審査請求は，本項のような明文の規定がなくても可能である。ただし，弁護士法72条は，「弁護士又は弁護士法人でない者は，報酬を得る目的で訴訟事件，非訟事件及び審査請求，再調査の請求，再審査請求等行政庁に対する不服申立事件その他一般の法律事件に関して鑑定，代理，仲裁若しくは和解その他の法律事務を取り扱い，又はこれらの周旋をすることを業とすることができない。ただし，この法律又は他の法律に別段の定めがある場合は，この限りでない」と定めている。したがって，法律に別段の定めがない限り，弁護士または弁護士法人以外の者は，報酬を得る目的で審査請求の代理をすることはできないことになる。司法書士，土地家屋調査士，税理士，社会保険労務士，弁理士，行政書士については，別段の定めが置かれ，一定の不服申立事件について業として代理を行うことが認められている。代理人が審査請求をする場合にあっては，代理人の資格を証する書面（委任状）を審査請求書の正本に添付しなければならない（本法施行令4条3項）。法定代理人も，その資格を証する書面を審査請求書の正本に添付する必要があると解される。審査請求をした後に，代理人がその資格を失ったときは，書面でその旨を審査庁（審理員が指名されている場合において，審理手続が終結するまでの間は，審理員）に届け出なければならず（同3条2項），新しい代理人が選任された場合には，その資格を証する書面を提出しな

ければならない(同条1項本文)。参加人の代理人も代理人の資格を書面で証明しなければならず(同条3項による同条1項の規定の準用)、代理人がその資格を失ったときは、書面でその旨を審査庁(審理員が指名されている場合において、審理手続が終結するまでの間は、審理員)に届け出なければならない(同条3項による同条2項の規定の準用)。

(2) 「前項の代理人は、各自、審査請求人のために、当該審査請求に関する一切の行為をすることができる。ただし、審査請求の取下げは、特別の委任を受けた場合に限り、することができる」(2項)

代理人を選任した趣旨にかんがみ、代理人は、各自、審査請求人のために、当該審査請求に関する一切の行為をすることができることとしているが、審査請求の取下げは、各審査請求人が熟慮して判断すべきであるので、特別の委任を必要としている。代理人の権限は、本来、委任契約により定まるが、審査請求に関する代理人の権限が区々である場合、代理権の範囲内の行為かを調査する必要が生じ、代理権の範囲外の行為が無効になる結果、手続をやり直す必要が生ずるなど、審理手続の円滑かつ迅速な進行が阻害されるおそれがあるため、代理権の範囲を画一的に法定している。したがって、本項に反する内容の委任契約は違法になると解される。この特別の委任については、書面で証明しなければならない(本法施行令3条1項後段)。

(参加人)
第13条① 利害関係人(審査請求人以外の者であって審査請求に係る処分又は不作為に係る処分の根拠となる法令に照らし当該処分につき利害関係を有するものと認められる者をいう。以下同じ。)は、審理員の許可を得て、当該審査請求に参加することができる。
② 審理員は、必要があると認める場合には、利害関係人に対し、当該審査請求に参加することを求めることができる。
③ 審査請求への参加は、代理人によってすることができる。
④ 前項の代理人は、各自、第1項又は第2項の規定により当該審査請求に参加する者(以下「参加人」という。)のために、当該審査請求への参加

> に関する一切の行為をすることができる。ただし，審査請求への参加の取下げは，特別の委任を受けた場合に限り，することができる。

（本条の趣旨）

本条は，利害関係人の審査請求への参加と，代理人による参加，代理人の権限について定めるものである。

(1) 「利害関係人（審査請求人以外の者であって審査請求に係る処分又は不作為に係る処分の根拠となる法令に照らし当該処分につき利害関係を有するものと認められる者をいう。以下同じ。）」（1項）

本条は，旧行政不服審査法24条と同様，利害関係人の参加に関する規定である。利害関係人とは，審査請求の結果に事実上の利害関係を有するのみでは足りず，法律上の利害関係を有する者を意味する。利害関係人の意味を明確にするため，行政手続法17条1項の「関係人」の定義（「当事者以外の者であって当該不利益処分の根拠となる法令に照らし当該不利益処分につき利害関係を有するものと認められる者」）を参考に，「審査請求人以外の者であって審査請求に係る処分又は不作為に係る処分の根拠となる法令に照らし当該処分につき利害関係を有するものと認められる者」と定義している。審査請求人と利害が一致する場合に限らず，審査請求人と利害が反する場合も含まれる。「利害関係を有するものと認められる者」には，現に利害関係を有する者のみならず，将来利害関係を有することとなる者も含まれる。「利害関係を有するものと認められる者」に当たることについては，本人が審理員に対して疎明し，審理員が判断する。

本法9条2項3号は，審査請求人と審理員の親族関係について定め，参加人と審理員の関係について定めていないが，これは，参加人は審理員が指名するものであり，審理員の指名前は参加人は存在しないからである。しかし，当該審査請求事件における審理員の指名候補となった者の配偶者，4親等内の親族または同居の親族が当該事案の利害関係人であることを認識していれば，その事情を審査庁に説明して指名を回避すべきであろう。もっとも，かかる事情を事前に認識しえず，審理員として指名を受けることがありえないわけではない（4親等の親族で平素の交流が希薄な場合には，そのようなことがあっても不思議ではな

い)。このような場合に，審理員の近親者であるという理由で参加を拒否することは，審査請求への参加権という手続的権利の侵害になるので，当該審理員の指名を取り消して，新たな審理員を指名する必要がある（本法施行令1条2項）。

参加人は，本法31条1項の規定に基づく口頭意見陳述権，32条1項の規定に基づく証拠書類または証拠物の提出権等，審査請求人とほぼ同等の手続的権利を付与されており（ただし，本法25条2項・3項の規定に基づく執行停止の申立て，本法27条1項の規定に基づく審査請求の取下げは，審査請求人のみがすることができる），したがって，裁決は審査請求人のみならず参加人に対しても同等の法効果を有する。

(2) 「審理員の許可を得て，当該審査請求に参加することができる」（1項）

利害関係を有すると主張する者を無制限に審査請求に参加させることとした場合，利害関係を有しない者も参加するおそれがあり混乱を招くので，審理員による許可制にしている。

(3) 「審理員は，必要があると認める場合には，利害関係人に対し，当該審査請求に参加することを求めることができる」（2項）

利害関係人であっても，参加を申し立てないこともありうる。当該審査請求の審理にその利害関係人の参加が有益と考えられる場合もあるので，審理員は職権でかかる利害関係人の参加を求めることができるとしている。

(4) 「審査請求への参加は，代理人によってすることができる」（3項）

旧行政不服審査法24条には規定されていなかったが，審査請求への参加を代理人によって行うことを否定する理由はないし，利害関係人の便宜を考慮して，代理人による参加を明文で認めている。

(5) 「前項の代理人は，各自，第1項又は第2項の規定により当該審査請求に参加する者（以下「参加人」という。）のために，当該審査請求への参加に関する一切の行為をすることができる。ただし，審査請求への

本論　第2章　審査請求

参加の取下げは，特別の委任を受けた場合に限り，することができる」
（4項）

　参加人は，意見書の提出（本法30条2項），口頭意見陳述（本法31条1項），証拠書類等の提出（本法32条1項），物件の提出要求（本法33条），参考人の陳述および鑑定の要求（本法34条），検証の要求（本法35条1項），審理関係人への質問の要求（本法36条），提出書類等の閲覧または写しの交付の求め（本法38条1項）のように，審理手続において審査請求人と同等の権利を有するので，参加人の代理人もこれらの行為をすることができる。ただし，審査請求への参加の取下げは，参加人が熟慮して判断すべきであるので，特別の委任を必要としている。

（行政庁が裁決をする権限を有しなくなった場合の措置）
第14条　行政庁が審査請求がされた後法令の改廃により当該審査請求につき裁決をする権限を有しなくなったときは，当該行政庁は，第19条に規定する審査請求書又は第21条第2項に規定する審査請求録取書及び関係書類その他の物件を新たに当該審査請求につき裁決をする権限を有することとなった行政庁に引き継がなければならない。この場合において，その引継ぎを受けた行政庁は，速やかに，その旨を審査請求人及び参加人に通知しなければならない。

（本条の趣旨）
　本条は，審査庁が裁決権限を失った場合における引継ぎと審査請求人および参加人への通知について定めるものである。

(1)　「行政庁が審査請求がされた後法令の改廃により当該審査請求につき裁決をする権限を有しなくなったときは，当該行政庁は，第19条に規定する審査請求書又は第21条第2項に規定する審査請求録取書及び関係書類その他の物件を新たに当該審査請求につき裁決をする権限を有することとなった行政庁に引き継がなければならない」（前段）
　審査請求後に行政庁が裁決権限を有しなくなった場合，新たに当該審査請求

第14条（行政庁が裁決をする権限を有しなくなった場合の措置）・第15条（審理手続の承継）

につき裁決をする権限を有することとなった行政庁に審査請求書等を引き継ぎ，後者の行政庁が審理手続を続行すべきことは明文の規定がなくても当然であるが，本条前段は，このことを確認したものである。

(2)　「この場合において，その引継ぎを受けた行政庁は，速やかに，その旨を審査請求人及び参加人に通知しなければならない」（後段）

審査請求をした行政庁が，その後に裁決権限を有しなくなったことを審査請求人または参加人が認識していない場合，物件を審査請求をした行政庁に送付してしまう等の事態が起こり，審理の遅延を招くおそれがある。そこで，引継ぎを受けた行政庁に，その旨を審査請求人および参加人に通知する義務を課している。

（審理手続の承継）

第15条①　審査請求人が死亡したときは，相続人その他法令により審査請求の目的である処分に係る権利を承継した者は，審査請求人の地位を承継する。

②　審査請求人について合併又は分割（審査請求の目的である処分に係る権利を承継させるものに限る。）があったときは，合併後存続する法人その他の社団若しくは財団若しくは合併により設立された法人その他の社団若しくは財団又は分割により当該権利を承継した法人は，審査請求人の地位を承継する。

③　前二項の場合には，審査請求人の地位を承継した相続人その他の者又は法人その他の社団若しくは財団は，書面でその旨を審査庁に届け出なければならない。この場合には，届出書には，死亡若しくは分割による権利の承継又は合併の事実を証する書面を添付しなければならない。

④　第1項又は第2項の場合において，前項の規定による届出がされるまでの間において，死亡者又は合併前の法人その他の社団若しくは財団若しくは分割をした法人に宛ててされた通知が審査請求人の地位を承継した相続人その他の者又は合併後の法人その他の社団若しくは財団若しくは分割により審査請求人の地位を承継した法人に到達したときは，当該通知は，これらの者に対する通知としての効力を有する。

本論　第2章　審査請求

⑤　第1項の場合において，審査請求人の地位を承継した相続人その他の者が2人以上あるときは，その1人に対する通知その他の行為は，全員に対してされたものとみなす。
⑥　審査請求の目的である処分に係る権利を譲り受けた者は，審査庁の許可を得て，審査請求人の地位を承継することができる。

（本条の趣旨）

　本条は，旧行政不服審査法37条と同内容であり，審査請求人が死亡したとき等，権利義務関係が包括承継される場合において，権利承継者が審査請求人の地位を承継すること，審査請求人の地位を承継したことの審査庁への届出，当該届出前に行われた死亡者等に対する通知の効果，審査請求人の地位を承継した相続人等が複数であるときのその1人に対する通知の効果，審査請求の目的である処分に係る権利を譲り受けた者による審査請求人の地位の承継について定めるものである。

(1)　「審査請求人が死亡したときは，相続人その他法令により審査請求の目的である処分に係る権利を承継した者は，審査請求人の地位を承継する」（1項）

　自然人である審査請求人が死亡したときは，相続が開始され，相続人が審査請求人の地位を承継する。もっとも，生活保護法10条本文は，「保護は，世帯を単位としてその要否及び程度を定めるものとする」と規定されており，生活保護の申請拒否処分に係る審査請求の場合には，審査請求人が死亡したときは，世帯員が審査請求人の地位を承継するのが適切と考えられる。そこで，相続人に限定せず，「その他法令により審査請求の目的である処分に係る権利を承継した者」も規定している。

(2)　「審査請求人について合併又は分割（審査請求の目的である処分に係る権利を承継させるものに限る。）があったときは，合併後存続する法人その他の社団若しくは財団若しくは合併により設立された法人その他の社団若しくは財団又は分割により当該権利を承継した法人は，審査請

第15条（審理手続の承継）

求人の地位を承継する」（2項）
　審査請求人について吸収合併があった場合には「合併後存続する法人その他の社団若しくは財団」が，新設合併があった場合には「合併により設立された法人その他の社団若しくは財団」が，分割があった場合には「分割により当該権利を承継した法人」が，審査請求人の地位を承継する。

(3)　「前二項の場合には，審査請求人の地位を承継した相続人その他の者又は法人その他の社団若しくは財団は，書面でその旨を審査庁に届け出なければならない。この場合には，届出書には，死亡若しくは分割による権利の承継又は合併の事実を証する書面を添付しなければならない」（3項）
　死亡による権利の承継の事実を証する書面としては戸籍謄本等，分割による権利の承継の事実を証する書面としては分割契約書等，合併の事実を証する書面としては合併契約書，合併の登記簿謄本等がある。

(4)　「第1項又は第2項の場合において，前項の規定による届出がされるまでの間において，死亡者又は合併前の法人その他の社団若しくは財団若しくは分割をした法人に宛ててされた通知が審査請求人の地位を承継した相続人その他の者又は合併後の法人その他の社団若しくは財団若しくは分割により審査請求人の地位を承継した法人に到達したときは，当該通知は，これらの者に対する通知としての効力を有する」（4項）
　審査請求人の地位の承継の効果は届出により発生するわけではない。審査請求人の地位の承継の効果が発生しているにもかかわらず，届出がなされる前に死亡者または合併前の法人その他の社団もしくは財団もしくは分割をした法人に宛ててされた通知の効力が生じないとすることは，審理手続を遅延させることになるので，当該通知が審査請求人の地位を承継した者に到達したときは，これらの者に対する有効な通知とすることにより，審理の遅延を回避することとしている。

(5)　「第1項の場合において，審査請求人の地位を承継した相続人その他の者が2人以上あるときは，その1人に対する通知その他の行為は，全

員に対してされたものとみなす」(5項)

　審理手続を迅速に進行させるためのものであり，このような取扱いをしても，審査請求人の地位を承継した者に特に不利益を与えないと考えられたために設けられた。

(6)　「審査請求の目的である処分に係る権利を譲り受けた者は，審査庁の許可を得て，審査請求人の地位を承継することができる」(6項)

　本項は特定承継の場合を念頭に置いており，特定承継の場合には承継関係をめぐる紛争が生ずる可能性が低くないので，審査請求人の地位の承継に審査庁の許可を要するとすることにより，明確化を図っている。許可を行うのが審理員ではなく審査庁であるのは，審査請求人の地位を承継しうるかは，審査請求が不適法であって補正することができないことが明らか（本法24条2項）の判断に匹敵するものであり，後者の場合には審査庁が判断し，同項に該当する場合には審理員を指名せずに審査庁が却下することと平仄を合わせたからである。

> （標準審理期間）
> 第16条　第4条又は他の法律若しくは条例の規定により審査庁となるべき行政庁（以下「審査庁となるべき行政庁」という。）は，審査請求がその事務所に到達してから当該審査請求に対する裁決をするまでに通常要すべき標準的な期間を定めるよう努めるとともに，これを定めたときは，当該審査庁となるべき行政庁及び関係処分庁（当該審査請求の対象となるべき処分の権限を有する行政庁であって当該審査庁となるべき行政庁以外のものをいう。次条において同じ。）の事務所における備付けその他の適当な方法により公にしておかなければならない。

（本条の趣旨）

　本条は，審理の遅延を防止するために，行政手続法の標準処理期間の制度を参考にして，標準審理期間について定めるものである。

第16条（標準審理期間）

(1)　「第4条又は他の法律若しくは条例の規定により審査庁となるべき行政庁（以下「審査庁となるべき行政庁」という。）」

　本法4条は，法律（条例に基づく処分については条例）に特別の定めがある場合を除き，審査請求をすべき行政庁を定めている。したがって，(i)審査請求をすべき行政庁の原則を定めた本法4条の規定により審査庁となるべき行政庁，(ii)他の法律で特例として定められた審査庁となるべき行政庁，(iii)条例に基づく処分について条例で特例として定められた審査庁となるべき行政庁が，当該の行政庁になる。本条が，審査庁ではなく，「審査庁となるべき行政庁」という表現を用いているのは，本法9条1項柱書で定義されているように，審査庁とは審査請求がされた行政庁であるのに対し，標準審理期間の設定は審査請求がなされる前に行われるものであるからである。

(2)　「審査請求がその事務所に到達してから当該審査請求に対する裁決をするまで」

　「審査請求がその事務所に到達した」とは，書面による審査請求の場合，審査請求書が審査庁となるべき行政庁の事務所（具体的には文書受付の担当部署）に物理的に到着し，了知可能な状態に置かれたことを意味し，収受印の押印を要件としない。本条の標準審理期間の制度は，行政手続法6条の標準処理期間の制度を参考にしたものであるが，同条が経由機関の事務所に申請が到達してから処分庁の事務所に進達されるまでの期間についても標準処理期間を定めるように努め，定めたときはこれを公にしておく義務を課しているのに対し，本条には，それに対応する（努力）義務は定められていない。本法も，処分庁等を経由する審査請求を認めているが（21条1項），この場合，処分庁等は，直ちに，審査請求書または審査請求録取書を審査庁となるべき行政庁に送付しなければならないので（同条2項），処分庁等に審査請求がされてから審査庁となるべき行政庁に送付されるまでの標準審理期間を定める必要はないと考えられたからである。

(3)　「通常要すべき標準的な期間」

　「通常」とは，審査請求の態様と審査庁の審理体制の双方が異常でないことを意味する。審査請求の補正に要する期間は含まれず，適法な審査請求を審理

する期間のみを対象とする。「標準的な期間」であるので、審査請求の大半が処理できる期間であればよい。過去の実績にかんがみ、比較的単純な審査請求は2か月程度、比較的複雑な審査請求は4か月程度で処理できる見込みである場合には、2〜4か月という幅を持った期間とすることも可能である。なお、行政不服審査制度検討会最終報告においては、審査請求の対象とする処分を類型化して、その区分ごとに定められるかどうか等、当該審査請求の性質に応じた工夫をすることによって、審理に関する目安としての何らかの期間をできる限り明確に示すよう努めること、法定受託事務等同一の種類の処分について多数の審査庁が存在する場合において、その審査がいずれの審査庁においても同一の期間に終了すると見込まれるものであるときは、法令所管省庁においても、あらかじめ一応の目安を示す等、標準審理期間の設定が円滑に行われるよう努めるものとすることが提言されている。

本法は、「国民が簡易迅速かつ公正な手続の下で広く行政庁に対する不服申立てをすることができるための制度」（1条）を定めるものであり、公正性を損なわない範囲で迅速に審査請求を処理する必要がある。そのために、標準審理期間を定める努力義務、定めた場合に公にしておく義務を法定しているが、この期間は、審理期間の目安として定められるものであり、同期間内に裁決を行う義務を審査庁に課すものではない。したがって、標準審理期間内に裁決をできなかったことが当然に違法になったり、裁決固有の瑕疵になるわけではない（本法3条の解説(2)参照）。

(4) 「定めるよう努める」

標準審理期間の作成を努力義務にとどめているのは、審査請求は、申請に対する処分に対してのみならず、不利益処分に対しても行われる等、多様な処分に対して行われるが、不利益処分については実績が皆無であることも稀でなく（個人情報保護法34条2項・3項の命令がその例）、ある不利益処分の実績がない場合、当然、当該不利益処分についての不服申立ての実績もないことになるので、標準審理期間を定めることも困難になるからである。そこで、標準審理期間の作成を義務づけず、努力義務として規定している。（同様の理由から行政手続法12条は処分基準の作成を努力義務にとどめている）。なお、本法は、裁決前に行政不服審査会等への諮問を原則として義務づけているため、第三者機関である行

政不服審査会等における審理期間によって，審査請求がその事務所に到達してから当該審査請求に対する裁決をするまでの期間が影響を受けることになる。しかし，第三者機関における標準的な審理期間を審査庁となるべき行政庁が事前に定めることには困難が伴うことが予想される。そこで，行政不服審査会等への諮問までに通常要すべき標準的な期間と行政不服審査会等における標準的な審理期間を分けて定め，後者については，行政不服審査会等の独立した判断で審理期間が左右される旨を注記しておくことも考えられる。

(5)　「これを定めたときは……公にしておかなければならない」

　標準審理期間を公にしておくことにより，審査請求がその事務所に到達してから当該審査請求に対する裁決をするまでに通常要すべき標準的な期間について，審理関係人に予測可能性を与えることが可能になり，また，審査請求を迅速に審理するインセンティブを審査庁，審理員に付与することになる。そのため，標準審理期間を定めたときは，これを公にしておく義務を審査庁となるべき行政庁に課している。公にしておくとは，公表とは異なり，官報に掲載する等，積極的に周知させることまでは含意しておらず，国民から求められたときに知りうる状態にしておくことを意味している。他方で1回限りの公表とは異なり，継続的に知りうる状態に置いておかなければならないことも意味している（行政手続法における「公にしておく」と「公表」の相違について，宇賀・行政手続三法の解説92頁参照）。いつまでに公にしなければならないかについて明文の規定はないが，本法施行時までと解される。

(6)　「当該審査庁となるべき行政庁及び関係処分庁（当該審査請求の対象となるべき処分の権限を有する行政庁であって当該審査庁となるべき行政庁以外のものをいう。次条において同じ。）」

　関係処分庁が「当該審査請求の対象となるべき処分の権限を有する行政庁であって当該審査庁となるべき行政庁以外のもの」と定義されているのは，当該審査請求の対象となるべき処分の権限を有する行政庁と当該審査庁となるべき行政庁が同一である場合には，両者の事務所は一致することになるので，当該審査庁となるべき行政庁と別に関係処分庁に標準審理期間を公にしておく義務を課す必要はないからである。

本条が「関係処分庁等」とせず「関係処分庁」としていることから窺えるように，本条は，処分についての審査請求に係る標準審理期間を念頭に置いており，不作為についての審査請求に係る標準審理期間は対象外である。その理由は，(i)不作為についての審査庁となるべき行政庁と当該申請に係る処分についての審査庁となるべき行政庁は一致すること，(ii)不作為についての審査請求は，不作為の有無，不作為の違法または不当の審査にとどまらず，不作為が違法または不当の場合に許可等を行うべきかも審査するものであり，申請拒否処分についての不服申立て（拒否処分の違法または不当の審査にとどまらず，拒否処分が違法または不当の場合に許可等を行うべきかも審査する）と同様の審理になること，(iii)不作為についての審査請求の実例は乏しく，不作為についての審査請求に係る標準審理期間を過去の実績を参考に設定することは困難と思われることによる。

(7) 「事務所における備付けその他の適当な方法により」

審査庁となるべき行政庁の事務所とは，国土交通大臣が審査庁となる場合には，国土交通省本省を意味し，地方支分部局を含まない。したがって，国土交通大臣が審査庁となる場合にその地方支分部局である地方整備局または地方運輸局のみに標準審理期間を備え付け，本省では備え付けていなければ，本条に違反することになる。逆に，本省に加えて，任意に地方支分部局にも備え付けることは，もとより差し支えないし，むしろ望ましい。

事務所における備付けその他の適当な方法としては，事務所における掲示のほか，当該審査庁となるべき行政庁および関係処分庁のウェブサイトへの登載等が考えられる。いかなる方法で公にしておくかについては，当該審査庁となるべき行政庁および関係処分庁の裁量に委ねられているが，国民の便宜を考えれば，行政庁のウェブサイトへの登載が最も望ましいと思われる。他方，デジタル・デバイドにも配慮する必要があるので，併せて，事務所での掲示等も行うことが望まれる。

（審理員となるべき者の名簿）
第17条 審査庁となるべき行政庁は，審理員となるべき者の名簿を作成す

第 17 条（審理員となるべき者の名簿）

> るよう努めるとともに，これを作成したときは，当該審査庁となるべき行政庁及び関係処分庁の事務所における備付けその他の適当な方法により公にしておかなければならない。

（本条の趣旨）

　本条は，審理手続において中核的役割を担う審理員の名簿をあらかじめ作成し公にしておくことにより，審査請求をしようとする者および国民一般に対する透明性を向上させ，指名手続の公正さを確保しようとするものである。

(1)　「審査庁となるべき行政庁」

　審理員となるべき者の名簿は，審査請求がなされる前に作成して公にしておくべきものであるから，審査庁ではなく，審査庁となるべき行政庁の義務としている。

(2)　「審理員となるべき者の名簿」

　審理員として指名される対象となる職員の所属（○○大臣官房等），役職（総務課長等），氏名を記載した帳簿である。

(3)　「作成するよう努める」

　審理員となるべき者の名簿の作成を努力義務にとどめているのは，処分や不服申立ての実績がない行政庁もあり，かかる行政庁に対しても審理員となるべき者の名簿の作成を義務づけることは適切ではないと考えられるためである。なお，総務省行政不服審査制度検討会は，組織体制上，処分に関する手続に関与していない者を審理員として指名することができないやむを得ない理由があるときには，処分に関与していない者を審理員とする原則の例外を認めていたこともあり，審理員の指名基準を定め，これを公にしておくべきとしていた。しかし，本法は，処分に関する手続に関与した者は，例外なく審理員の除斥事由としたため，指名基準の意義は希薄になり，むしろ，審理員となるべき者の名簿作成の努力義務を課すこととしている。

(4) 「当該審査庁となるべき行政庁及び関係処分庁の事務所における備付けその他の適当な方法により」

その意味は，本法16条の解説(6)(7)で述べたのと同じである。

(5) 「公にしておかなければならない」

審理員制度は，審査請求の公正中立性の重要な要素をなし，審査請求を行おうとする者にとって，審理員候補者がどのような者であるかは，あらかじめ知っておきたい事項である。また，審理員候補者が事前に公にされていることによって，審理員の指名の公正性と透明性が確保されることになる。そこで，審理員となるべき者の名簿を公にしておくことを審査庁となるべき行政庁に義務づけている。

第2節　審査請求の手続

（審査請求期間）
第18条①　処分についての審査請求は，処分があったことを知った日の翌日から起算して3月（当該処分について再調査の請求をしたときは，当該再調査の請求についての決定があったことを知った日の翌日から起算して1月）を経過したときは，することができない。ただし，正当な理由があるときは，この限りでない。
②　処分についての審査請求は，処分（当該処分について再調査の請求をしたときは，当該再調査の請求についての決定）があった日の翌日から起算して1年を経過したときは，することができない。ただし，正当な理由があるときは，この限りでない。
③　次条に規定する審査請求書を郵便又は民間事業者による信書の送達に関する法律（平成14年法律第99号）第2条第6項に規定する一般信書便事業者若しくは同条第9項に規定する特定信書便事業者による同条第2項に規定する信書便で提出した場合における前二項に規定する期間（以下「審査請求期間」という。）の計算については，送付に要した日数は，算入しない。

第18条（審査請求期間）

（本条の趣旨）
　本条は，主観的審査請求期間および客観的審査請求期間の原則ならびにそれらの例外について定めるものである。

(1)　「処分についての審査請求」（1項本文）
　不作為についての審査請求は，不作為状態が継続している限りいつでも行うことができるので，本条は処分についての審査請求期間を定めるものであることを明確にしている。

(2)　「処分があったことを知った日の翌日から起算して」（1項本文）
　旧行政不服審査法は，審査請求期間について民法の初日不算入の原則（民法140条本文）を明確にするため，「処分があつたことを知つた日の翌日から起算して」（14条1項）と規定していた。本項も同様の規定の仕方になっている。なお，平成20年法案においては，行政事件訴訟法14条1項が初日不算入の趣旨で「処分又は裁決があつたことを知つた日から」と規定していることを踏まえ，「処分があったことを知った日から」（17条1項）と規定していた。しかし，「処分があったことを知った日から」と規定した場合，民法140条ただし書により，その期間が午前0時から始まるときは期間の初日が算入されるため，旧行政不服審査法14条1項と比較して出訴期間を1日短縮してしまうこと等にかんがみ，旧行政不服審査法14条1項の規定の仕方を踏襲することになった。

(3)　「3月」（1項本文）
　旧行政不服審査法（14条1項）においては，主観的審査請求期間を60日としていたが，本項では，これを3か月に延長している。これは，60日という期間では，審査請求の提起の準備に不十分であり，国民が審査請求を提起することにより自己の権利利益を擁護する機会を喪失しないようにするためには，期間の延長が必要と考えられたためである。ただし，2004年の行政事件訴訟法改正により，取消訴訟の主観的出訴期間が6か月に延長されたこと（行政事件訴訟法14条1項）に照らし，主観的審査請求期間も6か月に延長すべきとする意見も有力であった。結局，取消訴訟の主観的出訴期間より短い3か月にされた理由は，(i)審査請求は取消訴訟と比較して簡易に申立てができ，申立費用

も納付する必要がないこと，(ii)主観的審査請求期間の長期化は，処分庁および処分により利益を受ける者が処分の効果の早期安定により受ける利益を害すること，(iii)主観的審査請求期間の長期化により，正確な事実認定が困難になり，審査請求人の利益を損なう場合もあることに求められた。このうち，(i)は，一般論としてはそのとおりと思われる。しかし，審査請求事案も多様であり，弁護士，税理士等に委任しなければならない複雑な事案もあるし，準備にかなりの期間を要することがあるので，3か月で十分かについては個別の分野ごとに検証し，必要に応じ，個別法で主観的審査請求期間を延長することを検討することが望ましいと思われる。(ii)については，審査請求前置とされている場合には，主観的審査請求期間が経過すれば，原則として取消訴訟も提起できなくなるため，主観的審査請求期間を取消訴訟の主観的出訴期間より短くすることが，早期の法的安定の実現に資することになる。これに対し，審査請求と取消訴訟を行政事件訴訟法8条1項の原則どおり自由に選択できる場合には，主観的審査請求期間を経過しても，取消訴訟の主観的出訴期間（6か月）が経過するまでは，当該処分は取消訴訟で争われうるのであるから，処分の効果は不安定な状態に置かれていることになり，主観的審査請求期間を取消訴訟の主観的出訴期間より短くすることが，処分の効果の早期安定につながるわけではない。したがって，(ii)の理由が妥当するのは，審査請求前置となっている場合に限られることになる（もっとも，実際には審査請求は行っても取消訴訟までは行わない者が多いと思われるので，主観的審査請求期間が経過することにより，事実上の安定がもたらされるといえる場合は少なくないかもしれない）。(iii)については，抽象的にはそのような可能性は存在するが，かかる可能性は，取消訴訟の場合にも同様に存在するので，主観的審査請求期間を取消訴訟の主観的出訴期間より短くする理由にはならず，両者を含めて争訟提起期間を決定する際の考慮要素の1つにとどまることになろう。

(4) 「（当該処分について再調査の請求をしたときは，当該再調査の請求についての決定があったことを知った日の翌日から起算して1月）」（1項本文）

再調査の請求についての主観的請求期間も，処分があったことを知った日の翌日から起算して3か月とされており（本法54条1項本文），さらに実際に再調

査の請求がされているので、再調査の請求の決定があったことを知った日は、処分があったことを知った日からかなりの期間が経過していると考えられる。したがって、旧行政不服審査法14条1項が、当該処分について異議申立てをしたときは、当該異議申立てについての決定があったことを知った日の翌日から起算して30日以内に審査請求をしなければならないとしていることを参考に、再調査の請求についての決定があったことを知った日の翌日から起算して1か月以内に審査請求をしなければならないこととしている。

(5) 「ただし、正当な理由があるときは、この限りでない」（1項ただし書）

旧行政不服審査法14条1項ただし書は、主観的審査請求期間の例外として、「天災その他審査請求をしなかったことについてやむをえない理由があるときは、この限りでない」と規定していた。このただし書の期間は不変期間とされ、その理由がやんだ日の翌日から起算して1週間以内に審査請求をしなければならないこととされていた（同条2項）。「やむをえない理由」は厳格に解され、東京地判昭和45・5・27行集21巻5号836頁は、「行政庁が教示義務に違反して審査請求期間を教示しなかったところから審査請求人が審査請求期間について誤信をしたとしても、それは、所詮、法の不知に基因するものというべきであるので、かかる場合を、行政庁が誤った審査請求期間を教示したことにより審査請求人がその旨誤信した場合と同一に取り扱うことはできない」とし、審査請求期間の教示の懈怠があっても、「やむをえない理由」に当たらないと判示していた。

他方、2004年改正前の行政事件訴訟法14条1項では、主観的出訴期間の例外を定めていなかった。同条2項で主観的出訴期間は不変期間とされ、「当事者がその責めに帰することができない事由により不変期間を遵守することができなかった場合には、その事由が消滅した後1週間以内に限り、不変期間内にすべき訴訟行為の追完をすることができる。ただし、外国に在る当事者については、この期間は、2月とする」（民事訴訟法97条1項）こととされていた。しかし、不変期間の場合、追完が認められる場合が厳格に制限されるため、2004年の改正により、「正当な理由」がある場合には、主観的出訴期間の例外を認めることとした（行政事件訴訟法14条1項ただし書）。

これを踏まえ、本項ただし書において、主観的審査請求期間の例外を不変期

間ではなく「正当な理由」がある場合に認めることとされた。ここでいう「正当な理由」とは、審査請求期間が教示されなかった場合および誤って長期の審査請求期間が教示された場合であって、審査請求人が他の方法で正しい審査請求期間を知ることができなかったような場合を含む。そのため、旧行政不服審査法19条（「処分庁が誤って法定の期間よりも長い期間を審査請求期間として教示した場合において、その教示された期間内に審査請求がされたときは、当該審査請求は、法定の審査請求期間内にされたものとみなす」）の規定は削除されることになった。他方、処分庁が誤って法定の審査請求期間よりも短い審査請求期間を教示した場合には、法定の審査請求期間を徒過したことの「正当な理由」にはならない。

　なお、労働保険審査官及び労働保険審査会法8条1項ただし書が定める主観的審査請求期間経過の「正当な理由」について、広島地判昭和62・6・9労判501号40頁は、自らが決定書の記載内容を読解できないため、信頼するに足ると自らが判断した者にその代読を依頼し、代読人の過誤によって、処分内容を誤認するに至ったとしても、これによって生じた不利益は原則として自ら甘受すべきものであって、この事情が直ちに期間徒過の正当理由に当たるものということは困難であると判示している。

(6)　「処分についての審査請求は、処分（当該処分について再調査の請求をしたときは、当該再調査の請求についての決定）があった日の翌日から起算して1年を経過したときは、することができない」（2項本文）

　これは旧行政不服審査法14条3項本文と同様の客観的審査請求期間を定めたものである。主観的審査請求期間は、処分があったことを知った日の翌日を起算点とするが、処分があったことを知らない限り、いつまでも審査請求をすることができるとすれば、法的安定性を害することになる。そこで、処分があったことを知ったか否かを問わず、処分があった日の翌日を起算点として1年経過すれば、審査請求をすることはできないこととしている。

(7)　「ただし、正当な理由があるときは、この限りでない」（2項ただし書）

　旧行政不服審査法14条3項ただし書においても、客観的審査請求期間の例外は不変期間ではなく「正当な理由」があるときに認められていた。本項ただ

し書も，それを踏襲している。長崎地判昭和51・6・28行集27巻6号950頁は，知事が漁業権免許処分に際し，公示その他の所要の手続を懈怠したとしても，当該処分のあったことを処分後間もなく知ったと認められる場合は，当該処分に対する審査請求の不服申立期間徒過につき，旧行政不服審査法14条3項ただし書の「正当な理由」があるものとはいえないと判示している。

(8)　「次条に規定する審査請求書を郵便又は民間事業者による信書の送達に関する法律（平成14年法律第99号）第2条第6項に規定する一般信書便事業者若しくは同条第9項に規定する特定信書便事業者による同条第2項に規定する信書便で提出した場合における前二項に規定する期間（以下「審査請求期間」という。）の計算については，送付に要した日数は，算入しない」(3項)

「前二項に規定する期間（以下「審査請求期間」という。）」とは，本条1項本文および本条2項本文に規定する期間である。民法97条1項は到達主義を採っているが，旧行政不服審査法14条4項は，その例外として発信主義を採り，審査請求書の送付に要した日数は審査請求期間の計算に算入していなかった。これは国民に有利な例外であるので，本項は，その方針を踏襲している。

（審査請求書の提出）
第19条①　審査請求は，他の法律（条例に基づく処分については，条例）に口頭ですることができる旨の定めがある場合を除き，政令で定めるところにより，審査請求書を提出してしなければならない。
②　処分についての審査請求書には，次に掲げる事項を記載しなければならない。
　1　審査請求人の氏名又は名称及び住所又は居所
　2　審査請求に係る処分の内容
　3　審査請求に係る処分（当該処分について再調査の請求についての決定を経たときは，当該決定）があったことを知った年月日
　4　審査請求の趣旨及び理由
　5　処分庁の教示の有無及びその内容
　6　審査請求の年月日

③ 不作為についての審査請求書には、次に掲げる事項を記載しなければならない。
   1 審査請求人の氏名又は名称及び住所又は居所
   2 当該不作為に係る処分についての申請の内容及び年月日
   3 審査請求の年月日
④ 審査請求人が、法人その他の社団若しくは財団である場合、総代を互選した場合又は代理人によって審査請求をする場合には、審査請求書には、第2項各号又は前項各号に掲げる事項のほか、その代表者若しくは管理人、総代又は代理人の氏名及び住所又は居所を記載しなければならない。
⑤ 処分についての審査請求書には、第2項及び前項に規定する事項のほか、次の各号に掲げる場合においては、当該各号に定める事項を記載しなければならない。
   1 第5条第2項第1号の規定により再調査の請求についての決定を経ないで審査請求をする場合　再調査の請求をした年月日
   2 第5条第2項第2号の規定により再調査の請求についての決定を経ないで審査請求をする場合　その決定を経ないことについての正当な理由
   3 審査請求期間の経過後において審査請求をする場合　前条第1項ただし書又は第2項ただし書に規定する正当な理由

（本条の趣旨）
　本条は、審査請求は、他の法律（条例に基づく処分については条例）に口頭ですることができる旨の定めがある場合を除き、審査請求書を提出してしなければならないことと、審査請求書の記載事項を定めている。旧行政不服審査法においては、9条で不服申立ての方式、15条で処分についての審査請求書の記載事項、49条で不作為についての不服申立書の記載事項に関して規定されていたが、本法では、不服申立類型が基本的に審査請求に一元化されたことに伴い、これらの規定を本条でまとめて規定している。

(1)　「審査請求は」（1項）
　本項は、処分についての審査請求と、不作為についての審査請求の双方に共通する事項を定めている。

第19条（審査請求書の提出）

(2)「他の法律（条例に基づく処分については，条例）に口頭ですることができる旨の定めがある場合を除き……審査請求書を提出してしなければならない」（1項）

　旧行政不服審査法9条1項と同様，本項も審査請求は書面で行うことを原則とし，他の法律（条例に基づく処分については条例）に口頭ですることができる旨の定めがある場合のみ例外を認めることとしている。

(3)「政令で定めるところにより」（1項）

　旧行政不服審査法に規定されていた事項であっても，民事訴訟法においても法律事項とされず，民事訴訟規則に委ねられている事項については，本法においては法律で規定せず，政令に委任することとしている。旧行政不服審査法では法律事項であった以下の事項が，本法では政令で定められている。
 (i) 審査請求書を正本，副本の2通提出すること（旧行政不服審査法9条2項）
 (ii) 電子情報処理組織を用いて審査請求がされた場合には，正本，副本の2通の提出がされたものとみなすこと（旧行政不服審査法9条3項，22条3項）
 (iii) 代表者もしくは管理人，総代または代理人の資格の証明（旧行政不服審査法13条1項）
 (iv) 審査請求書への押印（旧行政不服審査法15条4項）

　すなわち，審査請求人は，審査請求をすべき行政庁が処分庁等でない場合には，正副2通を提出しなければならず（本法施行令4条1項），審査請求書には，審査請求人（審査請求人が法人その他の社団または財団〔国，地方公共団体，独立行政法人，国立大学法人，大学共同利用機関法人，特殊法人，認可法人，法人格のない社団または財団であって代表者または管理人の定めがあるものを含む〕である場合にあっては代表者または管理人，審査請求人が総代を互選した場合にあっては総代，審査請求人が代理人〔法定代理人を含む〕によって審査請求をする場合にあっては代理人）が押印しなければならない（同条2項）。審査請求書の正本には，審査請求人が法人その他の社団または財団である場合にあっては代表者または管理人の資格を証する書面（法人の代表者であれば商業登記簿抄本等）を，審査請求人が総代を互選した場合にあっては総代の資格を証する書面を，審査請求人が代理人によって審査請求をする場合にあっては代理人の資格を証する書面を，それぞれ添付しなければならない（同条3項）。このように，資格を証する書面は正本に1通添

付すれば足りる。情報通信技術利用法3条1項の規定により同項に規定する電子情報処理組織を使用して審査請求がされた場合（審査請求をすべき行政庁が処分庁等でない場合に限る）には、審査請求書の正副2通が提出されたものとみなされる（本法施行令4条4項）。

(4) 「処分についての審査請求書」（2項柱書）
本項は、処分についての審査請求書の記載事項を定めている。

(5) 「次に掲げる事項を記載しなければならない」（2項柱書）
審査請求書の必要的記載事項に記載漏れがある場合には、不適法な審査請求になるので、審査庁は、相当の期間を定め、その期間内に不備の補正を命じなければならない（本法23条）。

(6) 「審査請求人の氏名又は名称及び住所又は居所」（2項1号）
旧行政不服審査法15条1号においては、年齢も必要的記載事項であったが、審査請求人の特定のために年齢まで記載させる必要性は乏しく、民事訴訟の訴状においても年齢は記載事項とはされていないし、また、不服申立資格についても、成年に限定しているわけではない。そこで、本号では、年齢は記載事項とされていない。

他方、平成20年法案18条2項1号においては、居所は記載事項とされていなかったが、住所のない者がいることを踏まえ、他の立法例（行政機関情報公開法4条1項1号、国税通則法124条1項、特許法131条1項1号、種苗法5条1項1号・4号等）を参考にして、住所または居所を記載事項としている。

(7) 「審査請求に係る処分の内容」（2項2号）
審査請求の対象となる処分を特定するために記載が求められるものである。

(8) 「審査請求に係る処分……があったことを知った年月日」（2項3号）
審査請求期間の起算日を特定するために記載が求められるものである。

(9) 「（当該処分について再調査の請求についての決定を経たときは、当該

第19条（審査請求書の提出）

決定）」（2項3号）
　再調査の請求があったときは，その決定があったことを知った日が審査請求期間の起算点になるために記載が求められるものである（平成20年法案ではこの部分は明記されていなかった）。再調査の請求をしても，その決定を経ないで審査請求をすることが認められる場合があるため（本法5条2項ただし書），本項では，実際に決定を経た場合にのみ対象にすることを明確にしている。

⑽　「審査請求の趣旨及び理由」（2項4号）
　「審査請求の趣旨」とは審査請求の簡単な結論（○○の処分の取消しを求める等），「審査請求の……理由」は，それを基礎づける理由である。

⑾　「処分庁の教示の有無及びその内容」（2項5号）
　処分庁が教示義務を履行しているか，不正確な教示がなされたために救済が必要か否かを判断するために記載させるものである。

⑿　「審査請求の年月日」（2項6号）
　審査請求が審査請求期間内になされたかを確認したり，審査請求から裁決までの期間が標準審理期間を超えていないかを確認するために記載させるものである。「審査請求の年月日」は，審査請求書が提出された年月日（郵送の場合には発送した年月日）である。

⒀　「不作為についての審査請求書には」（3項柱書）
　本項は，不作為についての審査請求書の記載事項を定めている。

⒁　「次に掲げる事項を記載しなければならない」（3項柱書）
　審査請求書の必要的記載事項であることを明確にしている。

⒂　「審査請求人の氏名又は名称及び住所又は居所」（3項1号）
　審査請求人の特定に必要な記載事項である。

⒃　「当該不作為に係る処分についての申請の内容及び年月日」（3項2

号)

審査請求の対象となる不作為の特定に必要な記載事項である。

(17) 「審査請求の年月日」(3項3号)

審査請求から裁決までの期間が標準審理期間を超えていないかを確認するために記載させるものである。

(18) 「審査請求人が」(4項)

本項は，処分についての審査請求人と不作為についての審査請求人の双方を対象としている。

(19) 「法人その他の社団若しくは財団である場合，総代を互選した場合又は代理人によって審査請求をする場合には，審査請求書には，第2項各号又は前項各号に掲げる事項のほか，その代表者若しくは管理人，総代又は代理人の氏名及び住所又は居所を記載しなければならない」(4項)

法人その他の社団もしくは財団の代表者もしくは管理人，総代または代理人は審理手続の直接の当事者であり，審査請求書において明確にしておく必要があるため，必要的記載事項としている。旧行政不服審査法15条2項に相当する規定であるが，同項では「住所」とされていた部分が，本項では「住所又は居所」とされている。

(20) 「処分についての審査請求書には，第2項及び前項に規定する事項のほか，次の各号に掲げる場合においては，当該各号に定める事項を記載しなければならない」(5項柱書)

本項は，処分についての審査請求書の特例的記載事項について定めるものである。

(21) 「第5条第2項第1号の規定により再調査の請求についての決定を経ないで審査請求をする場合」(5項1号)

本法5条2項1号は，「当該処分につき再調査の請求をした日(第61条において読み替えて準用する第23条の規定により不備を補正すべきことを命じら

れた場合にあっては、当該不備を補正した日）の翌日から起算して3月を経過しても、処分庁が当該再調査の請求につき決定をしない場合」には、再調査の請求についての決定を経ないで審査請求をすることを認めている。

⑵⑵ 「再調査の請求をした年月日」（5項1号）
　再調査の請求をした日の翌日から起算して3か月を経過しているかを確認するためには、再調査の請求をした年月日を確認する必要があるため、記載事項としている。

⑵⑶ 「第5条第2項第2号の規定により再調査の請求についての決定を経ないで審査請求をする場合」（5項2号）
　本法5条2項2号は、同項1号のほか、再調査の請求についての決定を経ないことにつき正当な理由がある場合には、再調査の請求についての決定を経ないで審査請求をすることを認めている。

⑵⑷ 「その決定を経ないことについての正当な理由」（5項2号）
　本法5条2項2号の規定により再調査の請求についての決定を経ないで審査請求をする正当な理由の有無は、審査請求の適法要件に関わるものであり、明らかに不適法な審査請求であれば、審理員を指名せずに審査請求を却下することになるので、審査請求人が主張する「正当な理由」の記載を義務づけている。

⑵⑸ 「審査請求期間の経過後において審査請求をする場合　前条第1項ただし書又は第2項ただし書に規定する正当な理由」（5項3号）
　審査請求期間の経過後において審査請求をすることは原則として認められないが、本法18条1項ただし書が定める主観的審査請求期間後に審査請求をする「正当な理由」がある場合、同条2項ただし書が定める客観的審査請求期間後に審査請求をする「正当な理由」がある場合には例外が認められる。そこで、審査請求期間の経過後において審査請求をする場合には、審査請求期間経過後に審査請求をする「正当な理由」の有無を審査する必要があるため、審査請求人の主張する「正当な理由」を記載させている。

本論　第2章　審査請求

> **（口頭による審査請求）**
> **第20条**　口頭で審査請求をする場合には，前条第2項から第5項までに規定する事項を陳述しなければならない。この場合において，陳述を受けた行政庁は，その陳述の内容を録取し，これを陳述人に読み聞かせて誤りのないことを確認し，陳述人に押印させなければならない。

（本条の趣旨）
　本条は，例外的に口頭による審査請求が認められる場合における審査請求の手続について定めるものである。

(1)　「口頭で審査請求をする場合には」
　口頭で審査請求をする場合は，他の法律（条例に基づく処分については条例）にそれを認める特別の規定がある場合に限られる（本法19条1項）。口頭による審査請求を認める法律の例としては，恩給法18条の2の委任に基づく恩給給与規則39条，地方公務員等共済組合法117条1項，国家公務員共済組合法103条1項，私立学校教職員共済法36条1項，検疫法16条の2第1項，介護保険法192条本文，国民健康保険法99条，社会保険審査官及び社会保険審査会法5条1項（同法32条4項で再審査請求に準用），労働保険審査官及び労働保険審査会法9条，感染症の予防及び感染症の患者に対する医療に関する法律25条1項，26条，障害者の日常生活及び社会生活を総合的に支援するための法律101条（児童福祉法56条の5の5第2項で準用），独立行政法人農業者年金基金法52条1項がある。

(2)　「前条第2項から第5項までに規定する事項を陳述しなければならない」
　本法19条2項（処分についての審査請求書の一般的記載事項），同条3項（不作為についての審査請求書の一般的記載事項），同条4項（審査請求人が法人その他の社団もしくは財団である場合，総代を互選した場合または代理人によって審査請求をする場合の特例的記載事項），同条5項（再調査の請求についての決定を経ないで審査請求する場合および審査請求期間の経過後に審査請求をする場合の特例的記載事項）を口頭

で陳述することが必要になる。

(3) 「この場合において，陳述を受けた行政庁は」

平成 20 年法案 19 条においては，「陳述を受けた審査庁は」と規定されていたが，処分庁等を経由する審査請求も認められており，処分庁等が陳述を受ける可能性もあるので（本法 21 条 1 項），本条では審査庁と処分庁等の双方を含めるため，「陳述を受けた行政庁は」と規定している。

(4) 「その陳述の内容を録取し，これを陳述人に読み聞かせて誤りのないことを確認し，陳述人に押印させなければならない」

口頭による審査請求の場合においても，審査請求書の記載事項に係る内容が確実に確認される必要がある。そのため，(i)審査請求書の記載事項に係る内容の陳述，(ii)陳述内容の録取，(iii)録取した内容の読み聞かせ，(iv)陳述人による正確性の確認，(v)陳述人による正確性の確認の証拠としての押印という手続を一律に義務づけている。

（処分庁等を経由する審査請求）
第 21 条① 審査請求をすべき行政庁が処分庁等と異なる場合における審査請求は，処分庁等を経由してすることができる。この場合において，審査請求人は，処分庁等に審査請求書を提出し，又は処分庁等に対し第 19 条第 2 項から第 5 項までに規定する事項を陳述するものとする。
② 前項の場合には，処分庁等は，直ちに，審査請求書又は審査請求録取書（前条後段の規定により陳述の内容を録取した書面をいう。第 29 条第 1 項及び第 55 条において同じ。）を審査庁となるべき行政庁に送付しなければならない。
③ 第 1 項の場合における審査請求期間の計算については，処分庁に審査請求書を提出し，又は処分庁に対し当該事項を陳述した時に，処分についての審査請求があったものとみなす。

本　論　第2章　審査請求

（本条の趣旨）
　本条は，審査請求をすべき行政庁が処分庁等と異なる場合における審査請求は，処分庁等を経由してすることができること，その場合の手続，審査請求期間の計算について定めるものである。

(1)　「審査請求をすべき行政庁」（1項前段）
　本法9条1項においては，審査庁を審査請求がされた行政庁（本法14条の規定により引継ぎを受けた行政庁を含む）と定義しているが，本項は審査請求がされる前の手続について定めているので，審査庁ではなく「審査請求をすべき行政庁」という表現を用いている。

(2)　「処分庁等と異なる場合」（1項前段）
　処分庁等を経由する審査請求が問題になるのは，審査請求をすべき行政庁と処分庁等が同一でない場合に限られるので，そのことを明確にしている。

(3)　「処分庁等を経由してすることができる」（1項前段）
　訴願法2条1項においては，「訴願セントスル者ハ処分ヲ為シタル行政庁ヲ経由シ直接上級行政庁ニ之ヲ提起スヘシ」と定められていた。すなわち，処分庁を経由することが義務づけられていたのである。これは，処分庁に反省の機会と処分の正当性の弁明の機会を付与するためのものであったが（最判昭和35・8・30民集14巻10号1977頁），実際には，訴願書が処分庁の下に不必要に留め置かれ，迅速な救済を妨げる弊害が生じた。そこで，旧行政不服審査法は，審査請求書は直接に審査請求をすべき行政庁に提出することを原則としたが，審査請求をしようとする者の便宜に配慮し，処分庁を経由した審査請求を選択することも可能とした（17条1項）。本項も，同様の方針を採用している。
　なお，個別の法律において，処分庁等の経由が義務づけられている場合がある。不動産登記法156条1項は，「登記官の処分に不服がある者又は登記官の不作為に係る処分を申請した者は，当該登記官を監督する法務局又は地方法務局の長に審査請求をすることができる」と定めているが，同条2項は，「審査請求は，登記官を経由してしなければならない」と定めている。同様に，供託官の処分に不服がある者または供託官の不作為に係る処分を申請した者は，監

督法務局または地方法務局の長に審査請求をすることができるが（供託法1条の4），審査請求は，供託官を経由してしなければならないこととされている（同法1条の5）。

　また，処分庁等以外の行政庁を経由することが個別法で認められている場合もある。更生保護法は，地方更生保護委員会が決定をもってした処分に不服がある者は中央更生保護審査会に審査請求をすることができるとしているが（92条），刑事施設に収容され，もしくは労役場に留置されている者または少年院に収容されている者の審査請求は，審査請求書を当該刑事施設（労役場に留置されている場合には，当該労役場が付置された刑事施設）の長または少年院の長に審査請求書を提出することができ（93条1項），この場合，刑事施設の長または少年院の長は，直ちに審査請求書を中央更生保護審査会および地方更生保護委員会に送付しなければならず（同条2項），審査請求期間の計算については，刑事施設の長または少年院の長に審査請求書を提出した時に審査請求があったものとみなされる（同条3項）。売春防止法28条2項は，更生保護法93条の規定を準用している。

(4) 「前項の場合には，処分庁等は，直ちに，審査請求書又は審査請求録取書（前条後段の規定により陳述の内容を録取した書面をいう。第29条第1項及び第55条において同じ。）を審査庁となるべき行政庁に送付しなければならない」（2項）

　旧行政不服審査法17条2項は「審査庁」に送付しなければならないと規定しているが，本項では，審査庁に審査請求書または審査請求録取書が送付されて到達する前の段階について定めているので，「審査庁となるべき行政庁」という規定にしている。訴願法は，訴願書の経由に当たる処分庁は，訴願書を受け取った日から10日以内に弁明書および必要文書を添えて上級行政庁に発送すべき旨を定めていたが（11条1項），実際には，故意に上級行政庁への審査請求書の送付を遅延させる例が稀でなかったことにかんがみ，本項では「直ちに」送付することを義務づけている。

(5) 「第1項の場合における審査請求期間の計算については，処分庁に審査請求書を提出し，又は処分庁に対し当該事項を陳述した時に，処分に

ついての審査請求があったものとみなす」（3項）

　処分庁等を経由した審査請求を認めた以上，処分庁に審査請求書を提出し，または処分庁に対し当該事項を陳述したことにより，審査請求をしようとする者としての審査請求開始の手続上の義務は履行したことになるので，審査請求書または審査請求録取書の審査庁となるべき行政庁への送付が遅延したことによる不利益を審査請求人に負わせるべきではない。また，審査請求についての発信主義（本法18条3項）に照らしても，処分庁等を経由した審査請求の場合，処分庁等から審査庁となるべき行政庁への送付に要した期間は，審査請求期間の計算については算入すべきではない。したがって，処分庁に審査請求書を提出し，または処分庁に対し当該事項を陳述した時に，処分についての審査請求があったものとみなすことは当然であろう。

（誤った教示をした場合の救済）
第22条①　審査請求をすることができる処分につき，処分庁が誤って審査請求をすべき行政庁でない行政庁を審査請求をすべき行政庁として教示した場合において，その教示された行政庁に書面で審査請求がされたときは，当該行政庁は，速やかに，審査請求書を処分庁又は審査庁となるべき行政庁に送付し，かつ，その旨を審査請求人に通知しなければならない。
②　前項の規定により処分庁に審査請求書が送付されたときは，処分庁は，速やかに，これを審査庁となるべき行政庁に送付し，かつ，その旨を審査請求人に通知しなければならない。
③　第1項の処分のうち，再調査の請求をすることができない処分につき，処分庁が誤って再調査の請求をすることができる旨を教示した場合において，当該処分庁に再調査の請求がされたときは，処分庁は，速やかに，再調査の請求書（第61条において読み替えて準用する第19条に規定する再調査の請求書をいう。以下この条において同じ。）又は再調査の請求録取書（第61条において準用する第20条後段の規定により陳述の内容を録取した書面をいう。以下この条において同じ。）を審査庁となるべき行政庁に送付し，かつ，その旨を再調査の請求人に通知しなければならない。
④　再調査の請求をすることができる処分につき，処分庁が誤って審査請求

第22条（誤った教示をした場合の救済）

> をすることができる旨を教示しなかった場合において，当該処分庁に再調査の請求がされた場合であって，再調査の請求人から申立てがあったときは，処分庁は，速やかに，再調査の請求書又は再調査の請求録取書及び関係書類その他の物件を審査庁となるべき行政庁に送付しなければならない。この場合において，その送付を受けた行政庁は，速やかに，その旨を再調査の請求人及び第61条において読み替えて準用する第13条第1項又は第2項の規定により当該再調査の請求に参加する者に通知しなければならない。
> ⑤ 前各項の規定により審査請求書又は再調査の請求書若しくは再調査の請求録取書が審査庁となるべき行政庁に送付されたときは，初めから審査庁となるべき行政庁に審査請求がされたものとみなす。

（本条の趣旨）

　本条は，審査請求をすることができる処分につき，処分庁が誤って審査請求をすべきでない行政庁を審査請求をすべき行政庁として教示した場合の救済，再調査の請求をすることができない処分につき，処分庁が誤って再調査の請求をすることができる旨を教示した場合の救済，再調査の請求をすることができる処分につき，処分庁が誤って再調査の請求のほか，審査請求を選択することもできる旨を教示しなかった場合の救済について定めるものである。本条は，旧行政不服審査法18条の規定に対応するが，異議申立制度の廃止，再調査の請求制度の創設に伴う整理を行い，再調査の請求と審査請求の選択制がとられたことに伴い，再調査の請求をすることができる処分について審査請求をすることができる旨の教示を懈怠した場合における救済規定を新設している。

(1) 「審査請求をすることができる処分につき」（1項）

　審査請求のみをすることができる処分のみならず，再調査の請求をすることもできる処分も含む。本法においては，再調査の請求をすることができる処分は，必ず，「審査請求をすることができる処分」でもあり，かつ，再調査の請求をすることができる処分であっても，再調査の請求をするか審査請求をするかを選択することができるので（本法5条），本法82条1項の規定に基づく教示においては，再調査の請求または審査請求のいずれかをすることができる旨

本論 第2章 審査請求

を処分の相手方に知らせるべきことになる。かかる場合において，審査請求をすることができる旨のみを教示し，当該教示に従って審査請求がされたときには，当該審査請求は適法なものとして扱われることになる。

(2) 「処分庁が誤って審査請求をすべき行政庁でない行政庁を審査請求をすべき行政庁として教示した場合において」（1項）

本項に対応する旧行政不服審査法18条1項においては，「処分庁が誤つて審査庁でない行政庁を審査庁として教示した場合において」と規定されていたが，本法においては，審査庁を「審査請求がされた行政庁（本法14条の規定により引継ぎを受けた行政庁を含む。）」と定義しており（9条1項），本項は審査請求が審査庁に係属する前の教示等について定めているので，審査庁ではなく「審査請求をすべき行政庁」という表現を用いている。

なお，本条は誤った教示がなされた場合の救済規定であり，教示をしなかった場合の救済については本法83条に規定されている。本条が誤った教示があったときに本法に基づく審査請求を可能にするためのものであるのに対し，本法83条は，本法以外の法令に基づく不服申立てについても含めて本法82条の規定に基づく教示が行われなかった場合の救済規定であるので，本条と83条を分けて規定している。また，本法82条，83条は，本法以外の法令に基づく不服申立ても含めた一般的教示規定であるので，補則に置いている。

処分庁が誤った教示をした場合に，改めて正しい教示を行うことを義務づけるべきかという問題がある。本法82条1項が定める教示制度は，不服申立てをすることができる旨および不服申立てをすることができる期間も教示を義務づけており，この教示の懈怠により，不服申立てをする機会を喪失するという重大な不利益を処分の相手方に与えうる。これに対し，本条が定める誤った教示の場合，教示に従い不服申立てがされた場合には，適法な不服申立てとして扱うことができるようにしており，不服申立てをすることができなくなるという重大な不利益を処分の相手方に与えるわけではない。そこで，正しい教示を改めて行うかについては運用に委ね，本法で義務づけることはしていない。

(3) 「その教示された行政庁に書面で審査請求がされたときは，当該行政庁は，速やかに，審査請求書を処分庁又は審査庁となるべき行政庁に送

第22条（誤った教示をした場合の救済）

付し」（1項）

　誤って審査請求をすべきでない行政庁が教示され，その教示に従い審査請求書が提出されたときは，処分庁の過誤に起因する不利益を審査請求人に負わせるべきではないので，審査請求書の提出を受けた行政庁において，速やかに審査庁となるべき行政庁に送付することとしている。もっとも，審査請求書の提出を受けた行政庁が審査庁となるべき行政庁がどこかを自信をもって判断できない場合もありうるので，その場合には処分庁に送付することもできる。本項に対応する旧行政不服審査法18条1項においては，誤った教示に従って審査請求がされた行政庁は，審査請求書を「処分庁又は審査庁に送付」しなければならないと規定されていたが，本法でいう審査庁は，審査請求が適法に係属した後の行政庁を意味しているので，本項では「審査庁となるべき行政庁」に送付しなければならないと規定している。

　本法21条2項が「直ちに」審査請求書または審査請求録取書を審査庁となるべき行政庁に送付しなければならないとしているのに対し，本項が「速やかに」送付しなければならないとしているのは，誤った教示に従って審査請求がされた行政庁は，審査庁となるべき行政庁を直ちに認識することが困難な場合がありうるからである。

(4)　「かつ，その旨を審査請求人に通知しなければならない」（1項）

　審査請求人は教示を信頼して審査請求書を提出したのであり，教示が誤っていたため審査請求書が処分庁または審査庁となるべき行政庁に送付されたときは，そのことを確実かつ速やかに審査請求人に通知する必要があるので，本項は，審査請求書の提出を受けた行政庁に，審査請求書の送付の事実と送付先の処分庁または審査庁となるべき行政庁を速やかに通知することを義務づけている。通知を書面で行う旨は規定されていないが，通知の有無と時期を明確にするため，書面で行う運用とすべきであろう。

(5)　「前項の規定により処分庁に審査請求書が送付されたときは，処分庁は，速やかに，これを審査庁となるべき行政庁に送付し，かつ，その旨を審査請求人に通知しなければならない」（2項）

　誤った教示に従って審査請求がされた行政庁から審査請求書を送付された処

本論 第2章 審査請求

分庁は，誤りを繰り返さないように慎重に審査庁となるべき行政庁を確認し，速やかに，審査庁となるべき行政庁に審査請求書を送付するともに，審査請求書を審査庁となるべき行政庁に送付した旨を審査請求人に通知する義務を負う。1項と同じく，本項では，処分庁は「速やかに」審査請求書を審査庁となるべき行政庁に送付しなければならないとしている。これは，処分庁が，審査庁となるべき行政庁をその前に誤って判断しているので，審査請求書の送付を受けた後に，正確な審査庁となるべき行政庁を確認するのにある程度の時間を要すると考えられるからである。審査請求人への通知を書面で行う旨は規定されていないが，通知の有無と時期を明確にするため，書面で行う運用とすべきであろう。

(6)「第1項の処分のうち，再調査の請求をすることができない処分」（3項）

審査請求をすることができる処分であって，再調査の請求をすることができない処分を意味する。再調査の請求が可能なのは，個別法で再調査の請求ができる旨の特別の定めがある例外的な場合に限られるから（本法5条1項），審査請求をすることができる処分のほとんどが再調査の請求をすることができない処分に当たる。

(7)「処分庁が誤って再調査の請求をすることができる旨を教示した場合において，当該処分庁に再調査の請求がされたときは，処分庁は，速やかに，再調査の請求書……又は再調査の請求録取書を審査庁となるべき行政庁に送付し，かつ，その旨を再調査の請求人に通知しなければならない」（3項）

本項の場合には再調査の請求を選択することはできず，審査請求以外の選択の余地はないのであるから，処分庁は再調査の請求をすることができる旨の教示に従って再調査の請求をされたときは，自己の責任において再調査の請求書または再調査の請求録取書を審査庁となるべき行政庁に送付するともに，その旨を再調査の請求人に通知する義務を負うこととしている。本項においても，本法21条2項の規定に基づく審査庁となるべき行政庁への処分庁等による審査請求書の送付の場合と異なり，「直ちに」ではなく「速やかに」送付するこ

ととされている。これは，処分庁は再調査の請求ができると誤解していたわけであるから，再調査の請求を受けて直ちにそのことを認識することが困難な場合もありうるからである。

(8) 「(第61条において読み替えて準用する第19条に規定する再調査の請求書をいう。以下この条において同じ。)」(3項)

本法61条においては，本法19条(審査請求書の提出)の規定が準用されており，本法別表第2において，「審査請求書」または「処分についての審査請求書」は「再調査の請求書」と読み替えられている。

(9) 「(第61条において準用する第20条後段の規定により陳述の内容を録取した書面をいう。以下この条において同じ。)」(3項)

本法20条(口頭による審査請求)後段においては，口頭による審査請求を受けた場合において，陳述を受けた行政庁は，その陳述の内容を録取し，これを陳述人に読み聞かせて誤りのないことを確認し，陳述人に押印させなければならないと定めている。本法61条においては，本法20条の規定が準用されており，口頭による再調査の請求の場合には，審査請求録取書に準じた方法で再調査の請求録取書が作成されることになる。

(10) 「再調査の請求をすることができる処分」(4項前段)

再調査の請求をすることができる処分は審査請求もすることができる処分であるが，再調査の請求前置は義務づけられていないから(本法5条1項本文)，「再調査の請求をすることができる処分」とは，再調査の請求と審査請求のいずれかを選択することができる処分である。

(11) 「処分庁が誤って審査請求をすることができる旨を教示しなかった場合において」(4項前段)

「再調査の請求をすることができる処分」については，本法82条1項の規定に基づき，再調査の請求と審査請求のいずれかを行うことができる旨を教示すべきであるが，処分庁が誤って審査請求をすることができる旨を教示せず，再調査の請求ができる旨のみを教示した場合にも改めて正しい教示をすることを

義務づけるべきかという問題がある。再調査の請求をすることができる処分は，処分数も不服申立数も多い類型のものであり，それゆえ，処分を行う際の書式も定型的に定められていると考えられるので，実際には，審査請求をすることができる旨を教示しないという誤りが生ずることは容易には想定し難い。そのため，国税通則法81条1項の定める再調査の請求書の記載事項，同法87条1項の定める審査請求書の記載事項には，処分庁の教示の有無およびその内容は含まれていない。そこで，再教示義務を法定することはせず，本法の運用に委ねることとしている。

⑿ 「当該処分庁に再調査の請求がされた場合であって」（4項前段）

本法82条1項の規定に基づき，処分庁に対する再調査の請求ができる旨が教示されたが，誤って審査請求をすることができる旨を教示しなかった場合において，教示に従い再調査の請求がされた場合である。

⒀ 「再調査の請求人から申立てがあったときは」（4項前段）

本項は，審査請求もすることができる旨の教示がなかったため再調査の請求をした後，審査請求も選択できたことを知った場合において，再調査の請求人が再調査の請求に代えて審査請求をすることを希望し，その申立てをした場合について定めている。実際には，再調査の請求人が自ら審査請求もすることができたことを知ることは困難であり，再調査の請求書の記載事項である「処分庁の教示の有無及びその内容」（本法61条により準用される本法19条2項5号）を処分庁が慎重に確認し，審査請求もすることができることの教示がなかったことを認識したときは，本項の申立てが可能なことを再調査の請求人に教示する運用がなされるべきであろう。

不服申立てをする者は，再調査の請求と審査請求の選択が可能であるから，審査請求も選択できる旨の教示がなかったからといって，再調査の請求が不適法になるわけではない。また，再調査の請求の決定後に審査請求を行うこともできる。したがって，かかる場合に再調査の請求人からの申立てなしに必ず審査請求として扱うことは，逆に，不服申立人の選択を否定することにつながる。一方で，審査請求も選択できることを知っていたならば審査請求を選択したであろう者の選択権も尊重する必要があるので，再調査の請求人が希望する場合

第22条（誤った教示をした場合の救済）

には，再調査の請求がされた後においても，それに対する決定を経ることなく，審査請求をすることを可能にすべきである。そこで，審査請求として扱うかは，再調査の請求人の選択に委ね，再調査の請求人から審査請求として扱うことの申立てがあった場合に限り審査請求として扱うこととしている。

申立ての時期については，再調査の請求についての決定前になされなければならないことは当然であるが，それ以外は特に制限されていない。その理由は，(i)再調査の請求の審理がかなり進行した後に申立てがなされた場合，再調査の請求の審理が無駄になる可能性もあるが，かかる申立てが必要になる原因は，処分庁の誤った教示にあるから，そのことを根拠に再調査の請求人の選択権を制限すべきではないこと，(ii)再調査の請求の決定後になお審査請求をすることも可能であるので，再調査の請求の決定を経ずに審査請求をすることが争訟経済に大きく反するとまではいえないこと，(iii)再調査の請求における審理は，弁明書の作成・送付等の手続もとられない簡易なものであるため，申立ての期限を法定することが技術的にも困難であることにある。

⒁　「処分庁は，速やかに，再調査の請求書又は再調査の請求録取書及び関係書類その他の物件を審査庁となるべき行政庁に送付しなければならない」（4項前段）

再調査の請求人が審査請求をすることを希望する場合には，審査請求として取り扱うために，処分庁から審査庁となるべき行政庁に再調査の請求書等を送付する必要がある。本条1項から3項までの手続は，審査請求または再調査の請求の審理が始まる前の手続であるのに対し，本項の申立ては，再調査の請求についての審理が開始された後になされる可能性もある。そこで，審査庁となるべき行政庁に送付する物件は，「再調査の請求書又は再調査の請求録取書」に限らず，「関係書類その他の物件」も含めている。

⒂　「この場合において，その送付を受けた行政庁は，速やかに，その旨を再調査の請求人及び……当該再調査の請求に参加する者に通知しなければならない」（4項後段）

再調査の請求書等が審査庁となるべき行政庁に送付され，再調査の請求が審査請求として扱われることを再調査の請求人または再調査の請求に参加する者

に通知しなければ，再調査の請求人または再調査の請求に参加する者が，その後も処分庁に書類を提出する等の混乱が生ずるおそれがある。そこで，本項後段の通知義務が規定されている。再調査の請求に参加する者も含まれているのは，本項の申立てが，再調査の請求についての審理が開始された後になされる可能性があり，参加人が存在することもありうるからである。通知を行うのは，処分庁ではなく，「その送付を受けた行政庁」とされているが，これは，本項の申立てがあった場合には，再調査の請求書等の送付は必ず行わなければならず，「その送付を受けた行政庁」が審査庁として審理を開始することになるので，その後審理を行うことになる行政庁に通知義務を課すことが適切と考えられたためである。審査庁は，原則として，本法9条1項の規定に基づき審理員を指名して審査請求人に通知する義務を負うから，本項の規定に基づく通知と審理員の指名の通知を併せて審査請求人に行うことも可能である。

(16) 「第61条において読み替えて準用する第13条第1項又は第2項の規定により」(4項後段)

　本法61条において，本法13条（参加人）の1項または2項の規定が読替えて準用されている。本法13条1項の読替えにより，利害関係人は処分庁の許可を得て，当該再調査の請求に参加することができ，同条2項の読替えにより，処分庁は，必要があると認める場合には，利害関係人に対し，当該再調査の請求への参加を求めることができる。

(17) 「前各項の規定により審査請求書又は再調査の請求書若しくは再調査の請求録取書が審査庁となるべき行政庁に送付されたときは，初めから審査庁となるべき行政庁に審査請求がされたものとみなす」(5項)

　教示の誤りによる不利益を国民に負わせるべきではないので，審査請求書または再調査の請求書等を審査庁となるべき行政庁に送付することを行政庁に義務づけ，かつ，送付されたときは，初めから審査庁となるべき行政庁に審査請求がされたものとみなすことにより，審査請求期間の計算において国民が不利な取扱いを受けないようにしている。もとより，再調査の請求期間を徒過し，そのことについて「正当な理由」がない場合には，当該再調査の請求は不適法であり，審査請求への切替えも行うことはできないが，再調査の請求が期間内

第 22 条（誤った教示をした場合の救済）

に適法に提起された場合には、再調査の請求期間と同一の審査請求期間内に不服申立てがされていたことになるので、当然、期間内に適法に審査請求がされたものとみなされることになる。なお、「再調査の請求書」を「審査請求書」に補正するように命ずる必要はない。

　再調査の請求の審理過程において再調査の請求人または参加人が提出した証拠書類または証拠物（本法 61 条の規定において準用される本法 32 条 1 項）については、本条 4 項の規定により審査庁となるべき行政庁に送付され、審査請求において本法 32 条 1 項の規定に基づき提出された証拠書類または証拠物とみなされることになる（裁決後は本法 53 条の規定により提出人に返還される）。

　これに対し、処分庁が再調査の請求の審理手続を主宰する機関として行った手続については、審査請求における審理手続の主宰者が審理員になり、処分庁は一方当事者になることに照らし、審理員が当該手続を行ったとみなすことは適切ではない。したがって、審理員は、処分庁が再調査の請求の審理手続を主宰する機関として行った手続について、必要に応じ改めて行うべきことになる。

　再調査の請求における参加人には、本条 4 項の規定に基づき、再調査の請求書等の送付を受けた旨の通知がその送付を受けた行政庁から行われることになるが、当該参加人は、処分庁の許可または処分庁の求めによって参加人としての地位を得たのであるから、審査請求への切替えにより審査請求手続においても自動的に参加人の地位が継続すると考えることは適切ではない。しかし、再調査の請求において参加人としての地位を得ていたことに照らせば、審理員は、その事実を尊重して、原則として、審査請求の手続においても参加を求める運用をすべきと思われる。

　また、再調査の請求において、再調査の請求人または参加人が行った口頭意見陳述（本法 61 条の規定において準用される本法 31 条 1 項本文）については、処分庁が主宰するものであり、処分庁に対する質問権も保障されておらず、審査請求の手続水準とは重要な差異があるので、切替え後の審査請求において口頭意見陳述の機会が与えられたものとみなすことは適切ではない。したがって、審査請求への切替え後に、審査請求人または参加人から改めて口頭意見陳述の申立てがあった場合には、これを認めなければならないと解される。再調査の請求において、再調査の請求人または参加人に付与された手続的権利であって審査請求の規定が準用されているのは、本法 31 条 1 項本文、同条 3 項と本法 32

条1項にとどまり，それ以外の証拠については，処分庁は，原処分に係る調査権限に基づき，職権で収集することになる。処分庁が職権で収集した証拠は，本条4項の「関係書類その他の物件」に該当すれば，審査庁となるべき行政庁に送付され，本法32条2項の規定により処分庁が提出した書類その他の物件とみなされることになる。再調査の請求における再調査の請求人または参加人の口頭意見陳述調書は，「関係書類その他の物件」として，審査庁となるべき行政庁に送付されることになるのではないかと思われる。本条4項の「関係書類その他の物件」に該当しないとして，審査庁となるべき行政庁に送付されない場合においても，審理員は，本法33条前段の規定に基づき，審査請求人または参加人の申立てにより，または職権で，処分庁に対し，その物件の提出を求めることができる（いずれの場合にも，審査庁は，裁決後は速やかに当該物件を処分庁に返還する義務を負う〔本法53条〕）。

> （審査請求書の補正）
> 第23条　審査請求書が第19条の規定に違反する場合には，審査庁は，相当の期間を定め，その期間内に不備を補正すべきことを命じなければならない。

（本条の趣旨）
　本条は，審査請求書の必要的記載事項に記載漏れがあったり，必要的添付書類が添付されていない場合に，補正を命ずる規定である。

(1)　「審査請求書が第19条の規定に違反する場合には」

　「第19条の規定」とは，本法19条の審査請求書の提出に関する規定である。同条1項においては，「他の法律（条例に基づく処分については，条例）に口頭ですることができる旨の定めがある場合を除き，政令で定めるところにより，審査請求書を提出してしなければならない」と定めているので，他の法律（条例に基づく処分については条例）に口頭で審査請求をすることができる旨の定めがない限り，審査請求書を提出しなければならないが，代理人による審査請求の場合（本法12条1項），代理人の資格を証明する書面が添付されていなけれ

ば、「審査請求書が第19条の規定に違反する場合」に該当することになる（本法施行令4条3項）。また、本法19条2項から5項までにおいては、審査請求書の必要的記載事項が定められており、記載漏れその他の不備がある場合にも、「審査請求書が第19条の規定に違反する場合」に該当することになる。本条は、民事訴訟法137条の裁判長の訴状審査権の規定を参考に、補正の対象を審査請求書の必要的記載事項の記載の有無と必要的添付書類の有無という形式的事項に限定している。

(2) 「相当の期間を定め」
　記載漏れの箇所の追記や添付書類の準備に社会通念上必要な合理的期間を定めることになる。

(3) 「不備を補正すべきことを命じなければならない」
　本法19条1項の規定に基づく政令（本法施行令4条3項）で定められている代理人の資格を証する書面の添付は、審査請求が代理人と称する者によって行われた場合に、適法な審査請求かを判断するために必要な事項であり、また、同条2項から5項までに定められている必要的記載事項は、審査請求人および審査請求に係る処分の特定に必要な情報を含んでおり、また、審査請求期間を遵守しているか、再調査の請求の決定を経ないで審査請求をする正当な理由があるかを判断するために必要な事項を含む。これらの事項についての記載漏れ等があれば、審査請求人との連絡ができなかったり、審査請求の対象である処分を特定できなかったり、審査請求の適法性を判断できなかったりするおそれがある。また、審理員の指名に当たり除斥事由の有無を判断するためにも、審査請求人および審査請求に係る処分の特定が必要であり、この点についての情報が提供されていなければ、審理員の指名にも支障を及ぼすおそれがある。そこで、不備を補正するように命じ、補正がなされれば、当初から適法な審査請求があったものとして取り扱う一方、相当の期間内に補正がなされなければ、本法24条1項の規定に基づき、審査請求を却下することができるとしている。

> **(審理手続を経ないでする却下裁決)**
> **第24条①** 前条の場合において，審査請求人が同条の期間内に不備を補正しないときは，審査庁は，次節に規定する審理手続を経ないで，第45条第1項又は第49条第1項の規定に基づき，裁決で，当該審査請求を却下することができる。
> ② 審査請求が不適法であって補正することができないことが明らかなときも，前項と同様とする。

(本条の趣旨)
本条は，審査請求人が相当の期間内に不備を補正しない場合または審査請求が不適法であって補正することができないことが明らかな場合に審査請求を却下することを定めるものである。

(1) 「前条の場合」(1項)
審査請求書が本法19条の規定に違反するため，審査庁が，相当の期間を定め，その期間内に不備を補正すべきことを命じた場合である。

(2) 「審査請求人が同条の期間内に不備を補正しないとき」(1項)
審査請求人が審査庁が定めた期間内に補正命令に従い不備を補正する義務を履行しないときである。

(3) 「審査庁は」(1項)
審理員が指名される前の手続であり，審査庁が手続を主宰する。

(4) 「次節に規定する審理手続を経ないで」(1項)
「次節」とは，本法2章3節の審理手続に関する節である。本法2章3節の審理手続を主宰するのは審理員であるが，本条の規定により審査請求を却下する場合は，形式的に判断しうるので，審理員の指名は行われず(本法9条1項柱書ただし書)，審理員による審理手続は行われないことになる。

第 24 条（審理手続を経ないでする却下裁決）

(5)　「第 45 条第 1 項又は第 49 条第 1 項の規定に基づき」（1 項）

　本法 45 条 1 項は，処分についての審査請求が不適法であるとして却下裁決をする場合の規定であり，本法 49 条 1 項は，不作為についての審査請求が不適法であるとして却下裁決をする場合の規定である。

(6)　「裁決で，当該審査請求を却下することができる」（1 項）

　審査請求の適法要件が欠けていることを理由として，本案の審理手続に入らずに行われる裁決であるため，却下裁決になる。本項は，裁判長が訴状の不備を相当の期間内に補正すべきことを命じたにもかかわらず，当該期間内に原告が不備を補正しないときは，裁判長は，命令で，訴状を却下しなければならないとする民事訴訟法 137 条 2 項の規定に対応する規定である。裁決に固有の瑕疵があれば，裁決に対する取消訴訟または無効等確認訴訟を提起することができる。

(7)　「審査請求が不適法であって補正することができないことが明らかなとき」（2 項）

　審査請求書に必要な書類が添付され，必要的記載事項が記載されているか否かにかかわらず，審査請求が不適法であり，補正することができない場合がありうる。たとえば，審査請求の年月日（本法 19 条 2 項 6 号）の記載に照らし，審査請求期間を経過していることが明らかであり，かつ，期間の経過について「正当な理由」がないことも明らかな場合は，他の箇所に補正可能なものがあるか否かにかかわらず，審査請求期間の経過の事実のみをもって，審査請求が不適法であって補正することができないことが明らかである。本項は，このような場合を念頭に置いている。これに対し，処分性や審査請求適格の判断の場合には，審査請求の適法要件であるとはいえ，その適法性が直ちには判断できない場合も少なくない。かかる場合は，「審査請求が不適法であって補正することができないことが明らかなとき」に当たらないので，本項には該当せず，審理員の指名を行うことになる。

(8)　「前項と同様とする」（2 項）

　審査請求が不適法であって補正することができないことが明らかな場合には，

本論 第2章 審査請求

たとえ本条1項の規定に基づく補正が可能な箇所があるとしても，補正を命ずる意味はないので，補正を命ずることなく，審理員を指名しないで，本法45条1項または本法49条1項の規定に基づき，裁決で，審査請求を却下することができる。本項は，訴えが不適法でその不備を補正することができないときは，裁判所は，口頭弁論を経ないで，判決で訴えを却下することができるとする民事訴訟法140条を参考にしている。

（執行停止）
第25条① 審査請求は，処分の効力，処分の執行又は手続の続行を妨げない。
② 処分庁の上級行政庁又は処分庁である審査庁は，必要があると認める場合には，審査請求人の申立てにより又は職権で，処分の効力，処分の執行又は手続の続行の全部又は一部の停止その他の措置（以下「執行停止」という。）をとることができる。
③ 処分庁の上級行政庁又は処分庁のいずれでもない審査庁は，必要があると認める場合には，審査請求人の申立てにより，処分庁の意見を聴取した上，執行停止をすることができる。ただし，処分の効力，処分の執行又は手続の続行の全部又は一部の停止以外の措置をとることはできない。
④ 前二項の規定による審査請求人の申立てがあった場合において，処分，処分の執行又は手続の続行により生ずる重大な損害を避けるために緊急の必要があると認めるときは，審査庁は，執行停止をしなければならない。ただし，公共の福祉に重大な影響を及ぼすおそれがあるとき，又は本案について理由がないとみえるときは，この限りでない。
⑤ 審査庁は，前項に規定する重大な損害を生ずるか否かを判断するに当たっては，損害の回復の困難の程度を考慮するものとし，損害の性質及び程度並びに処分の内容及び性質をも勘案するものとする。
⑥ 第2項から第4項までの場合において，処分の効力の停止は，処分の効力の停止以外の措置によって目的を達することができるときは，することができない。
⑦ 執行停止の申立てがあったとき，又は審理員から第40条に規定する執行停止をすべき旨の意見書が提出されたときは，審査庁は，速やかに，執

第25条（執行停止）

行停止をするかどうかを決定しなければならない。

（本条の趣旨）
本条は，執行不停止原則と執行停止の要件を定めるものである。

(1)「審査請求は，処分の効力，処分の執行又は手続の続行を妨げない」
（1項）

　ドイツのように執行停止原則を採用している例もあるが，本法は，審査請求によって直ちに執行停止の効果を生じさせることは，行政の円滑な運営を阻害するおそれがあること，審査請求の濫用を招く懸念があることにかんがみ，旧行政不服審査法34条1項と同様，執行不停止原則を採用している。

(2)「処分庁の上級行政庁又は処分庁である審査庁は」（2項）

　審査請求をすべき行政庁は処分庁の上級行政庁である場合（本法4条2号から4号まで）と処分庁である場合（同条1号）が原則である。執行停止は，暫定的とはいえ，処分の効力，処分の執行または手続の続行の全部または一部の停止その他の措置をとるものであり，処分の効力に関わるものであるので，判断権限を補助機関である審理員ではなく，審査庁に与えている。

(3)「必要があると認める場合には……（以下「執行停止」という。）をとることができる」（2項）

　本項は審査庁の裁量で認められる裁量的執行停止である。

(4)「審査請求人の申立てにより又は職権で」（2項）

　処分庁の上級行政庁が審査庁である場合には，一般的指揮監督権があることに照らし，職権による裁量的執行停止も認めている。また，処分庁が審査庁である場合にも，当該処分を行う権限を有することに照らし，職権による裁量的執行停止も認めている。

(5)「審査請求人の申立てにより又は職権で，処分の効力，処分の執行又

123

は手続の続行の全部又は一部の停止その他の措置（以下「執行停止」という。）をとることができる」（2項）

「その他の措置」とは，原処分を変更して暫定的な処分をすることによって，「処分の効力，処分の執行又は手続の続行の全部又は一部の停止」と同様の効果が発生するような措置であり，懲戒免職処分についての審査請求において，暫定的に停職処分に変更するような措置である。処分庁の上級行政庁が審査庁である場合には，一般的指揮監督権があることに照らし，処分庁が審査庁である場合にも，当該処分を行う権限を有することに照らし，「その他の措置」をとる権限も認めている。

(6)「処分庁の上級行政庁又は処分庁のいずれでもない審査庁」（3項本文）

法律（条例に基づく処分については条例）に特別の定めがある場合には，例外的に処分庁の上級行政庁または処分庁のいずれでもない行政庁が審査庁となることがある（本法4条柱書）。

(7)「必要があると認める場合には……執行停止をすることができる」（3項本文）

本項は審査庁の裁量で認められる裁量的執行停止である。

(8)「審査請求人の申立てにより，処分庁の意見を聴取した上」（3項本文）

処分庁の上級行政庁は，当該処分に係る行政事務について一般的な指揮監督権を有するが，処分庁の上級行政庁または処分庁のいずれでもない審査庁は，当該審査請求の処理に係る権限を個別の法律（条例に基づく処分については条例）により付与されているにすぎず，当該処分に係る行政事務について一般的な指揮監督権を有するわけではない。そのため，旧行政不服審査法34条3項においても，処分庁の上級行政庁以外の審査庁（同法における審査庁は処分庁でもない）は，職権による執行停止はできず，審査請求人の執行停止の申立てがあることが執行停止の要件とされており，かつ，処分庁の意見を聴取した上でなければ執行停止を行うことはできないこととされていた。本項も，その立場を踏

襲している。

(9) 「ただし，処分の効力，処分の執行又は手続の続行の全部又は一部の停止以外の措置をとることはできない」（3項ただし書）

「処分の効力，処分の執行又は手続の続行の全部又は一部の停止以外の措置」とは，原処分を変更して暫定的な処分をすることによって，「処分の効力，処分の執行又は手続の続行の全部又は一部の停止」と同様の効果が発生するような措置であり，懲戒免職処分についての審査請求において，暫定的に停職処分に変更するような措置である。処分庁の上級行政庁または処分庁のいずれでもない審査庁に，暫定的とはいえ，原処分を変更するような措置を認めることは適切ではないため，かかる措置をとる権限は付与されていない。

(10) 「前二項の規定による審査請求人の申立てがあった場合において，処分，処分の執行又は手続の続行により生ずる重大な損害を避けるために緊急の必要があると認めるときは，審査庁は，執行停止をしなければならない」（4項本文）

本条2項・3項が裁量的執行停止の規定であるのに対し，本項は義務的執行停止の規定である。義務的執行停止は，処分庁の上級行政庁または処分庁である審査庁であっても，審査請求人の申立てがあることが要件になる。義務的執行停止の積極要件が，処分，処分の執行または手続の続行により生ずる重大な損害を避けるために緊急の必要があると認めることである。2004年に行政事件訴訟法が改正され，執行停止の積極要件が「回復の困難な損害」から「重大な損害」に緩和されたのと平仄を合わせ，同年，旧行政不服審査法の義務的執行停止の積極要件も，「回復の困難な損害」から「重大な損害」に緩和されている。積極要件を満たすことについては，申立人が疎明しなければならない。

(11) 「ただし，公共の福祉に重大な影響を及ぼすおそれがあるとき，又は本案について理由がないとみえるときは，この限りでない」（4項ただし書）

本項ただし書は，義務的執行停止の消極要件について定めている。旧行政不服審査法34条4項は，「処分の執行若しくは手続の続行ができなくなるおそれ

があるとき」という消極要件も定めていた。しかし，処分，処分の執行または手続の続行により生ずる重大な損害を避けるために緊急の必要があると認めるときであって，公共の福祉に重大な影響を及ぼすおそれがあるときにも，本案について理由がないとみえるときにも当たらないにもかかわらず，執行停止を行わないことは，行政救済法としての本法の趣旨に照らし適切でないこと，行政事件訴訟法25条4項（「執行停止は，公共の福祉に重大な影響を及ぼすおそれがあるとき，又は本案について理由がないとみえるときは，することができない」）も，執行停止の消極要件として，「処分の執行若しくは手続の続行ができなくなるおそれがあるとき」という要件を設けていないことにかんがみ，本項は，かかる消極要件を設けていない。

⑿ 「審査庁は，前項に規定する重大な損害を生ずるか否かを判断するに当たっては，損害の回復の困難の程度を考慮するものとし，損害の性質及び程度並びに処分の内容及び性質をも勘案するものとする」（5項）

「重大な損害」の解釈規定である。行政事件訴訟法25条3項も，同法の「重大な損害」の解釈について同様の規定を置いている。損害の回復の困難の程度は考慮要素であるが，損害の回復が困難であることが「重大な損害」の要件ではない。

⒀ 「第2項から第4項までの場合において，処分の効力の停止は，処分の効力の停止以外の措置によって目的を達することができるときは，することができない」（6項）

執行停止は仮の救済であるので，暫定的とはいえ処分の効力を停止するという強力な執行停止は，より温和な仮の救済措置で目的を達することができない場合にのみ認められることとしている。

⒁ 「執行停止の申立てがあったとき，又は審理員から第40条に規定する執行停止をすべき旨の意見書が提出されたときは，審査庁は，速やかに，執行停止をするかどうかを決定しなければならない」（7項）

執行停止の申立ては，裁決の前まで行うことが可能であるが，通常は，審査請求書の提出と同時に行われることになると考えられ，審査庁は，速やかに執

第26条（執行停止の取消し）

行停止をするかどうかを決定しなければならないから，審理員の指名前であっても，審査庁の判断で執行停止をすることができる。また，審理員は，審理を主宰する過程において，執行停止を行うべきと考えるときは，本法40条の規定に基づき，審査庁に対し，執行停止をすべき旨の意見書を提出することができるが，この意見書が提出された場合も，審査庁は，速やかに，執行停止をするかどうかを決定しなければならない。

> （執行停止の取消し）
> 第26条　執行停止をした後において，執行停止が公共の福祉に重大な影響を及ぼすことが明らかとなったとき，その他事情が変更したときは，審査庁は，その執行停止を取り消すことができる。

（本条の趣旨）
本条は，執行停止をした後における執行停止の取消しの要件を定めるものである。

(1)　「執行停止をした後において」
本条の執行停止は，本法25条2項・3項の裁量的執行停止と同条4項の義務的執行停止の双方を含む。

(2)　「執行停止が公共の福祉に重大な影響を及ぼすことが明らかとなったとき，その他事情が変更したときは，審査庁は，その執行停止を取り消すことができる」
公共の福祉に重大な影響を及ぼすおそれがあることは義務的執行停止の消極要件であるし，裁量的執行停止においても，公共の福祉に重大な影響を及ぼすおそれがあるときは，執行停止をすべきでないであろう。しかし，執行停止決定時には，公共の福祉に重大な影響を及ぼすおそれがあることが明らかではなかったが，執行停止決定後にそのことが明らかとなることがありうる。また，執行停止後の事情の変更により，執行停止を継続することが適当でない場合が生じうる。かかる場合には，審査庁が執行停止決定を取り消すことができるこ

とを明確にしている。なお，旧行政不服審査法35条においては，「処分の執行若しくは手続の続行を不可能とすることが明らかとなつたとき」も，執行停止を取り消すことができるとしていたが，本法25条4項ただし書において，旧行政不服審査法34条4項に規定されていた「処分の執行若しくは手続の続行ができなくなるおそれがあるとき」という要件を設けないこととしたことに対応して，本条においても，執行停止の取消しの要件としていない。

> （審査請求の取下げ）
> 第27条① 審査請求人は，裁決があるまでは，いつでも審査請求を取り下げることができる。
> ② 審査請求の取下げは，書面でしなければならない。

（本条の趣旨）
本条は，裁決があるまでは，いつでも審査請求を取り下げることができることを確認するともに，審査請求の取下げについて定めるものである。

(1) 「審査請求人は，裁決があるまでは，いつでも審査請求を取り下げることができる」（1項）

審査請求については処分権主義がとられ，審査請求をするか否かは，関係人の自由な判断に委ねられているので，その取下げについても，審査請求人の自由な意思に委ねている。もっとも，裁決により，審査庁の確定的な判断が示された後は，取下げはできない。民事訴訟においては，訴えは，判決が確定するまで，その全部または一部を取り下げることができるが（民事訴訟法261条1項），本訴の取下げがあった場合における反訴の取下げの場合を除き，相手方が本案について準備書面を提出し，弁論準備手続において申述をし，または口頭弁論をした後にあっては，相手方の同意を得なければ，その効力を生じない（同条2項）。審査請求の取下げについては，このような制限はないので，審理手続が開始されて，処分庁等が書面を提出したり，口頭で意見を述べたりした後であっても，処分庁等の同意なくして審査請求の取下げが可能である。刑事訴訟においては，公訴は，第1審の判決があるまでこれを取り消すことができ

る（刑事訴訟法257条）。なお，平成25年法律第100号による改正前の独占禁止法52条4項においては，審判請求の取下げは，当該審判請求に係る命令についての最終の審判の期日まで認められていた。

(2) 「審査請求の取下げは，書面でしなければならない」（2項）

　審査請求が取り下げられると初めから審査請求がなかった状態になる。そして，取下げが審査請求期間経過後になされれば，改めて審査請求を行うことができなくなる。このように，審査請求の取下げは，審査請求人に重大な影響を与える行為であるので，取下げの有無について後日の紛争を回避するために明確にしておく必要がある。そこで，審査請求の取下げは，書面で行うことを義務づけている。民事訴訟においても，訴えの取下げは，口頭弁論，弁論準備手続または和解の期日においてする場合を除き，書面でしなければならない（民事訴訟法261条3項）。なお，平成25年法律第100号による改正前の独占禁止法52条4項においては，審判請求の取下げは書面で行うこととされていた。

第3節　審理手続

> （審理手続の計画的進行）
> 第28条　審査請求人，参加人及び処分庁等（以下「審理関係人」という。）並びに審理員は，簡易迅速かつ公正な審理の実現のため，審理において，相互に協力するとともに，審理手続の計画的な進行を図らなければならない。

（本条の趣旨）

　本条は，審理を迅速に進めるために，審理関係人および審理員が協力し，審理手続の計画的な進行を図る責務について定めるものである。

(1) 「審査請求人，参加人及び処分庁等（以下「審理関係人」という。）並びに審理員は」

　審理手続の計画的進行を図るためには，審理関係人である審査請求人，参加

本論　第2章　審査請求

人，処分庁等と審理手続を主宰する審理員の全てが，審理を迅速に行う必要性についての認識を共有し，協力する必要があるため，審理関係人と審理員に審理手続の計画的な進行を図る責務を課している。

(2)　「簡易迅速かつ公正な審理の実現のため，審理において，相互に協力するとともに，審理手続の計画的な進行を図らなければならない」

　本法における審理手続は，審理員が主宰し，審査請求人，参加人と処分庁等が主張および証拠の提出を行う対審的構造をとることになる。この点は，かかる対審的構造をとっていなかった旧行政不服審査法の下での審査請求の審理手続と大きく異なり，公正性を向上させるものである。一方で，迅速な救済にも配慮しなければならない。そこで，審理手続を計画的に進行させるための審理関係人および審理員の相互協力義務を規定している。「計画的な進行」とは，審理の対象事項に係る争点を明確にし，立証のためのスケジュールを作成して審理を行うことを意味する。

　審理手続の迅速化は訴訟手続においても重要な課題であり，民事訴訟法147条の2は，「裁判所及び当事者は，適正かつ迅速な審理の実現のため，訴訟手続の計画的な進行を図らなければならない」と定めている（裁判の迅速化に関する法律2条1項，7条も参照）。また，刑事訴訟法316条の2は公判前整理手続について定めており，同法316条の3は，「裁判所は，充実した公判の審理を継続的，計画的かつ迅速に行うことができるよう，公判前整理手続において，十分な準備が行われるようにするとともに，できる限り早期にこれを終結させるように努めなければならない」（1項），「訴訟関係人は，充実した公判の審理を継続的，計画的かつ迅速に行うことができるよう，公判前整理手続において，相互に協力するとともに，その実施に関し，裁判所に進んで協力しなければならない」（2項）と定めている。訴訟よりも迅速な救済が期待される行政不服審査制度においても，審理手続の計画的進行のために審理関係人および審理員が協力することが重要である。

（弁明書の提出）
第29条①　審理員は，審査庁から指名されたときは，直ちに，審査請求書

第 29 条（弁明書の提出）

> 又は審査請求録取書の写しを処分庁等に送付しなければならない。ただし，処分庁等が審査庁である場合には，この限りでない。
> ② 審理員は，相当の期間を定めて，処分庁等に対し，弁明書の提出を求めるものとする。
> ③ 処分庁等は，前項の弁明書に，次の各号の区分に応じ，当該各号に定める事項を記載しなければならない。
>   1 処分についての審査請求に対する弁明書　処分の内容及び理由
>   2 不作為についての審査請求に対する弁明書　処分をしていない理由並びに予定される処分の時期，内容及び理由
> ④ 処分庁が次に掲げる書面を保有する場合には，前項第1号に掲げる弁明書にこれを添付するものとする。
>   1 行政手続法（平成5年法律第88号）第24条第1項の調書及び同条第3項の報告書
>   2 行政手続法第29条第1項に規定する弁明書
> ⑤ 審理員は，処分庁等から弁明書の提出があったときは，これを審査請求人及び参加人に送付しなければならない。

（本条の趣旨）

本条は，審理員が処分庁等に対し弁明書の提出を求めること，弁明書の記載事項と添付書類，弁明書の審査請求人および参加人への送付について定めるものである。

(1)　「審理員は」（1項本文）

旧行政不服審査法22条1項においては，審査請求書の副本または審査請求録取書の写しを処分庁に送付するのは審査庁であったが，審理員制度の導入に伴い，審理員が審査請求書または審査請求録取書の写しを処分庁等に送付する主体とされた。

(2)　「審査庁から指名されたときは，直ちに」（1項本文）

旧行政不服審査法22条1項においては，「審査請求を受理したときは」と規定されていたが，行政手続法7条で受理概念が否定されたことにかんがみ，本

本論 第2章 審査請求

項では「受理」という文言は使用していない。審査請求書または審査請求録取書の写しを処分庁等に送付するのに特段の準備は不要であるため、審理の迅速化のために、審理員は、審査庁から指名されたときは、直ちにこの送付をする義務を負うこととしている。

(3) 「審査請求書又は審査請求録取書の写しを」(1項本文)

旧行政不服審査法22条1項においては、審査請求書の副本を送付すると明記されていたが、本項には、その旨は規定されていない。これは、本法においては、書面の正本、副本の区別については政令事項とされたためである。そのため、旧行政不服審査法22条1項(「審査庁は、審査請求を受理したときは、審査請求書の副本又は審査請求録取書の写しを処分庁に送付し、相当の期間を定めて、弁明書の提出を求めることができる」)に相当する規定は本法には置かれていない。そして、審査請求書の処分庁等への送付は、審査請求書の副本によって行うことが政令で定められている(本法施行令5条1項)。正本は、審理員が審理手続において使用し、審理手続が終結すれば、事件記録の一部として審査庁に提出される(本法41条3項・42条2項、本法施行令15条3項)。

なお、再調査の請求をすることができない処分につき、処分庁が誤って再調査の請求をすることができる旨の教示をした場合において、当該処分庁に再調査の請求がされたときは、処分庁は、速やかに、再調査の請求書または再調査の請求録取書を審査庁となるべき行政庁に送付し(本法22条3項)、初めから審査庁となるべき行政庁に審査請求がされたものとみなされる(同条5項)。この場合には、審査庁となるべき行政庁に送付された再調査の請求書を審査請求書とみなすことになる。審査庁となるべき行政庁に審査請求書とみなされる再調査の請求書の副本が提出されているわけではないので、処分庁等には審査請求書の写しを送付することになる(本法施行令5条1項)。

また、再調査の請求をすることができる処分につき、処分庁が誤って審査請求をすることができる旨を教示しなかった場合において、当該処分庁に再調査の請求がされた場合であって、再調査の請求人から申立てがあったため、処分庁が、再調査の請求書または再調査の請求録取書等を審査庁となるべき行政庁に送付し(同条4項)、初めから審査庁となるべき行政庁に審査請求がされたものとみなされる場合においても(同条5項)、審査庁となるべき行政庁に送付さ

れた再調査の請求書を審査請求書とみなすことになる。この場合にも、審査庁となるべき行政庁に審査請求書とみなされる再調査の請求書の副本が提出されているわけではないので、処分庁等には審査請求書の写しを送付することになる（本法施行令5条1項）。

本法82条の規定に基づく教示が懈怠されたため、不服申立書が処分庁に提出され（本法83条1項）、処分庁から審査庁となるべき行政庁に不服申立書が送付され（同条3項）、初めから審査請求がされたものとみなされる場合（同条4項）には、処分庁に提出された不服申立書が審査請求書とみなされることになるが、不服申立書の副本は提出されていないので、処分庁等には審査請求書の写しを送付することになる（本法施行令5条1項）。

他方、本法21条2項の規定に基づき、処分庁等を経由して審査請求がなされ、処分庁等が審査請求書を審査庁となるべき行政庁に送付した場合（本法21条2項）、処分庁が誤って審査請求をすべき行政庁でない行政庁を審査請求をすべき行政庁として教示し、その教示された行政庁に書面で審査請求がされたため、当該行政庁が審査請求書を処分庁または審査庁となるべき行政庁に送付し（本法22条1項）、処分庁に審査請求書が送付されたときに処分庁が審査庁となるべき行政庁に審査請求書を送付した場合（同条2項）の送付については、審査請求書の正本および副本のすべてを送付することは明確であり、審査請求録取書については、その写しを処分庁等に送付することは明確にされている（本法29条1項）。

情報通信技術利用法3条1項の規定により同項に規定する電子情報処理組織を使用して審査請求がされた場合には、審査庁の使用に係る電子計算機に備え付けられたファイルに記録された電磁的記録を同法4条1項の規定により処分庁等に送付することになり、この送付が、同条2項の規定により審査請求書の送付とみなされるが、本法施行令5条2項により、審査請求書の副本が送付されたものとみなされる。

(4) 「処分庁等に送付しなければならない」（1項本文）

旧行政不服審査法22条1項においては、「処分庁」に送付すると規定されていたが、この規定は、同法52条2項で不作為についての審査請求にも準用されていた。本項は、「処分庁等」に送付する旨を定めており、「処分庁等」とは、

本論 第2章 審査請求

処分庁と不作為庁であるので（本法4条1号），不作為についての審査請求の場合にも適用される。

(5) 「ただし，処分庁等が審査庁である場合には，この限りでない」（1項ただし書）

審理員は，審査庁に所属する職員であるので（本法9条1項柱書本文），審査庁と処分庁等が同一の場合には，処分庁等に送付する必要はないからである。

(6) 「相当の期間を定めて」（2項）

「相当の期間」とは，弁明書を作成するのに必要と考えられる合理的期間である。

(7) 「処分庁等に対し，弁明書の提出を求めるものとする」（2項）

弁明書とは，処分についての審査請求であれば処分を行ったこと，不作為についての審査請求であれば処分を行っていないことの理由を説明した書面である。

旧行政不服審査法22条1項は，「審査庁は，審査請求を受理したときは，審査請求書の副本又は審査請求録取書の写しを処分庁に送付し，相当の期間を定めて，弁明書の提出を求めることができる」と定めており，弁明書の提出を求めるか否かは審査庁の裁量に委ねていた。この背景には，訴願を処分庁経由にし，処分庁に弁明書の提出を義務づけたこと（訴願法11条1項）が，審理を遅延させる一因になっていたことがある。旧行政不服審査法22条1項については，処分庁の弁明を待つまでもなく，当該審査請求に理由がないと判断できるとき，審査請求が不適法であることが明らかなとき，審査庁の調査で足りるとき等，審査庁が処分理由を了知できる場合には，あえて弁明書の提出を求めずに審理を行っても差し支えないという行政実例（昭和37年10月23日自治省税務局長通達）も存在した。

本法ではこれに対し，審理員については，「審査請求に係る処分若しくは当該処分に係る再調査の請求についての決定に関与した者又は審査請求に係る不作為に係る処分に関与し，若しくは関与することとなる者」が除斥事由とされており（本法9条2項1号），審理員は原処分に関与していない者，または審査

第 29 条（弁明書の提出）

請求に係る不作為に係る処分に関与しておらず，もしくは関与しない者であるので，原処分の理由または審査請求に係る不作為の理由を処分庁等に弁明させて知る必要がある。また，処分庁等は審査請求書または審査請求録取書に示された審査請求の趣旨および理由に対して，事実誤認の有無，原処分の理由または審査請求に係る不作為の理由をより詳細に説明することができる立場にあるので，対審的審理構造の下で，上記の理由を処分庁等の弁明書により明確にすることは，審査請求人が主張・立証を行う前提になる。そこで，本法は処分庁等に対し弁明書の提出を求めることを審理員に義務づけている。

　弁明書は，正本ならびに当該弁明書を送付すべき審査請求人および参加人の数に相当する通数の副本を提出しなければならない（本法施行令 6 条 1 項）。弁明書の正本は，審理員が審理手続で使用し，審理手続終結後は，事件記録の一部として審査庁に提出される（本法 42 条 2 項，本法施行令 15 条 3 項）。情報通信技術利用法 3 条 1 項の規定により同項に規定する電子情報処理組織を使用して弁明がされた場合には，本法施行令 6 条 1 項の規定に従って弁明書が提出されたものとみなされる（同条 2 項）。

(8)　「処分庁等は，前項の弁明書に，次の各号の区分に応じ，当該各号に定める事項を記載しなければならない」（3 項柱書）

　旧行政不服審査法 22 条においては，弁明書の記載事項が定められていなかったが，本項は，弁明書の必要的記載事項を明確にするものである。もし，必要的記載事項が記載されていない弁明書が提出された場合には，審理員は，返戻して補正を求めるべきであろう。

(9)　「処分についての審査請求に対する弁明書　処分の内容及び理由」（3 項 1 号）

　処分の内容および理由を記載事項としているのは，(i)原処分の違法性または不当性の有無を審理員が判断するため，(ii)審査請求人および参加人が処分庁の主張に対する反論を適切に行うことができるようにするためである。上記(i)(ii)の目的を達するためには，「処分の内容及び理由」は十分に具体的なものでなければならない。申請拒否処分であれば行政手続法 8 条 1 項，不利益処分であれば同法 14 条 1 項により理由提示義務があるが，そこで十分に処分の内容お

よび理由が提示されていれば，それと同様のものを記載すれば足りる。しかし，処分時に提示された理由が不十分であれば，より詳細に記載する必要がある。処分の根拠となる法令の条項を提示して処分の内容を示した上で，当該処分の要件に該当する事実を審査基準または（公にされている場合）処分基準との関係も含めて記載すべきであろう。審査請求書または審査請求録取書に処分の違法性または不当性を根拠づける内容が具体的に記載されている場合には，当該処分が違法でも不当でもないことを根拠づける事実も処分の理由として記載する必要があると考えられる。処分庁等は，処分の理由となる事実を証する書類その他の物件を本法32条2項の規定に基づき提出することができる。また，審理員は，審査請求人もしくは参加人の申立てにより，または職権で，処分庁等に処分の理由となる事実を証する書類その他の物件の提出を求めることができる（本法33条前段）。

⑽ 「不作為についての審査請求に対する弁明書　処分をしていない理由並びに予定される処分の時期，内容及び理由」（3項2号）

「処分をしていない理由」として，不作為庁は，申請がいかなる処理段階にあるのかを示し，審査に通常よりも時間がかかっている特別の事情があればそれも示す必要がある。「予定される処分の時期」としては，「他省との協議に通常よりも時間を要しており，標準処理期間より2週間ほど長くかかる見込みなので，処分は〇年△月□日ごろの予定」等と記載することになる。「予定される処分の……内容及び理由」としては，「現在，申請を拒否する処分の起案書を作成中であり，拒否処分を予定している理由は，資力の十分性の要件を満たしていないと考えられるからである」等と記載することになる。しかし，弁明書の作成時点では，許可処分をするか，不許可処分をするか，附款付きの許可処分をするか定かでないこともありうる。その場合には，「〇〇の要件を満たしているかについて疑義があるので不許可にすべきという意見と△△の条件を付せば問題はないので附款付きの許可処分とすべきという意見が課内にあり，現在調整中」というような記載でもやむをえないと考えられる。

⑾ 「処分庁が次に掲げる書面を保有する場合には，前項第1号に掲げる弁明書にこれを添付するものとする」（4項柱書）

第29条（弁明書の提出）

　本項に列記した書面は，審査請求の審理で一般的に必要なものであるので，弁明書への添付を義務づけている。処分庁に提出された聴聞調書，報告書，弁明書には，当該処分に関する審査請求人・処分庁の主張等が記載されており，かかる書面が審理手続の最初の段階で審理員に提出されることは，事案の内容および論点等の理解に資すると思われる。そこで，弁明書に添付することにより，審理手続の冒頭で提出を義務づけている。「処分庁」と規定され，不作為庁が対象とされていないのは，これらの書面が作成された場合には，聴聞または弁明の機会の付与の手続を経て不利益処分が行われていると考えられるからである。

⑿　「行政手続法（平成5年法律第88号）第24条第1項の調書及び同条第3項の報告書」（4項1号）

　「行政手続法（平成5年法律第88号）第24条第1項の調書」とは，聴聞主宰者が，聴聞の審理の経過を記載した調書であり，当該調書において，不利益処分の原因となる事実に対する当事者および参加人の陳述の要旨が明らかにされている。聴聞調書は，聴聞の期日における審理が行われた場合には各期日ごとに，当該審理が行われなかった場合には聴聞の終結後速やかに作成される（同条2項）。「同条第3項の報告書」とは，聴聞主宰者が，聴聞の終結後速やかに，不利益処分の原因となる事実に対する当事者等の主張に理由があるかどうかについての意見を記載した報告書であり，聴聞調書とともに行政庁に提出することを義務づけられている。

⒀　「行政手続法第29条第1項に規定する弁明書」（4項2号）

　不利益処分を行う前の意見陳述手続として弁明の機会が付与された場合，弁明は，行政庁が口頭ですることを認めたときを除き，処分庁に弁明を記載した書面を提出してするものとされている。この書面が弁明書である。

⒁　「審理員は，処分庁等から弁明書の提出があったときは，これを審査請求人及び参加人に送付しなければならない」（5項）

　弁明書の内容を審査請求人および参加人に知らせる必要があるが，処分庁等から主張・説明を受ける手続の透明性を確保するため，弁明書は審理手続を主

本論　第2章　審査請求

宰する審理員に提出し，審理員から審査請求人および参加人に送付することとしている。審査請求人および参加人への弁明書の送付は副本により行われる（本法施行令6条3項）。「これを審査請求人及び参加人に送付しなければならない」という規定における「これ」は弁明書であり，弁明書に添付される書面は含まない。添付書面については，審査請求人または参加人は，本法38条1項の規定に基づき，閲覧または写しの交付の請求権を有する。電子情報処理組織を使用して弁明がされた場合において，当該弁明に係る電磁的記録については，弁明書の副本とみなされる（同条4項）。

　なお，旧行政不服審査法22条5項では，審査請求を全部認容すべきときは，弁明書の審査請求人への送付は不要としていたが，本項には，これに対応する部分はない。その理由は，弁明書の送付は裁決権限を有する審査庁ではなく審理員が行っており，審理員が審査請求を全部認容すべきと考えたとしても，審理員意見書は審査庁を拘束するわけではないので，全部認容という裁決が出るとは限らないからである。

（反論書等の提出）

第30条①　審査請求人は，前条第5項の規定により送付された弁明書に記載された事項に対する反論を記載した書面（以下「反論書」という。）を提出することができる。この場合において，審理員が，反論書を提出すべき相当の期間を定めたときは，その期間内にこれを提出しなければならない。

②　参加人は，審査請求に係る事件に関する意見を記載した書面（第40条及び第42条第1項を除き，以下「意見書」という。）を提出することができる。この場合において，審理員が，意見書を提出すべき相当の期間を定めたときは，その期間内にこれを提出しなければならない。

③　審理員は，審査請求人から反論書の提出があったときはこれを参加人及び処分庁等に，参加人から意見書の提出があったときはこれを審査請求人及び処分庁等に，それぞれ送付しなければならない。

第 30 条（反論書等の提出）

（本条の趣旨）
　本条は，審理の冒頭において，審査請求人および参加人に主張の機会を与え，その主張内容を審理員および他の審理関係人に明らかにするために，審査請求人による反論書の提出，参加人による意見書の提出について定めるものである。

(1)　「**審査請求人は，前条第 5 項の規定により送付された弁明書に記載された事項に対する反論を記載した書面（以下「反論書」という。）を提出することができる**」（1 項前段）
　旧行政不服審査法 23 条にも，審査請求人の反論書提出権が規定されていたが，本項においても，これを認めている。「提出することができる」と規定されているように，反論書を提出するか否かは，審査請求人の意思に委ねられている。反論書は正本ならびに当該反論書を送付すべき参加人および処分庁等の数に相当する通数の副本を提出しなければならない（本法施行令 7 条 1 項）。情報通信技術利用法 3 条 1 項の規定により同項に規定する電子情報処理組織を使用して反論がされた場合には，本法施行令 7 条 1 項の規定に従って反論書が提出されたものとみなされる（同条 2 項）。反論書の正本は，審理員が審理手続において使用し，審理手続終結後は，事件記録の一部として審査庁に提出される（本法 41 条 3 項，本法施行令 15 条 1 項 3 号・同条 3 項）。

(2)　「**この場合において，審理員が，反論書を提出すべき相当の期間を定めたときは，その期間内にこれを提出しなければならない**」（1 項後段）
　「相当の期間」とは，反論書を作成するのに合理的に必要な期間である。審理員が反論書を提出すべき相当の期間を定めたときに，当該期間内に反論書を提出しない場合には，反論書の提出を待つことなく裁決がなされることもありうる。

(3)　「**参加人は，審査請求に係る事件に関する意見を記載した書面……を提出することができる**」（2 項前段）
　旧行政不服審査法においても，参加人は口頭意見陳述権（25 条 1 項ただし書），証拠書類等の提出権（26 条本文）等の権利を保障されていたが，自己の主張に関する書面の提出権については規定されていなかった。しかし，参加人の主張

本論 第2章 審査請求

内容が審理手続の当初から審理員，審査請求人および処分庁等に明らかにされていれば，審理を公正かつ迅速に進めることに資する。また，審査請求を全部認容することとする場合には，行政不服審査会等への諮問義務は原則としてないが，参加人が全部認容に反対する意見を述べている場合には，諮問義務は免除されないので，この意味においても，参加人の主張を書面で明確にしておく意義がある。そこで，本項は，参加人の意見書提出権を認めている。

　意見書は，正本ならびに当該意見書を送付すべき審査請求人および処分庁等の数に相当する通数の副本を，それぞれ提出しなければならない（本法施行令7条1項）。情報通信技術利用法3条1項の規定により同項に規定する電子情報処理組織を使用して意見が述べられた場合には，本法施行令7条1項の規定に従って意見書が提出されたものとみなされる（同条2項）。意見書の正本は，審理員が審理手続において使用し，審理手続終結後は，事件記録の一部として審査庁に提出される（本法41条3項，本法施行令15条1項4号・同条3項）。

⑷　「（第40条及び第42条第1項を除き，以下「意見書」という。）」（2項前段）

　本法40条では，執行停止をすべき旨の審理員の意見書，本法42条1項では，審査庁がすべき裁決に関する審理員の意見書について定めており，本項とは異なる意味で「意見書」という文言が用いられているので，本項における「意見書」から除いている。

⑸　「この場合において，審理員が，意見書を提出すべき相当の期間を定めたときは，その期間内にこれを提出しなければならない」（2項後段）

　「相当の期間」とは，意見書を作成するのに合理的に必要な期間である。審理員が意見書を提出すべき相当の期間を定めたときに，当該期間内に意見書を提出しない場合には，意見書の提出を待つことなく裁決がなされることもありうる。

⑹　「審理員は，審査請求人から反論書の提出があったときはこれを参加人及び処分庁等に，参加人から意見書の提出があったときはこれを審査請求人及び処分庁等に，それぞれ送付しなければならない」（3項）

第 31 条（口頭意見陳述）

　本項における反論書，意見書の送付は副本により行われる（本法施行令 7 条 3 項）。情報通信技術利用法 3 条 1 項の規定により同項に規定する電子情報処理組織を使用して反論がされ，または意見が述べられた場合において，当該反論または意見に係る電磁的記録については，反論書または意見書の副本とみなされる（本法施行令 7 条 4 項）。旧行政不服審査法 23 条においては意見書についての定めがなかったので，その審査請求人および処分庁等への送付の規定がなかったのは当然であるが，反論書の参加人および処分庁等への送付についても規定されておらず，これについても，本項で新たに規定されている。

（口頭意見陳述）
第 31 条① 審査請求人又は参加人の申立てがあった場合には，審理員は，当該申立てをした者（以下この条及び第 41 条第 2 項第 2 号において「申立人」という。）に口頭で審査請求に係る事件に関する意見を述べる機会を与えなければならない。ただし，当該申立人の所在その他の事情により当該意見を述べる機会を与えることが困難であると認められる場合には，この限りでない。
② 前項本文の規定による意見の陳述（以下「口頭意見陳述」という。）は，審理員が期日及び場所を指定し，全ての審理関係人を招集してさせるものとする。
③ 口頭意見陳述において，申立人は，審理員の許可を得て，補佐人とともに出頭することができる。
④ 口頭意見陳述において，審理員は，申立人のする陳述が事件に関係のない事項にわたる場合その他相当でない場合には，これを制限することができる。
⑤ 口頭意見陳述に際し，申立人は，審理員の許可を得て，審査請求に係る事件に関し，処分庁等に対して，質問を発することができる。

（本条の趣旨）
　本条は，書面主義の例外として，審査請求人・参加人に口頭意見陳述の申立権を付与し，そのための手続を定め，補佐人の出頭，陳述制限，処分庁等に対する質問権について定めるものである。

本 論　第2章　審査請求

(1) 「審査請求人又は参加人の申立てがあった場合には」（1項本文）
口頭意見陳述を職権で行うことは認められていない。

(2) 「審理員は，当該申立てをした者（以下この条及び第41条第2項第2号において「申立人」という。）に口頭で審査請求に係る事件に関する意見を述べる機会を与えなければならない」（1項本文）

旧行政不服審査法25条1項本文では，審査請求の審理は書面によることが明記されていたが，本項には，それが明記されていない。しかし，このことは，書面審理主義の変更とは解されない（行政不服審査制度検討会最終報告においても，書面審理主義を維持すべきとされている）。このように，本法における審査請求は，基本的には書面審理主義によるが，その例外として，審査請求人および参加人には口頭で意見を述べる機会を与えることにより，その権利利益の救済が十分に行われるようにしている。

旧行政不服審査法25条1項ただし書においても，審査請求人および参加人には口頭意見陳述権が保障されていたが，「審査庁は，申立人に口頭で意見を述べる機会を与えなければならない」と規定するのみであったので，審査請求の適法要件についても口頭で意見を述べることができるかについて裁判例が分かれていた（適法要件も対象とするものとして，長崎地判昭和44・10・20行集20巻10号1260頁，対象外とするものとして名古屋高金沢支判昭和56・2・4行集32巻2号179頁参照）。本項は，「審査請求に係る事件に関する意見」を口頭で述べることを認めているので，審査請求の適法要件についても口頭意見陳述権が保障されていることになる。処分性，不服申立適格のように審査請求の適法要件であっても，本案の審理と関わるような論点については，審査請求人または参加人が口頭で意見を述べることを希望することがありうることから，これを認める趣旨である。

指定された口頭意見陳述の期日に申立人が正当な理由がないにもかかわらず出頭しなかった場合においては，申立人は口頭意見陳述権を放棄したとみなすことができ，審査請求の迅速な処理の要請にもかんがみれば，再度口頭意見陳述の機会を付与する必要はないと解してよいと思われる。かかる場合には，本法41条2項2号の規定に基づき，他の必要な審理を終了したときは，審理を終結することができる。

(3) 「ただし，当該申立人の所在その他の事情により当該意見を述べる機会を与えることが困難であると認められる場合には，この限りでない」（1項ただし書）

「当該申立人の所在その他の事情」としては，刑務所，少年院等の矯正施設に収容されていて，当分の間は出所の見込みがない場合等である。旧行政不服審査法25条1項ただし書では，口頭意見陳述の機会を付与しない例外については定めがなく，本項ただし書で新たに定められた。

(4) 「前項本文の規定による意見の陳述（以下「口頭意見陳述」という。）は，審理員が期日及び場所を指定し」（2項）

審理員は，口頭意見陳述の申立人が出頭可能な日時および場所を指定するとともに，他の全ての審理関係人に通知する必要があるが，口頭意見陳述に際し，申立人は，審理員の許可を得て，審査請求に係る事件に関し，処分庁等に対して，質問を発することができるから（本条5項），処分庁等も出頭可能な日時・場所であることを確認する必要がある。

(5) 「全ての審理関係人を招集してさせるものとする」（2項）

旧行政不服審査法25条1項ただし書の規定に基づく口頭意見陳述については，処分庁等の出席は義務づけられておらず，審査請求人または参加人が意見を一方的に述べ，審査庁が聴き置くだけの運用になっていることが多いという批判が少なくなかった。そこで，本項は，全ての審理関係人を招集し，質問権も明記して充実した口頭意見陳述を行うこととしている。口頭意見陳述の期日に申立人および処分庁等は出頭したが，その他の審査請求人または参加人が出頭しなかった場合においても，申立人は口頭意見陳述を行うことができ，処分庁等に対する質問もできるから，改めて期日を設定することなく，当日に口頭意見陳述を行わせてよいと考えられる。

民事訴訟においては，法廷は裁判所または支部で開くことが原則とされ（裁判所法69条1項），期日に当事者が裁判所に出頭して口頭で弁論を行うことになるが，証人尋問や鑑定人の意見陳述については例外的に「隔地者が映像と音声の送受信により相手の状態を相互に認識しながら通話をすることができる方法」（テレビ会議システム）の利用が認められている（民事訴訟法204条，215条の

3)。審理員が，口頭意見陳述の期日における審理を行う場合においても，遠隔の地に居住する審理関係人があるとき，その他相当と認めるときは，総務省令で定めるところにより，審理員および審理関係人がテレビ会議システムによって，審理を行うことが認められている（本法施行令8条）。審理員によるテレビ会議システムの使用は，本条の特例ではなく，本条の具体的手続として定められている。その理由は，本条2項が，全ての審理関係人を招集して口頭意見陳述手続を行うこととしているのは，民事訴訟のような双方審尋主義を採用することを意図するものではなく，全ての審理関係人が同一の場所に集まって意見陳述や質疑応答を行うことまで求めるものではなく，意見陳述や質疑応答が十分に行われる状態が確保されていれば，同項の「全ての審理関係人を招集してさせる」の要件を満たすと考えられるからである。

テレビ会議システムを行う要件としての「その他相当と認めるとき」としては，他の審理関係人と同席する場合に精神的な圧迫感を抱き，率直に意見を述べることが困難になるおそれがある場合が考えられる。本法施行令8条（同令18条および19条1項において読み替えて準用する場合を含む）に規定する方法によって口頭意見陳述の期日における審理を行う場合には，審理関係人（本法9条3項に規定する場合において処分庁等が審査庁であるときにあっては審査請求人および参加人，再調査の請求にあっては再調査の請求人および参加人）の意見を聴いて，当該審理に必要な装置が設置された場所であって審理員（本法9条3項に規定する場合にあっては審査庁，再調査の請求にあっては処分庁，再審査庁が本法66条1項において準用する本法9条1項各号に掲げる機関である場合にあっては再審査庁）が相当と認める場所を，審理関係人ごとに指定して行う（本法施行規則1条）。

なお，民事訴訟規則で定められているファクシミリの利用（123条3項，132条の5第2項）についての規定は本法施行令，本法施行規則に置かれていないが，そのことは，これを否定する趣旨ではなく，審理員の裁量によりこれを認めることは可能と考えられる。

(6)「口頭意見陳述において，申立人は，審理員の許可を得て，補佐人とともに出頭することができる」（3項）

補佐人とは，自然科学，社会科学，人文科学の専門知識を有していたり，日本語の理解が十分でない外国人や言語障害者のために陳述を補助したりする者

第 31 条（口頭意見陳述）

であって，審査請求人または参加人を補佐する者である。会計に関する知識が乏しい者のために会計帳簿の記載を代行している者が，会計帳簿の記載に関しての口頭意見陳述において補佐人になる場合等も考えられる。補佐人は，審査請求人でも参加人でもない第三者である。補佐人は，法律問題についても事実問題についても意見を述べることができる。補佐人は代理人とは異なり，審査請求人または参加人とともに出頭することが必要であり，単独で出頭することはできない。行政手続法における聴聞手続においても，当事者または参加人は，主宰者の許可を得て，補佐人ともに出頭することができるとされている（行政手続法 20 条 3 項）。

(7)「口頭意見陳述において，審理員は，申立人のする陳述が事件に関係のない事項にわたる場合その他相当でない場合には，これを制限することができる」(4 項)

口頭意見陳述は，「審査請求に係る事件」について行うことができるので，当該事件に関係のない事項にわたる場合には，陳述を認める必要はない。「その他相当でない場合」としては，同一の内容の発言の反復である場合や処分庁等の職員に対する誹謗中傷であって口頭意見陳述の趣旨に合致しない場合が考えられる。かかる場合には，口頭意見陳述を認める意義に乏しいのみならず，かかる陳述を認めることは迅速な審理を妨げることになるので，審理員が陳述を制限できることを明確にしている。このような口頭意見陳述の制限は，民事訴訟法 148 条 2 項，刑事訴訟法 295 条 1 項にも定められている。

(8)「口頭意見陳述に際し，申立人は，審理員の許可を得て，審査請求に係る事件に関し，処分庁等に対して，質問を発することができる」(5 項)

旧行政不服審査法 25 条 1 項ただし書の口頭意見陳述は，審査庁に対して行われるものであって，処分庁等の出席は義務づけられていなかったが，本条は，対審的審理構造の下での口頭意見陳述であり，申立人は，一方的に意見を述べるのみならず，処分庁等に質問をすることを希望する場合も少なくないと考えられるので，処分庁等に対する質問権について定めている。審理員の許可を得ることとしているのは，質問権が乱発されて審理が混乱することを回避するた

めである。質問内容は,「審査請求に係る事件」に関するものでなければならない。質問は審理員に対してではなく,処分庁等に対して行う。処分庁等は,その場において回答することを原則とすべきであるが,事実関係の確認のために調査を要する場合等,即答が困難な場合には,後日,可及的速やかに書面で回答することも認められる場合がありうると思われる。

　実務上は,審理員は,審査請求人または参加人の口頭意見陳述の申立てがあった場合,処分庁等に対する質問の有無を確認し,質問がある場合には,口頭意見陳述の1週間ほど前までに質問事項の概要を書面で報告することを求め,審査請求に係る事件と無関係な質問については許可しない旨を申立人に伝えるとともに,質問事項の概要を記した書面の写しを処分庁等に送付し,回答の準備を促すことにより,質問権の行使の円滑な運用を図ることが望ましいと考えられる(同様の提案として,中村健人著〔折橋洋介監修〕・改正行政不服審査法 自治体の検討課題と対応のポイント〔施行令対応版〕〔第一法規,2016年〕74頁参照)。ただし,これは運用上の措置であるから,事前に通告していない質問が口頭意見陳述の場でなされた場合,事前通告がないという理由で当該質問を不許可にすることはできず,当該質問が審査請求に係る事件と無関係であったり,同一の質問内容の重複である等,相当でない場合でなければ,当該質問を許可しなければならない。

　行政手続法における聴聞手続においても,当事者または参加人は,主宰者の許可を得て,行政庁の職員に質問を発することができるとされている(行政手続法20条2項)。なお,対審的審理構造といっても,処分庁等から審査請求人または参加人への質問権が認められているわけではないので,真の対審的審理構造とは異なる点にも留意が必要である。

(証拠書類等の提出)
第32条① 審査請求人又は参加人は,証拠書類又は証拠物を提出することができる。
② 処分庁等は,当該処分の理由となる事実を証する書類その他の物件を提出することができる。
③ 前二項の場合において,審理員が,証拠書類若しくは証拠物又は書類そ

> の他の物件を提出すべき相当の期間を定めたときは、その期間内にこれを提出しなければならない。

（本条の趣旨）

本条は、審査請求人・参加人に自己の主張を基礎づける証拠書類または証拠物を提出する権利を付与するとともに、処分庁等にも、当該処分の理由となる事実を証する書類その他の物件を提出することを認めるものである。

(1) 「審査請求人又は参加人は、証拠書類又は証拠物を提出することができる」（1項）

審査請求人または参加人の主張を基礎づける証拠を提出する権利を定めるものである。証拠書類は民事訴訟の書証の対象になるもの、証拠物は検証の対象になるものを意味し、ともに裁決の判断資料となる。

(2) 「処分庁等は、当該処分の理由となる事実を証する書類その他の物件を提出することができる」（2項）

処分庁は聴聞調書、聴聞主宰者の報告書等を弁明書に添付して審理員に提出するが（本法29条4項）、弁明書提出後も、処分庁等は、処分または不作為が違法でも不当でもないことを根拠づける理由を審理の状況に応じて提出することができる。「当該処分の理由となる事実を証する書類その他の物件」については、本法33条の規定に基づき、審理員から提出要求がなされることはありうるが、提出要求を待って受動的に提出するよりも、本項の規定に基づき能動的に提出することが、簡易迅速な救済制度を定める本法の趣旨に合致するといえよう。また、審理員から物件の提出の要求がなされないと「当該処分の理由となる事実を証する書類その他の物件」を処分庁等が提出できないのは不合理である。そこで、処分庁等による自主的な物件提出を認めている。

処分庁等が本項の規定に基づき提出する「当該処分の理由となる事実を証する書類その他の物件」の中には、審査請求後に他の法令の規定に基づく調査権の行使により取得したものも含まれうる。審理員が他の法令の規定に基づく調査権の行使をすることは、審理員の公正中立な立場と矛盾し、それができない

ことはいうまでもないが，処分庁等が他の法令の規定に基づき有する調査権の行使は，審査請求後も妨げられるわけではない。このことは，処分庁等が審査庁である場合であっても変わらない。旧行政不服審査法32条は，「審査庁である行政庁が他の法令に基づいて有する調査権の行使を妨げない」旨を定めていたが，これは確認規定であり，本法にはそれに対応する規定が置かれなかったのは，あえて確認規定を置くまでもないと考えられたからである。したがって，処分庁等が審査庁である場合に，審査請求後に処分庁等が他の法令の規定に基づく調査権の行使により取得した物件を本項の規定に基づき審理員に提出することもありうることになる。

(3) 「前二項の場合において，審理員が，証拠書類若しくは証拠物又は書類その他の物件を提出すべき相当の期間を定めたときは，その期間内にこれを提出しなければならない」(3項)

旧行政不服審査法26条は，「審査請求人又は参加人は，証拠書類又は証拠物を提出することができる。ただし，審査庁が，証拠書類又は証拠物を提出すべき相当の期間を定めたときは，その期間内にこれを提出しなければならない」と定めていたのに対し，同法33条1項は，「処分庁は，当該処分の理由となった事実を証する書類その他の物件を審査庁に提出することができる」と定めるのみで，提出期限については法定していなかった。しかし，このことは，処分庁からの物件提出は裁決まで随時に認める趣旨ではなかった。訴願法は，訴願を行政庁（処分庁）を経由して提起すべきとし（2条1項），経由機関は，訴願書を受取ってから10日以内に弁明書および必要文書を添えて上級行政庁に発送することとしていたが（11条1項），その弊害にかんがみ行政庁（処分庁）経由主義が廃止された。そのため，訴願法11条1項の必要文書の添付に代わるものとして，旧行政不服審査法33条1項が設けられたことに照らせば，同項が定める処分庁による物件提出は，弁明書提出と同時に，または弁明書提出後遅滞なく行われるべきものである。本項は，このような経緯を踏まえ，審理の遅延を防止し，処分庁等にも審査請求人または参加人と同様の制限を明記することにより公正性を確保することとしている。

審理員が定めた期間内に証拠書類等が提出されなかった場合には，当該期間経過後に提出された証拠書類等を受け取る必要はない。この場合，審理員は，

必要な審理を終えたと認めるときは、本法41条1項の規定に基づき審理を終結することができる。また、そうでない場合であっても、さらに一定の期間を示して物件の提出を求めたにもかかわらず、当該提出期間内に当該物件が提出されなかったときは、本法41条2項1号ニの規定に基づき審理を終結することができる。もっとも、審理員が定めた期間経過後に新たな事実やその証拠書類等が発見され、発見が遅れたことについて審理関係人に故意または重過失がなかった場合には、当該期間経過後であっても、提出を認めて裁決の判断資料とすべきと思われる。

仮に、審理手続終結後に、新たな事実やその証拠書類等が発見され、発見が遅れたことについて審理関係人に故意または重過失がなかった場合にどうするかという問題がある。行政手続法25条前段においては、行政庁は、聴聞の終結後に生じた事情にかんがみ、必要があると認めるときは、聴聞主宰者に対し、報告書を返戻して聴聞の再開を命ずることができる旨が定められているが、本法においては、かかる明文の規定はないものの、審理員が審理手続を終結した後、行政不服審査会等に諮問する前に、新たな事実やその証拠書類等が発見され、発見が遅れたことについて審理関係人に故意または重過失がなかった場合に審理手続を再開する運用は禁止されているわけではないと思われる。

(物件の提出要求)
第33条　審理員は、審査請求人若しくは参加人の申立てにより又は職権で、書類その他の物件の所持人に対し、相当の期間を定めて、その物件の提出を求めることができる。この場合において、審理員は、その提出された物件を留め置くことができる。

(本条の趣旨)
　本条は、審査請求人もしくは参加人の申立てにより、または職権で、書類その他の物件の所持人にその物件の提出を求める権限を審理員に付与するものである。

(1)　「審理員は、審査請求人若しくは参加人の申立てにより又は職権で」

本論 第2章 審査請求

(前段)
　審査請求人または参加人による物件の提出要求の採否の判断，職権で物件の提出要求を行うか否かの判断は，審理員の裁量に委ねられている。本条等で定める審理員の職権による調査が審理関係人の主張しない事実の調査（職権探知）も認める趣旨なのかについては明文の規定がなく，解釈に委ねられている。訴願法については職権探知が可能とするのが判例（最判昭和29・10・14民集8巻10号1858頁）であり，旧行政不服審査法についても，通説は職権探知が可能という立場をとってきた（宇賀克也・行政法概説Ⅱ〔第5版〕〔有斐閣，2015年〕61頁参照）。この点を変更する議論が特になされていないことにかんがみると，対審的審理構造が採用されたことを踏まえても，職権探知は引き続き認められると解すべきではないかと思われる。

(2)　「書類その他の物件の所持人に対し」（前段）
　「書類その他の物件の所持人」は，審理関係人以外の者であることもあれば，処分庁等を含む審理関係人であることもある。

(3)　「相当の期間を定めて，その物件の提出を求めることができる」（前段）
　本条は，審理員に物件の提出要求権限を付与するものであるが，要求を受けた者に提出義務を課すわけではない。

(4)　「この場合において，審理員は，その提出された物件を留め置くことができる」（後段）
　提出された物件を審理のために審理員が留め置く必要がある場合がありうるため，留置権限を審理員に付与している。

（参考人の陳述及び鑑定の要求）
第34条　審理員は，審査請求人若しくは参加人の申立てにより又は職権で，適当と認める者に，参考人としてその知っている事実の陳述を求め，又は鑑定を求めることができる。

第 34 条（参考人の陳述及び鑑定の要求）

（本条の趣旨）
　本条は，審査請求人もしくは参加人の申立てにより，または職権で，参考人陳述または鑑定を求める権限を審理員に付与するものである。

(1) 「**審理員は，審査請求人若しくは参加人の申立てにより又は職権で**」
　審査請求人または参加人による参考人の陳述および鑑定の要求の採否の判断，職権で参考人の陳述および鑑定の要求を行うか否かの判断は，審理員の裁量に委ねられている。

(2) 「**参考人としてその知っている事実の陳述を求め**」
　審理員の判断の参考に供するため，当該審査請求の審理関係人以外の第三者に事実について陳述を求めることである。参考人として述べるのは事実についてであって意見ではない。国家公務員法91条3項のように「証人」という文言を使用している例もある。電波法92条の2は，「審理官は，審査請求人，参加人若しくは指定職員の申立てにより又は職権で，適当と認める者に，参考人として出頭を求めてその知つている事実を陳述させ……ることができる。この場合においては，審査請求人，参加人又は指定職員も，その参考人に陳述を求めることができる」とし，同法115条は，「第92条の2の規定による審理官の処分に違反して，出頭せず，陳述をせず，若しくは虚偽の陳述を……した者は，30万円以下の過料に処する」と定めているが，本項は，罰則の威嚇により陳述を行わせたり陳述内容の正確性を担保したりするのではなく，参考人が任意に協力することを期待するものである。

(3) 「**鑑定を求めることができる**」
　特別な学識経験を有する者から，その専門的知識またはその知識を利用した判断の報告を求めることを意味する。電波法92条の2前段は，「審理官は，審査請求人，参加人若しくは指定職員の申立てにより又は職権で，適当と認める者に……鑑定をさせることができる」と定め，同法115条は，「第92条の2の規定による審理官の処分に違反して……鑑定をせず，若しくは虚偽の鑑定をした者は，30万円以下の過料に処する」と定めているが，本項は，罰則の威嚇により鑑定を行わせたり鑑定内容の正確性を担保したりするのではなく，鑑定

人が任意に協力することを期待するものである。

> （検証）
> 第35条① 審理員は，審査請求人若しくは参加人の申立てにより又は職権で，必要な場所につき，検証をすることができる。
> ② 審理員は，審査請求人又は参加人の申立てにより前項の検証をしようとするときは，あらかじめ，その日時及び場所を当該申立てをした者に通知し，これに立ち会う機会を与えなければならない。

（本条の趣旨）
本条は，審査請求人もしくは参加人の申立てにより，または職権で，検証を行う権限を審理員に付与し，検証の手続を定めるものである。

(1) 「**審理員は，審査請求人若しくは参加人の申立てにより又は職権で**」（1項）

審査請求人または参加人による検証の要求の採否の判断，職権で検証の要求を行うか否かの判断は，審理員の裁量に委ねられている。

(2) 「**必要な場所につき，検証をすることができる**」（1項）

検証とは，一般的には人，物または場所について，その存在，性質，状態等を五官の作用により認識することを意味するが，本項では場所について行われるものを念頭に置いている。

(3) 「**審理員は，審査請求人又は参加人の申立てにより前項の検証をしようとするときは，あらかじめ，その日時及び場所を当該申立てをした者に通知し，これに立ち会う機会を与えなければならない**」（2項）

本条の検証には，審査請求人または参加人の申立てにより行われるものと，職権により行われるものがある。前者の場合には，申立てをした者に立会いの機会を付与すべきであるので，検証の日時および場所を当該申立てをした者に事前に通知することを義務づけ，立会いの機会を保障するようにしている。申

立人以外の審査請求人または参加人への通知は義務づけられていないが，運用上，できる限り，これらの者にも通知することが望ましいと思われる。通知を受けた申立人が検証に立ち会わない場合には，立会権を放棄したものとして検証を行うことができる。

> （審理関係人への質問）
> 第36条　審理員は，審査請求人若しくは参加人の申立てにより又は職権で，審査請求に係る事件に関し，審理関係人に質問することができる。

（本条の趣旨）
本条は，審理関係人の主張の趣旨・内容が明確でなかったり，事案の概要，争点が十分に理解できない場合等に，審査請求人もしくは参加人の申立てにより，または職権で，審査請求に係る事件に関し，審理関係人に質問する権限を審理員に付与するものである。

(1)　「審理員は，審査請求人若しくは参加人の申立てにより又は職権で」
審査請求人または参加人による質問の要求の採否の判断，職権で質問を行うか否かの判断は，審理員の裁量に委ねられている。

(2)　「審査請求に係る事件に関し」
質問の内容が審査請求に係る事件に関するものに限られることを明確にするとともに，本法31条1項と同様，審査請求の適法要件についても質問権限が保障されていることを意味する。

(3)　「審理関係人に質問することができる」
事実関係もしくは論点または審理関係人の主張の趣旨・内容が明確に理解できない場合，審理の充実，迅速な審理に支障が生ずる。そこで，審理員に審理関係人に対する質問権限が付与されている。旧行政不服審査法30条の審尋の対象は，審査請求人または参加人であったが，本条の規定に基づく質問の対象は審理関係人であるので，処分庁等に対しても質問をすることができる。

本条による質問は、審理員が行うもので、審査請求人または参加人が他の審理関係人に対し質問を行いたい場合であっても、直接に行うのではなく、審理員に対し、質問を行うように申し立てることになる。本条による質問は、書面で行うこともできるし、口頭意見陳述の際に申立人に口頭で陳述内容について質問する場合のように、口頭で行われる場合もありうる。なお、本条と同内容の旧行政不服審査法30条においては、「質問」ではなく「審尋」という文言が使用されていた。しかし、通常、「審尋」という文言は裁判所が行う場合に用いられ、行政機関が行う場合に使用されることは稀であること、行政手続法20条4項、国税通則法97条1項1号においても「質問」という文言が使用されていることに照らし、本条においては、「審尋」ではなく「質問」という文言を使用している。

（審理手続の計画的遂行）
第37条① 審理員は、審査請求に係る事件について、審理すべき事項が多数であり又は錯綜（そう）しているなど事件が複雑であることその他の事情により、迅速かつ公正な審理を行うため、第31条から前条までに定める審理手続を計画的に遂行する必要があると認める場合には、期日及び場所を指定して、審理関係人を招集し、あらかじめ、これらの審理手続の申立てに関する意見の聴取を行うことができる。
② 審理員は、審理関係人が遠隔の地に居住している場合その他相当と認める場合には、政令で定めるところにより、審理員及び審理関係人が音声の送受信により通話をすることができる方法によって、前項に規定する意見の聴取を行うことができる。
③ 審理員は、前二項の規定による意見の聴取を行ったときは、遅滞なく、第31条から前条までに定める審理手続の期日及び場所並びに第41条第1項の規定による審理手続の終結の予定時期を決定し、これらを審理関係人に通知するものとする。当該予定時期を変更したときも、同様とする。

（本条の趣旨）
本条は、審理すべき事項が多数または錯綜しており、弁明書、反論書、意見

第37条（審理手続の計画的遂行）

書のみでは，審査請求の趣旨，争点等を明確に認識することが困難な場合等において，審理員と審理関係人が一堂に会し，審査請求人または参加人が口頭意見陳述，参考人陳述等の申立ての審理手続に関する意見を述べ，審理員が申立ての趣旨および理由等について質問し，主張および立証事項を明確にすることを規定している。審理手続の計画的遂行を可能にするため，審理関係人を招集し，あらかじめ，審理手続の申立てに関する意見の聴取を行う権限を審理員に付与するものである。

(1) 「審理すべき事項が多数であり又は錯綜しているなど事件が複雑であることその他の事情により，迅速かつ公正な審理を行うため，第31条から前条までに定める審理手続を計画的に遂行する必要があると認める場合には」（1項）

「審理すべき事項が多数であり又は錯綜しているなど事件が複雑であること」とは，本法31条から36条までに定める手続をとる必要がある事項が多いこと，たとえば，多数の参考人に陳述を求める必要があったり，多分野にわたる専門家の鑑定を求める必要がある場合，事実関係が複雑であったり，審査請求の内容が多岐にわたり，処分庁等の弁明書，審査請求人の反論書，参加人の意見書を読むのみでは，争点を明確に理解することが困難な場合等である。

「その他の事情」とは，審査請求の趣旨・内容に不明瞭な点がある場合等である。処分についての審査請求の場合，処分時に理由が提示されるのが原則であり（行政手続法8条1項本文，14条1項本文），さらに，処分庁の弁明書，審査請求人の反論書，参加人がいる場合にはその意見書が提出され，それらに基づき，審理員が事案の概要，論点を理解し，物件提出の要求や参考人陳述の必要性等について適切に判断できることも少なくないと考えられる。しかし，上記のような複雑な事案では，審理員が審理関係人を招集し，口頭で事後の審理手続についての意見を聴取し，必要に応じ質問を行い，争点等の整理を行うことは，公正で迅速な審理に資するものと思われる。そこで，本条は，民事訴訟法147条の3第1項（「裁判所は，審理すべき事項が多数であり又は錯そうしているなど事件が複雑であることその他の事情によりその適正かつ迅速な審理を行うため必要があると認められるときは，当事者双方と協議をし，その結果を踏まえて審理の計画を定めなければならない」），刑事訴訟法316条の2第1項（「裁判所は，充実した公判の審

理を継続的，計画的かつ迅速に行うため必要があると認めるときは，検察官及び被告人又は弁護人の意見を聴いて，第一回公判期日前に，決定で，事件の争点及び証拠を整理するための公判準備として，事件を公判前整理手続に付することができる」），労働組合法27条の6第1項（「労働委員会は，審問開始前に，当事者双方の意見を聴いて，審査の計画を定めなければならない」）等を参考にして，計画的審理の進行のための意見聴取手続について定めている。

(2) 「迅速かつ公正な審理を行うため」(1項)

国民が簡易迅速かつ公正な手続の下で広く行政庁に対する不服申立てをすることができるための制度を定めることにより，国民の権利利益の救済を図るとともに，行政の適正な運営を確保することが本法の目的（1条1項）であるので，「迅速かつ公正な審理」は，全ての審査請求事件で求められる。

(3) 「第31条から前条までに定める審理手続」(1項)

口頭意見陳述（31条），証拠書類等の提出（32条），物件の提出要求（33条），参考人の陳述および鑑定の要求（34条），検証（35条），審理関係人への質問（36条）の手続である。これらの審理手続は，処分庁等の弁明書，審査請求人の反論書，参加人の意見書の提出後に行われるものと想定され，また，審査請求人および参加人に申立てを認めている手続が多いので，申立ての有無を事前に審理員が把握して審理手続を計画することが有益であるため，本項の対象としている。

(4) 「計画的に遂行する必要があると認める場合」(1項)

各審理手続を実施する日時，同一の審理日における審理手続の順序，審理手続の終結予定日を事前に定めて計画的に審理手続を実施する必要がある場合を意味する。

(5) 「期日及び場所を指定して」(1項)

指定権限は審理員にあるが，審理関係人が出頭可能な期日および場所であるべきなので，審理員は，審理関係人の都合を事前に確認した上で，期日および場所を指定する必要がある。

第 37 条（審理手続の計画的遂行）

(6) 「審理関係人を招集し」（1 項）

　口頭意見陳述については「全ての審理関係人を招集し」（本法 31 条 2 項）とされているのに対し，本項では「審理関係人を招集し」と規定しているのは，本項の手続は，審理手続の計画的な進行のための準備手続にとどまるので，全ての審理関係人が出頭することが望ましいとはいえ，それを要件とはせず，必要な範囲の審理関係人のみを招集することも認める趣旨である。また，全ての審理関係人が出頭する予定であったが，一部の審理関係人が出頭しなかった場合においても，出頭した審理関係人のみで本項の意見の聴取手続を支障なく実施できる場合には，当日にこの手続を実施することができ，改めて本項の意見聴取手続をやり直す必要はない。

(7) 「あらかじめ」（1 項）

　本法 31 条から 36 条までの手続を行う前に，という意味である。通常は，弁明書，反論書，意見書の提出後に本項の意見聴取手続が行われることになると考えられるが，弁明書の提出後，反論書の提出前に本項の意見聴取手続を行ったり，本法 31 条の口頭意見陳述手続を実施した後に，本法 32 条から 36 条までの手続を計画的に進行させるために，本項の意見聴取手続を行うことも審理員の裁量により認められる。

(8) 「これらの審理手続の申立てに関する意見の聴取」（1 項）

　審理員が審理関係人から，本法 31 条および本法 33 条から 36 条までの手続についての審査請求人または参加人の申立て，本法 32 条の証拠書類等の提出の申出の有無，申立てまたは申出がある場合にはその内容および理由等を聴取することを意味する。本項の意見聴取は，「審理手続の申立てに関する意見」のみを対象としており，審理関係人は，本項の手続において，それ以外の意見（処分の違法性または不当性等）を述べることはできない。また，審理員も，審理関係人の主張の内容について質問するような場合には，本法 36 条の規定に基づき行うことになり，本項の規定に基づく意見聴取は，それとは区別されるべきである。

(9) 「行うことができる」(1項)

本項の意見聴取手続を行うことが義務づけられているわけではなく，この手続を行うか否かは審理員の裁量に委ねられている。

(10) 「審理関係人が遠隔の地に居住している場合」(2項)

審理関係人のうちのいずれかが意見聴取手続の実施場所から遠く離れた場所に居住している場合である。

(11) 「その他相当と認める場合」(2項)

遠隔の地に居住しているわけではないが，病気，怪我等により，出頭することが困難な場合，一堂に会さなくても，審理員が審査請求人もしくは参加人または処分庁等と個別に電話で通信を行うことにより意見聴取の目的を達することができる場合等である。

(12) 「政令で定めるところにより」(2項)

民事訴訟法170条3項本文（「裁判所は，当事者が遠隔の地に居住しているときその他相当と認めるときは，当事者の意見を聴いて，最高裁判所規則で定めるところにより，裁判所及び当事者双方が音声の送受信により同時に通話をすることができる方法によって，弁論準備手続の期日における手続を行うことができる」）の委任に基づく民事訴訟規則88条2項（「裁判所及び当事者双方が音声の送受信により同時に通話をすることができる方法によって弁論準備手続の期日における手続を行うときは，裁判所又は受命裁判官は，通話者及び通話先の場所の確認をしなければならない」）が定める通話者および通話先の場所の確認の義務が政令で定められている（本法施行令9条）。民事訴訟法92条の2（専門委員の関与）1項または2項の期日において，同法92条の3（音声の送受信による通話の方法による専門委員の関与）に規定する方法によって専門委員に説明または発問をさせるときも，裁判所は，通話者および通話先の場所の確認を義務づけられている（民事訴訟規則34条の7）。

本法施行令9条の「通話者」とは，審理員と電話で通話をする相手方を意味し，その確認が義務づけられているのは，通話者が審理関係人であることを確認するためである。「通話者」が審査請求人であるときには，審査請求人が個人の場合には当該個人，法人の場合にはその代表者，法人でない団体の場合に

第37条（審理手続の計画的遂行）

はその代表者または管理人，総代が互選されている場合には当該総代，審査請求が代理人によって行われている場合には当該代理人が「通話者」となることができる。

「通話先の場所」は，通話時に通話者が所在する場所を意味し，その確認が義務づけられているのは，電話による意見聴取の要件である「審理関係人が遠隔の地に居住している場合その他相当と認める場合」の判断に当たり，「通話先の場所」が重要な考慮要素になるからである。民事訴訟においては，「通話先の場所」の確認方法は裁判所の運用に委ねられており，携帯電話の使用も否定されていないが，審理関係人またはその代理人の自宅または勤務場所の固定電話が使用されることが通常であると思われる（民事訴訟においては，弁護士が代理人になるのが一般的であるため，通常は，弁護士事務所の固定電話への連絡により「通話先の場所」の確認が行われている）。

なお，民事訴訟規則34条の7，88条においては，音声の送受信の方法により説明または発問をさせたときは，その旨および通話先の電話番号を調書に記載しなければならず，通話先の電話番号に加えてその場所を記載することができることとされている（民事訴訟規則34条の7第1項・2項，88条2項・3項）。しかし，本法においては，調書などの作成は，旧行政不服審査法と同様，運用に委ねることとしているため，それに相当する規定は設けられていない。

⑬ 「審理員及び審理関係人が音声の送受信により通話をすることができる方法によって」（2項）

「音声の送受信により通話をすることができる方法」とは，電話による通話を意味する。総務省行政不服審査制度検討会最終報告では，電子メールを利用する方法による争点および証拠の整理も認めるべきとしていたが，本条は，書面による通信では主張および立証事項を明確にすることが困難な事案において，口頭での説明，質問を通じて，主張および立証事項の明確化を図ることを意図している。そこで，かかる口頭による意見聴取の意義を重視して，本項では，電子メールについては規定していない。もっとも，審理関係人が同意する場合には，電子メールによる方法も運用上認めてよいと思われる。

「審理員及び審理関係人が……通話をする」とは，審理員と審理関係人全員が通話する必要はなく，審理員と一部の審理関係人の通話も認められる。民事

本論 第2章 審査請求

訴訟法170条3項ただし書は，当事者の一方が期日に出頭することを電話による弁論準備手続の実施の要件としているが，本項は，審理手続の簡易迅速な実施を目的とするものであり，このような要件は課されていない。具体的に想定されるのは，審理員が審査庁の所在する本省庁舎を意見聴取手続を実施する場所として指定したが，審査請求人は遠隔地に居住し上京が困難なため，処分庁等の職員は本省庁舎に出頭するが，審査請求人の意見聴取は本省庁舎に所在する審理員が通話により行う場合や，地方支分部局の長が処分庁等であるときに，当該処分庁等の所在する地方支分部局庁舎を意見聴取手続を実施する場所として指定し，審査請求人と処分庁等の職員は地方支分部局庁舎に出頭するが，審理員は審査庁の所在する本省庁舎から電話で審査請求人および処分庁等の職員の意見を聴取する場合等が考えられる。

⒁ 「前項に規定する意見の聴取を行うことができる」（2項）

「前項に規定する意見の聴取」とは，本法31条から36条までに定める審理手続を計画的に遂行する必要があると認める場合に，期日および場所を指定して，審理関係人を招集し，あらかじめ，これらの審理手続の申立てに関して行う意見の聴取である。「行うことができる」と定められているように，本項の電話による意見の聴取を行うか否かは，審理員の裁量に委ねられている。

⒂ 「前二項の規定による意見の聴取を行ったときは」（3項）

審理手続の計画的遂行のための意見聴取を行ったときであり，本条2項の規定に基づき電話で行った場合を含む。

⒃ 「遅滞なく」（3項）

「直ちに」「速やかに」と比較して時間の余裕を与える「遅滞なく」という表現になっているのは，意見聴取手続の場において申立ての採否や期日等を即断することが困難な場合もありうることから，正当な理由があれば，後日，合理的期間内に決定することを容認する趣旨である。

⒄ 「第31条から前条までに定める審理手続の期日及び場所」（3項）

本法31条から36条までに定める審理手続の期日および場所である。口頭意

見陳述（31条），参考人の陳述および鑑定の要求（34条），検証（35条），審理関係人への質問（36条）の手続については，それを実施する期日および場所，証拠書類等の提出（32条），物件の提出要求（33条）については，それらを提出すべき相当の期間の終期を意味する。

⒅ 「第41条第1項の規定による審理手続の終結の予定時期」（3項）

　本法41条1項は，審理員が必要な審理を終えたと認めるときに審理手続を終結するものとすると定めている。本法31条から36条までの審理手続を計画に従って実施すれば必要な審理を終了すると見込まれる最終期日が本項でいう「審理手続の終結の予定時期」である。民事訴訟法147条の3第2項3号において，審理計画に「口頭弁論の終結及び判決の言渡しの予定時期」を定めるとしていること，労働組合法27条の6第2項3号において，「命令の交付の予定時期」を定めるとしていることを参考にしている。本項に基づき定める「審理手続の終結の予定時期」は，当該時期までに審理を終結する義務を審理員に課すものではない。本項が，本法41条1項の規定による審理手続の終結の予定時期についてのみ決定する義務を審理員に課し，同条2項の規定による審理手続の終結の予定時期について決定する義務を課していないのは，同項の場合，相当の期間内に弁明書，反論書，意見書，証拠書類もしくは証拠物または書類その他の物件等が提出されなかったり，申立人が正当な理由なく口頭意見陳述に出頭しないという計画に反する事態が生じた場合における審理の終結であるからである。

⒆ 「これらを審理関係人に通知するものとする」（3項）

　意見聴取手続は審理手続の計画的進行による迅速化のために実施されるので，審理の計画について，審理員および審理関係人が認識を共有し，事後の審理手続について協力する必要がある。また，審理手続の透明性を確保する観点からも，決定された審理計画を全ての審理関係人に周知する必要がある。そこで，審理予定を審理関係人全員に通知する義務を審理員に課している。通知の方法については法定されておらず，審理員の裁量に委ねられているが，確実な通知を行い，かつ，後日の紛争を回避するために書面で行うことが望ましいと思われる。

本論　第2章　審査請求

⑳　「当該予定時期を変更したときも，同様とする」（3項）

　当初の審理計画をその後の事情により変更することが必要になる場合がありうる。かかる場合には，審理計画の変更をせざるをえないが，変更後の審理手続の終結の予定時期も，全ての審理関係人に通知する必要がある。そこで，変更後の審理手続の終結の予定時期を全ての審理関係人に通知する義務を審理員に課している。

（審査請求人等による提出書類等の閲覧等）
第38条①　審査請求人又は参加人は，第41条第1項又は第2項の規定により審理手続が終結するまでの間，審理員に対し，提出書類等（第29条第4項各号に掲げる書面又は第32条第1項若しくは第2項若しくは第33条の規定により提出された書類その他の物件をいう。次項において同じ。）の閲覧（電磁的記録（電子的方式，磁気的方式その他人の知覚によっては認識することができない方式で作られる記録であって，電子計算機による情報処理の用に供されるものをいう。以下同じ。）にあっては，記録された事項を審査庁が定める方法により表示したものの閲覧）又は当該書面若しくは当該書類の写し若しくは当該電磁的記録に記録された事項を記載した書面の交付を求めることができる。この場合において，審理員は，第三者の利益を害するおそれがあると認めるとき，その他正当な理由があるときでなければ，その閲覧又は交付を拒むことができない。
②　審理員は，前項の規定による閲覧をさせ，又は同項の規定による交付をしようとするときは，当該閲覧又は交付に係る提出書類等の提出人の意見を聴かなければならない。ただし，審理員が，その必要がないと認めるときは，この限りでない。
③　審理員は，第1項の規定による閲覧について，日時及び場所を指定することができる。
④　第1項の規定による交付を受ける審査請求人又は参加人は，政令で定めるところにより，実費の範囲内において政令で定める額の手数料を納めなければならない。
⑤　審理員は，経済的困難その他特別の理由があると認めるときは，政令で定めるところにより，前項の手数料を減額し，又は免除することができる。

⑥　地方公共団体（都道府県，市町村及び特別区並びに地方公共団体の組合に限る。以下同じ。）に所属する行政庁が審査庁である場合における前二項の規定の適用については，これらの規定中「政令」とあるのは，「条例」とし，国又は地方公共団体に所属しない行政庁が審査庁である場合におけるこれらの規定の適用については，これらの規定中「政令で」とあるのは，「審査庁が」とする。

（本条の趣旨）
　審査請求人または参加人が，効果的な主張立証を行うためには，処分の根拠となった書類その他の物件を知る必要がある。そこで，本条は，審査請求人および参加人に，提出書類等の閲覧および写しの交付請求権を付与し，請求拒否事由，提出書類等の提出人の意見聴取義務，写しの交付の手数料について定めるものである。

(1)　「審査請求人又は参加人は」（1 項前段）
　審査請求人または参加人は，処分の根拠を正確に認識できなければ，有効な反論はできない。そこで，審査請求人または参加人の手続的権利として，本項は，提出書類等の閲覧等の権利について定めている。そのため，審理関係人である処分庁等は本項の請求をすることはできない。

(2)　「第 41 条第 1 項又は第 2 項の規定により審理手続が終結するまでの間」（1 項前段）
　本項が定める提出書類等の閲覧等の権利は，審査請求人または参加人が審理手続において有効な主張・立証をすることが可能になるように認められたものである。したがって，この権利を行使できるのは審理手続が終結するまでの間であり，審理手続終結後は行使することはできない。旧行政不服審査法 33 条 2 項では，物件閲覧請求権の行使の期限が明記されていなかったが，本項は，この点を明確にしている。

(3)「審理員に対し」(1項前段)

本項が定める閲覧等の権利は、審理員に対して行使するものであって、審理員に書類等を提出した者に対して行使するのではない。

(4)「提出書類等（第29条第4項各号に掲げる書面又は第32条第1項若しくは第2項若しくは第33条の規定により提出された書類その他の物件をいう。次項において同じ。）」(1項前段)

旧行政不服審査法33条2項前段は、処分庁から審査庁に提出された書類その他の物件の閲覧請求権を審査請求人および参加人に付与していた。しかし、閲覧請求権の対象が処分庁から提出されたものに限定されていることについては批判があった。また、行政手続法は聴聞手続における文書等閲覧請求権の対象を「当該事案についてした調査の結果に係る調書その他の当該不利益処分の原因となる事実を証する資料」（同法18条1項前段）としていたため、それとの対比においても、旧行政不服審査法33条2項前段の対象が限定されすぎているという批判がなされていた。そのことも踏まえ、本項は、閲覧等の請求権の対象を処分庁等から提出されたものに限定せず、また、処分庁等以外の所持人から物件の提出要求を受けて提出された物件等も含め対象を拡大している。

「第29条第4項各号に掲げる書面」とは、行政手続法24条1項の調書および同条3項の報告書（本法29条4項1号）ならびに同法29条1項に規定する弁明書（本法29条4項2号）である。「第32条第1項若しくは第2項……の規定により提出された書類その他の物件」とは、審査請求人もしくは参加人が提出した証拠書類もしくは証拠物（本法32条1項）または処分庁等が提出した「当該処分の理由となる事実を証する書類その他の物件」（同条2項）である。「第33条の規定により提出された書類その他の物件」とは、審理員が、所持人に対し提出を求めて提出された書類その他の物件である。

審理員の作成した文書は、閲覧・写しの交付等の請求の対象にはなっていないが、衆議院総務委員会において、「審理手続における審理関係人又は参考人の陳述の内容が記載された文書の閲覧・謄写について、審理の簡易迅速性の要請も踏まえつつ検討を行うこと」（平成26年5月20日）、参議院総務委員会において、「証拠書類の閲覧・謄写については、審理手続における審査請求人の権利の拡充や透明性の向上を踏まえ、適切な主張・立証ができるよう、審理関係

第38条（審査請求人等による提出書類等の閲覧等）

人又は参考人の陳述内容が記載された文書の閲覧，謄写等について，今後とも検討すること」（平成26年6月5日）という附帯決議がなされている。

(5) 「閲覧（電磁的記録（電子的方式，磁気的方式その他人の知覚によっては認識することができない方式で作られる記録であって，電子計算機による情報処理の用に供されるものをいう。以下同じ。）にあっては，記録された事項を審査庁が定める方法により表示したものの閲覧）」（1項前段）

「電磁的記録」という文言は，「電子的方式，磁気的方式その他人の知覚によっては認識することができない方式で作られた記録」（行政機関情報公開法2条2項本文）のように，「電子計算機による情報処理の用に供されるもの」という限定を付さず，録音テープ，録画テープを含む意味で用いられることもあるが（宇賀克也・新・情報公開法の逐条解説〔第7版〕〔有斐閣，2016年〕46頁参照），一般には，本項と同様，「電子計算機による情報処理の用に供されるもの」という限定を付している（刑法7条の2，電子署名及び認証業務に関する法律2条1項，情報通信技術利用法2条5号参照）。

本項に規定する閲覧の対象となる物件には，情報通信技術利用法2条3号が定義する書面等（書面，書類，文書，謄本，抄本，正本，副本，複本その他文字，図形等人の知覚によって認識することができる情報が記載された紙その他の有体物）に限らず，同法3条1項の規定に基づき，書面等の提出に代えて電子情報処理組織（行政機関等の使用に係る電子計算機〔入出力装置を含む〕と申請等をする者の使用に係る電子計算機とを電気通信回線で接続した電子情報処理組織をいう）を使用して申請等（同法2条6号）により提出された電磁的記録の場合もありうる。かかる場合には，電磁的記録の閲覧を認めることになるが，その方法については審査庁が定めることになる。具体的には，電磁的記録を端末の画面に表示して閲覧をさせたり，電磁的記録をプリントアウトし，当該書面を閲覧させる方法等が考えられる。

(6) 「当該書面」（1項前段）

本法29条4項に規定する行政手続法24条1項の聴聞調書および同条3項の報告書ならびに同法29条1項に規定する弁明書を意味する。

(7) 「当該書類」（1項前段）

「当該書類」とは，(i)本法32条1項の規定に基づき審査請求人もしくは参加人が提出した書類または同条2項の規定に基づき処分庁等が提出した書類，(ii)本法33条の規定に基づく物件の提出の求めに応じて提出された書類を意味する。

(8) 「当該電磁的記録に記録された事項を記載した書面」（1項前段）

当該電磁的記録をプリントアウトしたものを意味する。

(9) 「閲覧……又は……交付を求めることができる」（1項前段）

旧行政不服審査法33条2項前段は，閲覧請求権のみを認めていた。総務省行政不服審査制度検討会は，写しの交付請求権を認めるか否かは，立法時までに検討して結論を出すべきと提言していたが，結局，対象文書が膨大になる場合の行政事務のコスト等を考慮して，平成20年法案37条1項前段は，写しの交付等の請求権を認めなかった。行政手続法18条1項前段の文書等閲覧請求権の規定も写しの交付等の請求権までは認めていない。しかし，行政救済制度検討チームは，写しの交付等の請求権も認めたうえで，大量請求により審査庁に過大な負担が生ずる場合に拒否するためのガイドラインを作成することを提言していた。また，2013（平成25）年に，総務省が行ったヒアリングにおいて，写しの交付請求権が認められないことから，メモをとるために膨大な手間がかかっている等の事実が報告されたことにもかんがみ，本項は，写しの交付等の請求権も認めることとしている。

閲覧は無料であるため，その求めの方法は運用に委ねられているが，写し等の交付は有料であるため，交付を受ける者の意図を確実に把握して誤りなきを期すため，その求めは書面で行わなければならないこととし，書面には，(i)交付に係る対象書面等または交付に係る対象電磁的記録を特定するに足りる事項，(ii)対象書面等または対象電磁的記録について求める交付の方法，(iii)対象書面等または対象電磁的記録について送付による交付を求める場合にあっては，その旨を記載しなければならないこととしている（本法施行令10条）。(ii)の求める交付の方法は，①対象書面等の写しの交付にあっては，当該対象書面等を複写機により用紙の片面または両面に白黒またはカラーで複写したものの交付，②対

第38条（審査請求人等による提出書類等の閲覧等）

象電磁的記録に記録された事項を記載した書面の交付にあっては，当該事項を用紙の片面または両面に白黒またはカラーで出力したものの交付，③情報通信技術利用法4条1項の規定により同項に規定する電子情報処理組織を使用して行う方法（同11条）から選択することになる。写し等の交付を求める者の希望通りに交付の方法が定まるわけでは必ずしもなく（この点で行政機関情報公開法，独立行政法人等情報公開法と異なる），決定権は審理員にあるが，審理員が交付の方法を決定するに当たり，写し等の交付を求める者の希望を把握するために，(ii)の記載を義務づけているのである。③については，行政機関情報公開法施行令9条2項1号柱書においては，オンラインによる開示請求があった場合に限り，オンラインによる交付を認めているのに対し，本法38条1項の規定に基づく交付の場合には，そのような制限は規定されていない。その理由は，審理員は③の方法による交付を希望する審査請求人または参加人に対して，オンラインによる送付が可能かを直接確認することが可能と考えられるからである。

閲覧または写しの交付等を請求する権利を行使するためには，書面，書類等の提出を受けた審理員がその都度，かかる提出があったことを審査請求人，参加人に通知する運用とすることが望ましい。

本法38条1項の規定により，審査請求人等の提出書類等の写しの交付を受ける審査請求人等は，同条4項の規定により納付しなければならない手数料のほか送付に要する費用を納付して，対象書面等の写し，または対象電磁的記録に記録された事項を記載した書面の送付を求めることができる（本法施行令14条1項）。この場合において，当該送付に要する費用は，(i)郵便切手または総務大臣が定めるこれに類する証票で納付する方法，(ii)情報通信技術利用法3条1項の規定により同項に規定する電子情報処理組織を使用して本法38条1項（本法66条1項において読み替えて再審査請求に準用する場合を含む。）の規定による交付の求めをした場合において，当該求めにより得られた納付情報により納付する方法（歳入金電子納付システムにより納付する方法）により納付しなければならない（本法施行規則3条）。国に所属しない行政庁が審査庁である場合には，送付に要する費用は，審査庁が定める方法により納付することになる（本法施行令14条2項）。

⑽　「この場合において，**審理員は，第三者の利益を害するおそれがある**

と認めるとき，その他正当な理由があるときでなければ，その閲覧又は交付を拒むことができない」（1項後段）

「第三者の利益を害するおそれがあると認めるとき」とは，第三者のプライバシーを侵害するおそれがあるとき（行政機関個人情報保護法14条2号に該当）や，第三者の営業秘密を漏洩するおそれがあるとき（同条3号に該当）等である。「その他正当な理由があるとき」とは，監査の手法等が明らかになり当該事務の適正な遂行に支障を及ぼすおそれがあるとき（同条7号に該当）等である（閲覧請求を拒否できる正当な理由については，行政手続法18条1項後段，不動産登記法141条1項後段の解釈も参照）。

(11) 「審理員は，前項の規定による閲覧をさせ，又は同項の規定による交付をしようとするときは，当該閲覧又は交付に係る提出書類等の提出人の意見を聴かなければならない」（2項本文）

平成20年法案にはなかった規定であり，本項で新設された規定である。審査請求人または参加人から閲覧または写しの交付等の請求があった場合，第三者の権利利益を害することがないように，当該閲覧または交付等に係る提出書類等の提出人の意見を聴くことを審理員に義務づけている。情報公開・個人情報保護審査会設置法施行令4条は，「審査会は，審査会に提出された意見書又は資料について，法第9条第4項の規定に基づき鑑定を求め，又は法第13条第1項の規定に基づき閲覧をさせようとするときは，当該意見書又は資料を提出した不服申立人，参加人又は諮問庁の意見を聴かなければならない。ただし，審査会が，その必要がないと認めるときは，この限りでない」と定めているが，本項は，閲覧のみならず写しの交付等の請求権も認めていることにも照らし，政令ではなく法律自身で，提出書類等の提出人の意見を聴取する義務を定めている。もっとも，本項による意見聴取は，参考意見としての聴取であり，提出者に拒否権を与えるものではない。

(12) 「ただし，審理員が，その必要がないと認めるときは，この限りでない」（2項ただし書）

提出者の意見を聴くまでもなく閲覧等の請求に対する判断を審理員が行うことが可能な場合には，意見を聴く必要はない。

⑬ 「審理員は,第1項の規定による閲覧について,日時及び場所を指定することができる」(3項)

　この指定については審理員の裁量に委ねられているが,閲覧請求者の便宜に配慮して日時および場所を指定すべきであり,社会通念上不合理な指定を行った場合,裁量権の逸脱・濫用になりうる。

⑭ 「第1項の規定による交付を受ける審査請求人又は参加人」(4項)

　本条1項の規定に基づき,(i)行政手続法24条1項の調書および同条3項の報告書(本法29条4項1号)ならびに同法29条1項に規定する弁明書(本法29条4項2号),(ii)審査請求人もしくは参加人が提出した証拠書類もしくは証拠物(本法32条1項)または処分庁等が提出した「当該処分の理由となる事実を証する書類その他の物件」(同条2項),(iii)審理員が所持人に対し提出を求めて提出された書類その他の物件,(iv)上記(i)〜(iii)が電磁的記録に記録された場合,当該事項を記載した書面の交付を受ける審査請求人または参加人である。

　行政機関情報公開法16条1項,独立行政法人等情報公開法17条1項の規定に基づく手数料の場合,閲覧についても手数料を徴収することとしているのに対し,本項は閲覧については手数料を徴収しないこととしている。情報公開法制の場合,国民主権の理念に基づき政府または独立行政法人等が説明責務を全うすることを目的としているので,何人にも,目的・理由を問わず開示請求が認められる客観的情報開示請求制度が採用されている。そのため,一部の者がそれを利用することにより生ずる行政コストを全て租税等の一般財源で負担すべきではなく,受益者にも一部とはいえ負担を求めるべきとするのが社会通念と考えられる。これに対し,本条1項が定める閲覧請求権が認められたのは,審査請求人が反論書で,利害関係人が意見書で反論,意見を述べ,また,その後の口頭意見陳述の手続等において主張・立証を行う場合において,その実効性を確保するためには,処分庁等の弁明の根拠となる資料にアクセスし,その内容を知ることが不可欠であり,また,それにより情報の非対称性を是正しなければ審査請求の公正な審理は達成できないからである。旧行政不服審査法33条2項の物件閲覧請求権,行政手続法18条1項の文書等閲覧請求権についても,防御権のための手続的保障としての主観的情報開示請求制度(客観的情報開示請求制度,主観的情報開示請求制度については,宇賀・新・情報公開法の逐条解

説〔第7版〕2頁参照）である閲覧の性質に照らし，手数料を徴収していない。以上にかんがみ，本項においては，閲覧の手数料は徴収しないこととしている。

他方において，写し等の交付については，主観的情報開示請求制度であっても，閲覧の場合と異なり，審査庁に発生する行政コストを全て一般財源で賄うことが社会通念上，支持されているとは考えられず，客観的情報開示請求制度である情報公開法制においてすら，写し等の交付については手数料を徴収していることとの均衡を失することになる。また，行政機関個人情報保護法26条1項，独立行政法人等個人情報保護法26条1項の規定により自己情報の開示請求をする場合であっても手数料負担が発生するのであるから，本項の規定に基づく写しの交付に対する手数料を徴収しないこととすれば，無料で自己情報の開示請求をする手段として，審査請求が行われるおそれも皆無とはいえない。そこで，写し等の交付については手数料を徴収することとしている。

⑮ 「政令で定めるところにより」（4項）

財政法2条1項は，国の「収入とは，国の各般の需要を充たすための支払の財源となるべき現金の収納」をいうとし，現金主義が採られているが，「印紙をもってする歳入金納付に関する法律」1条は，「国に納付する手数料，罰金，科料，過料，刑事追徴金，訴訟費用，非訟事件の費用及び少年法（昭和23年法律第168号）第31条第1項の規定により徴収する費用は，印紙をもって，これを納付せしめることができる。但し，印紙をもって納付せしめることのできる手数料の種目は，各省各庁の長（財政法（昭和22年法律第34号）第20条第2項に規定する各省各庁の長をいう。）が，これを定める」と規定している。本法施行令12条2項は，行政機関情報公開法施行令，行政機関個人情報保護法施行令と同様，収入印紙による納付を原則としている。その理由は，手数料の納付方法として収入印紙が広範に用いられており，郵送により写しの交付が請求されたり，手数料の納付がされる場合もありうるので，手数料の納付・徴収を安全かつ効率的に行うには，収入印紙による納付が適切と考えられるからである。なお，審査請求人または参加人が写しの交付を請求する時点では，手数料額を具体的に知ることができない場合があると考えられるので，写しの交付請求書に収入印紙を貼付するのではなく，写しの交付請求に対する諾否の応答を通知する際に，（請求を全部または一部に認容する場合）必要な手数料

第38条（審査請求人等による提出書類等の閲覧等）

の額も通知し収入印紙を貼付する用紙も同封する運用が考えられる。

　ただし，収入印紙による納付が適当でない場合または審査庁が審査請求人または参加人の便宜を考慮して収入印紙以外の方法による納付を認める場合には，収入印紙による納付の原則の例外が認められている（本法施行令12条2項ただし書）。すなわち，(i)手数料の納付について収入印紙によることが適当でない審査請求として審査庁がその範囲および手数料の納付の方法を官報により公示した場合において，公示された方法により手数料を納付する場合（(iii)に掲げる場合を除く），(ii)審査庁の事務所において手数料の納付を現金ですることが可能である旨および当該事務所の所在地を当該審査庁が官報により公示した場合において，手数料を当該事務所において現金で納付する場合（(iii)に掲げる場合を除く），(iii)情報通信技術利用法3条1項の規定により同項に規定する電子情報処理組織を使用して本条1項の規定による交付を求める場合において，総務省令で定める方法により手数料を納付する場合，の3つの場合に例外が認められている。以下，それぞれについて敷衍する。

　(i)については，収入印紙による納付の場合，その収入は一般会計に入るため，審査請求に係る事務を処理する部局・機関が特別会計により運営されている場合には，収入印紙による納付は適当ではない。そこで，かかる場合に，審査庁がその範囲および手数料の納付の方法を官報により公示し，公示された方法により手数料を納付することが認められている（行政機関情報公開法施行令13条3項1号，行政機関個人情報保護法施行令18条3項1号参照）。なお，行政機関情報公開法施行令15条，行政機関個人情報保護法施行令21条は，行政機関の長の権限を当該行政機関の部局または機関に委任することができる旨を規定しているので，手数料の納付方法について収入印紙によることが適当か否かも，当該部局または機関ごとに判断することとされているが，本法施行令には，審査庁の権限をその部局または機関に委任する旨の規定は設けられていないので，行政機関情報公開法施行令13条3項1号ロ，行政機関個人情報保護法施行令18条3項1号ロと異なり，部局または機関を公示するのではなく，収入印紙による手数料納付が適当でない審査請求の範囲と，その場合の手数料の納付方法を公示することとされている。また，手数料の納付について収入印紙によることが適当でない場合の中には，(iii)による場合がありうるので，「第3号に掲げる場合を除く」としている。

本論　第2章　審査請求

(ii)は，収入印紙による納付が不適当であるわけではないが，審査庁が審査請求人または参加人の便宜を考慮して，公示された事務所に赴いて現金で手数料を納付することが認められる場合である（行政機関情報公開法施行令13条3項2号，行政機関個人情報保護法施行令18条3項2号参照）。この場合にも，(iii)による場合がありうるので，「次号に掲げる場合を除く」としている。

(iii)は，オンラインで本条1項の写しの交付申請がされた場合，書面に収入印紙を貼付して手数料を納付することを義務づけることは適当ではないので，収入印紙による納付原則の例外を認め，具体的な納付方法は，総務省令で定められている。すなわち，オンラインによる交付請求により得られた納付情報により納付する方法（インターネットバンキングやATMによる電子納付等の歳入金電子納付システムにより納付する方法）を原則とするが，審査庁または再審査庁は，①審査庁または再審査庁が指定する書面に収入印紙を貼って納付する方法，②本法施行令12条2項1号（同令19条1項において準用する場合を含む）の規定による公示をした審査庁または再審査庁にあっては，行政機関の保有する情報の公開に関する法律等に基づく手数料の納付手続の特例に関する省令別紙書式の納付書により納付する方法，③本法施行令12条2項2号（本法施行令19条1項において準用する場合を含む）の規定による公示をした審査庁または再審査庁にあっては，当該審査庁または再審査庁の事務所（当該公示に係るものに限る）において現金で納付する方法により納付させることが適当と認めるときは，当該納付情報により納付する方法に加え，これらの方法を指定することができるとされている（本法施行規則2条。行政手続等における情報通信の技術の利用に関する法律の施行に伴う行政機関の保有する情報の公開に関する法律に係る対象手続等を定める省令6条1項，行政機関の保有する個人情報の保護に関する法律に係る行政手続等における情報通信の技術の利用に関する法律施行規則8条1項も参照）。国に所属しない行政庁（地方公共団体に所属する行政庁，国にも地方公共団体にも所属しない行政庁）が審査庁となる場合には，手数料の納付に必要な事項を政令で定めることは適切ではないので，本条6項で読替えを行っている（→(21)）。

(16)　「実費の範囲内において政令で定める額の手数料を納めなければならない」（4項）

「実費」とは，写し等の作成のための人件費，消耗品費，光熱費，郵送料等

第 38 条（審査請求人等による提出書類等の閲覧等）

である。「実費」を超える額の手数料を徴収することにより審査庁の所属する国，地方公共団体等が利益を得ることは適切ではないので，手数料額の上限は実費相当額としている。他方において，実費相当額ではなく，「実費の範囲内において」とされているので，政策的配慮により，実費よりも低い額とすることは可能である（「実費の額を考慮して」と規定している例として，食品衛生法 25 条 2 項参照）。行政機関情報公開法 16 条 1 項，政治資金規正法 20 条の 2 第 3 項においても，「実費の範囲内において政令で定める額」の手数料を徴収することとしている。

　手数料額を定めるに当たっては，行政機関情報公開法施行令 13 条 1 項の規定が参考にされた。同項では，開示請求に係る手数料（1 号）と開示実施手数料（2 号）について定めているが，本法施行令 12 条 1 項は，開示請求に係る手数料は徴収しないこととしている。開示請求に係る手数料は，(i)請求書の記載事項の確認等の受付事務に係る費用，(ii)開示請求に係る行政文書の探索事務に係る費用，(iii)不開示情報該当性の審査事務に係る費用，(iv)決定通知書の作成事務に係る費用，(v)決定通知書の送付事務に係る費用のうち，利用しやすい金額とするために(ii)(iii)を除き，(i)(iv)(v)を積算したものであるが，(i)(iv)(v)に係る費用は閲覧請求の場合にも同様に生ずるものであり，閲覧請求に係る手数料を徴収しない以上，写しの交付請求の場合のみ，これに対応する費用を徴収することは均衡を欠くことになるからである。そこで，開示実施手数料に相当する額のみを徴収することとし，対象書面等または対象電磁的記録を複写機で複写し，または用紙に出力して紙媒体で交付する場合には，用紙 1 枚について白黒の場合は 10 円，カラーの場合は 20 円とし，両面に複写または出力する場合には，片面を 1 枚として手数料の額を算定することとしている（本法施行令 12 条 1 項 1 号）。また，情報通信技術利用法 4 条 1 項の規定により同項に規定する電子情報処理組織を使用して交付する場合（宇賀克也・行政手続オンライン化 3 法——電子化時代の行政手続〔第一法規，2003 年〕46 頁以下，同・行政手続三法の解説 214 頁以下参照），用紙の片面に複写または出力する方法によってするとしたならば，複写され，または出力される用紙 1 枚につき 10 円の手数料を徴収することとしている（本法施行令 12 条 1 項 2 号）。

　なお，行政機関個人情報保護法に基づく開示請求の場合，本人自身の保有個人情報の開示請求に限られ，開示実施手数料として従量制で手数料を徴収しな

本論　第2章　審査請求

ければ濫用を防止できないほど大量の情報が請求されることは考え難く，行政機関情報公開法に基づく開示請求と同様，基本額（300円。オンライン申請の場合は200円）に達するまで開示実施手数料を無料とした場合，ほとんど無料になると考えられたことから，開示実施手数料という形式での手数料は徴収しないこととしている（宇賀克也・個人情報保護法の逐条解説〔第5版〕〔有斐閣，2016年〕552頁参照）。しかし，本条1項の規定に基づく写しの交付請求は，処分庁等を含む審理関係人が能動的に提出した書類に限らず，審理員の求めに応じて受動的に提出した書類も含まれ，審査請求人または参加人の個人情報が記載されたものに限られるわけでもないので，大量になることもありうる。したがって，行政機関個人情報保護法に基づく開示請求ではなく，行政機関情報公開法に基づく開示請求が行われた場合の手数料が参考にされたのである。

　なお，行政機関情報公開法16条2項，行政機関個人情報保護法26条2項は，「前項の手数料の額を定めるに当たっては，できる限り利用しやすい額とするよう配慮しなければならない」と定めている。これは，手数料額が制度の利用を妨げることのないように配慮し，開示請求制度の活用を促すという政策的配慮によるものである。これに対し，本条1項の写しの交付請求の場合，手数料の額を実費の範囲内とすることにより，手数料額が写し等の交付請求を制約しないように規定することに加えて，かかる請求の活用を促す観点から利用しやすい額とするように配慮する義務まで規定する必要はないと考えられる。そこで，行政機関情報公開法16条2項，行政機関個人情報保護法26条2項に相当する規定は置かれていない。

⒄　「審理員は，経済的困難その他特別の理由があると認めるときは，政令で定めるところにより，前項の手数料を減額し，又は免除することができる」（5項）

　行政機関情報公開法16条3項は，「行政機関の長は，経済的困難その他特別の理由があると認めるときは，政令で定めるところにより，第1項の手数料を減額し，又は免除することができる」と規定し，これを受けて，行政機関情報公開施行令14条において，手数料の減免の詳細について定められている。本項においても，経済的困難その他特別の理由があると認めるときに手数料の減免ができることとしている。

第 38 条（審査請求人等による提出書類等の閲覧等）

　具体的には，審理員は，本条 1 項の規定による交付を受ける審査請求人または参加人が経済的困難により手数料を納付する資力がないと認めるときは，交付の求め 1 件につき 2000 円を限度として，手数料を減額し，または免除することができる（本法施行令 13 条 1 項）。本項は行政機関情報公開法 16 条 3 項と同様，「経済的困難」のほかに「その他特別の理由があると認めるとき」に手数料の減免をすることができると規定している。行政機関情報公開法施行令 14 条 4 項は，「その他特別の理由があると認めるとき」として，「開示決定に係る行政文書を一定の開示の実施の方法により一般に周知させることが適当であると認めるとき」について定めている。審査請求の場合，審理の公正の観点から，交付請求を行った審査請求人または参加人に限らず，全ての審理関係人に当該書類などを交付することが適当であると審理員が判断する場合に，同様に手数料を減免すべきかが問題になる。しかし，そのような場合には，交付請求をまって交付するのではなく，審理員が能動的に交付すべきであるから，本法施行令 13 条には，「その他特別の理由があると認めるとき」の手数料減免に係る規定は設けられていない（同様の例として，行政手続における特定の個人を識別するための番号の利用等に関する法律〔以下「番号法」という〕30 条と番号法施行令 33 条参照）。手数料減免の限度額を交付の求め 1 件につき 2000 円としたのは，行政機関情報公開法施行令 14 条 1 項との均衡を考慮したものである。手数料の減額または免除を受けようとする審査請求人または参加人は，本条 1 項の規定による交付を求める際に，併せて当該減額または免除を求める旨およびその理由を記載した書面を審理員に提出しなければならない（本法施行令 13 条 2 項）。
　行政機関情報公開法施行令 14 条 2 項では，手数料の減免申請をする者は，減免を求める額も申請書に記載することになっているのに対し，本法施行令 13 条 2 項では金額が記載事項とされていないのは，以下の理由による。行政機関情報公開法に基づく開示請求を受けて開示が行われる場合，①開示請求⇒②開示決定等の通知⇒③開示の実施方法等の申出⇒④開示の実施というプロセスをたどることになり，②において，具体的な手数料額が開示請求者に通知されるので，③において具体的な減免を求める額を記載することが可能である。これに対し，本条の場合には，このような段階的プロセスを経ずに，写しの交付申請時に手数料の減免も申請することになるので，その時点では，申請者が具体的な手数料額を知り得ない場合もありうることになる。したがって，減免

を求める手数料額を必要的記載事項とすることは適当ではないのである。

　手数料の減免を申請する書面には，審査請求人または参加人が生活保護法11条1項各号に掲げる扶助を受けていることを理由とする場合にあっては当該扶助を受けていることを証明する書面を，その他の事実を理由とする場合にあっては当該事実を証明する書面を，それぞれ添付しなければならない（本法施行令13条3項）。生活保護を受けていることを証明する書面は，市または特別区にあってはその福祉事務所，町村にあっては当該町村が所在する都道府県の福祉事務所（ただし，当該町村に福祉事務所がある場合には当該福祉事務所）で交付される。「その他の事実を理由とする場合」としては，生活保護は受けていないが，それに準ずる経済状態にあるような場合であり，「当該事実を証明する書面」としては，同一世帯に属する者全員の市町村民税非課税証明書等が想定される。

⒅ 「地方公共団体（都道府県，市町村及び特別区並びに地方公共団体の組合に限る。以下同じ。）に所属する行政庁が審査庁である場合」（6項）

　地方公共団体には普通地方公共団体と特別地方公共団体がある（地方自治法1条の3第1項）。普通地方公共団体は，都道府県および市町村であり（同条2項），手数料の徴収に関する事項については条例で定めなければならない（同法228条1項前段）。

　特別地方公共団体のうち，特別区は基礎的な地方公共団体であり（同法281条の2第2項），同法228条1項前段の規定が適用され（同法283条1項），地方公共団体の組合については同法228条1項前段の規定が準用される（同法292条）。

　なお，財産区も特別地方公共団体であるが（同法1条の3第3項），本項の地方公共団体には含めていない。財産区には，市または普通地方公共団体に関する規定は一般的に適用されず，財産区の議会または総会も，必要があると認めるときに設けられるにとどまる（同法295条）。財産区管理会は必置機関ではなく（同法296条の2第1項），その権限は限られている（同法296条の3）。すなわち，基本的には，財産区の権限は，財産区が所属する市町村または特別区の議会および長が，財産区の議決機関または執行機関として行使することが想定さ

第 38 条（審査請求人等による提出書類等の閲覧等）

れているため，財産区の機関が審査庁となることは想定されないのである。

　また，合併特例区も，本項の地方公共団体には含まれていない。市町村の合併の特例に関する法律 27 条で特別地方公共団体とされている合併特例区については，その長は，合併特例区を代表し，その事務を総理し（同法 34 条 1 項），法令，合併市町村の条例または合併特例区の規約に違反しない限りにおいて，その権限に属する事務に関し，合併特例区規則を制定し（同条 5 項），予算を作成する（同法 42 条 1 項）ことができるものの，合併市町村の長が，合併特例区に係る広範な権限（同法 33 条 1 項・5 項，42 条 6 項・7 項，50 条 1 項・2 項）を有していることにかんがみれば，合併特例区の長がする処分等についての審査請求は，別段の定めがない限り，合併市町村の長に対して行われるものと考えられるためである。

⑲　「前二項の規定の適用については，これらの規定中「政令」とあるのは，「条例」とし」（6 項）

　本条 4 項の規定の適用における「政令で定めるところにより」を「条例で定めるところにより」に，「政令で定める額」を「条例で定める額」に読み替えることとしている。

⑳　「国又は地方公共団体に所属しない行政庁が審査庁である場合」（6 項）

　国にも地方公共団体にも所属しない行政庁が審査庁になる場合としては，日本弁護士連合会が行う弁護士登録の拒絶またはその不作為（弁護士法 15 条 1 項），弁護士または弁護士法人に対する懲戒（同法 60 条 1 項），指定試験機関が行う試験事務に係る処分またはその不作為（ガス事業法 49 条の 2 前段）等がある。

㉑　「これらの規定中「政令で」とあるのは，「審査庁が」とする」（6 項）

　かかる場合には，手数料に関する事項は各団体が定めるところに委ねるべきと考えられるので，本条 4 項の規定の適用における「政令で定めるところにより」を「審査庁が定めるところにより」に，「政令で定める額」を「審査庁が定める額」に読み替えることとしている。

177

本論 第2章 審査請求

> **（審理手続の併合又は分離）**
> 第39条　審理員は，必要があると認める場合には，数個の審査請求に係る審理手続を併合し，又は併合された数個の審査請求に係る審理手続を分離することができる。

（本条の趣旨）
本条は，審理を迅速かつ円滑に進行させるための審理手続の併合・分離について定めるものである。

(1)　「審理員は」
　審理手続の併合・分離は，審理手続の間に行われるものであるので，個々の審査請求事案を主宰する審理員が，相互の関連，各手続の進行状況等に照らして判断するのが適切と考えられる。そこで，審査庁ではなく審理員に審理手続の併合・分離の是非を判断させることとしている。

(2)　「必要があると認める場合には」
　審理の迅速かつ円滑な進行の促進および手続の効率化，重複の排除の観点から必要と認める場合である。

(3)　「数個の審査請求に係る審理手続を併合し，又は併合された数個の審査請求に係る審理手続を分離することができる」
　旧行政不服審査法36条においては，「審査請求を併合」，「審査請求を分離」と規定されていたが，審査請求の併合といっても審理手続の併合にすぎず，共同不服申立てになるわけではなく，併合された審査請求が1個の審査請求として扱われていたわけではなかった。したがって，併合審理された場合の裁決または異議決定は，各審査請求または異議申立てについて行わなければならず，便宜上，同一の裁決書または異議決定書において各裁決または異議決定の主文を併記し，理由の付記も共通に行っても差し支えないとされたにとどまっていた（昭和48・11・1国管（管）201号国税庁長官から国税局長，沖縄国税事務所長，税関長，沖縄地区税関長宛て通達）（行政不服審査研究会編・行政不服審査事務提要〔ぎ

第39条（審理手続の併合又は分離）・第40条（審理員による執行停止の意見書の提出）

ょうせい，加除式〕263 の 31 頁）。本条は，このことを明確にするため，「審査請求に係る審理手続を併合」，「審査請求に係る審理手続を分離」という表現を用いている。

　審査請求に係る審理手続を併合することにより，具体的に，次のような法的効果が発生することになる。第1に，併合前に1つの審査請求に参加していた者は，併合された審査請求の全てにおいて参加人の地位を得ることになり，本法 31 条 1 項の規定に基づく口頭意見陳述の申立て，本法 32 条 1 項の規定に基づく証拠書類等の提出，本法 33 条 1 項の規定に基づく物件の提出要求，本法 34 条の規定に基づく参考人の陳述および鑑定の要求，本法 35 条 1 項の規定に基づく検証の申立て，本法 36 条の規定に基づく審理関係人への質問の申立て，本法 38 条 1 項の規定に基づく提出書類等の閲覧または写し等の交付請求を行うことができる。第2に，併合前に1つの審査請求について提出された証拠書類等の物件は，併合審理される複数の審査請求の全てに共通の審理資料となる。第3に，併合審理される複数の審査請求についての弁明書等の提出書面は，これらの審査請求の全てに共通のものとして提出されることになり，共通の審理資料となる。

　審理手続の分離は，併合された審査請求のうち審理が尽くされたものがあるときに，他の審理の終了を待たず，審理を尽くした審査請求について速やかに裁決を行うことが迅速な救済に資すると考えられる場合や，審理手続を併合したことが逆に審理を遅延させていると認められるために併合決定を取り消す場合に行われることが想定される。

（審理員による執行停止の意見書の提出）
第 40 条　審理員は，必要があると認める場合には，審査庁に対し，執行停止をすべき旨の意見書を提出することができる。

（本条の趣旨）

　本条は，審理中に審理員が執行停止の必要があると認める場合に，執行停止をすべき旨の意見書を審査庁に提出する権限を審理員に付与するものである。

本論　第2章　審査請求

(1) 「審理員は」

　執行停止の権限は審査庁にあるが（本法25条2項・3項），審理を主宰する審理員が審査請求人の権利利益の救済のために執行停止をすべきと考える場合がありうる。そこで，審理員に執行停止をすべき旨の意見書の提出権限を付与している。

(2) 「必要があると認める場合には」

　一般的には，審査請求人は，審査請求の提起と同時に執行停止の申立てを行うと考えられ，審査庁は，審理員の指名を行う前に，執行停止をすべきかを判断することになると想定される。しかし，審査請求提起と同時になされた執行停止の申立てに対し，審査庁が執行停止の必要性がないと判断した場合においても，審理手続の進行過程において，審理員が執行停止の必要性があると判断する場合がありうる。また，執行停止の申立てがなされなかった場合においても，審理を主宰する過程において，審理員が執行停止の必要性を認識することもありうる。行政不服審査制度検討会最終報告においては，行政不服審査制度における執行停止の判断は，訴訟におけるそれよりも柔軟に行いうるものであることを踏まえ，審理員は，義務的執行停止の要件に該当しない場合であっても，審査請求人の救済の必要性等を考慮して，必要と認める場合には，執行停止をすべき旨の意見書を提出することができるとされている。

(3) 「審査庁に対し」

　執行停止をすべき旨の意見書の提出を受けた審査庁は，速やかに，執行停止をするかどうかを決定しなければならない（本法25条7項）。

(4) 「執行停止をすべき旨の意見書を提出することができる」

　審理員が提出することができるのは，「執行停止をすべき旨の意見書」であり，執行停止の取消しをすべき旨の意見書を提出することはできない。

（審理手続の終結）
第41条① 審理員は，必要な審理を終えたと認めるときは，審理手続を終

第 41 条（審理手続の終結）

> 結するものとする。
> ②　前項に定めるもののほか，審理員は，次の各号のいずれかに該当するときは，審理手続を終結することができる。
> 　1　次のイからホまでに掲げる規定の相当の期間内に，当該イからホまでに定める物件が提出されない場合において，更に一定の期間を示して，当該物件の提出を求めたにもかかわらず，当該提出期間内に当該物件が提出されなかったとき。
> 　　イ　第 29 条第 2 項　弁明書
> 　　ロ　第 30 条第 1 項後段　反論書
> 　　ハ　第 30 条第 2 項後段　意見書
> 　　ニ　第 32 条第 3 項　証拠書類若しくは証拠物又は書類その他の物件
> 　　ホ　第 33 条前段　書類その他の物件
> 　2　申立人が，正当な理由なく，口頭意見陳述に出頭しないとき。
> ③　審理員が前二項の規定により審理手続を終結したときは，速やかに，審理関係人に対し，審理手続を終結した旨並びに次条第 1 項に規定する審理員意見書及び事件記録（審査請求書，弁明書その他審査請求に係る事件に関する書類その他の物件のうち政令で定めるものをいう。同条第 2 項及び第 43 条第 2 項において同じ。）を審査庁に提出する予定時期を通知するものとする。当該予定時期を変更したときも，同様とする。

（本条の趣旨）

　本条は，審理員が必要な審理を終えたと認めるとき，または必要な審理を終えたとは認められないが，弁明書，反論書，意見書等の必要な書類が提出期間内に提出されなかったり，申立人が，正当な理由なく，口頭意見陳述に出頭しないときに，審理手続を終結することができる権限を審理員に付与するとともに，審理手続を終結したときに審理員がとる手続について定めるものである。

(1)　「審理員は，必要な審理を終えたと認めるときは」（1 項）

　審査請求人または参加人から口頭意見陳述の申立てがあった場合には，本法 31 条 1 項ただし書（「当該申立人の所在その他の事情により当該意見を述べる機会を与えることが困難であると認められる場合には，この限りでない」）に該当する場合

本論 第2章 審査請求

を除き，口頭意見陳述の機会を付与しなければならないから，かかる機会を付与せずに審理を終結すれば，必要な審理を終えたとはいえないので，裁決固有の瑕疵があることになる。

(2) 「審理手続」（1項）
本法28条〜40条までの審理員による審理手続である。

(3) 「前項に定めるもののほか」（2項柱書）
本条1項の規定に基づき，必要な審理を終えたと認められる場合のほかという意味である。

(4) 「次の各号のいずれかに該当するときは」（2項柱書）
審理関係人に主張および立証の機会を与えたが，審理関係人がその機会を利用しなかったときである。審理手続は公正に行われなければならないが，迅速に行われる必要もあり，審理関係人は，簡易迅速かつ公正な審理の実現のため，審理において，相互に協力するとともに，審理手続の計画的な進行を図る義務を負っている（本法28条）。このことに照らし，審理関係人が審理手続の計画的な進行を図る義務を懈怠したと認められる場合には，審理手続を終結することができることとしている。

(5) 「審理手続を終結することができる」（2項柱書）
本条1項は，必要な審理を終えたと認めるときであるので，「審理手続を終結するものとする」と定められているのに対し，本項は，提出期間内に物件が提出されなかったり，正当な理由なく口頭意見陳述に出頭しなかったとしても，そのことのみで審理を終結することを義務づけるわけではなく，審査請求事件の内容，審理の状況，審理関係人の対応等を総合考慮して，審理を継続すべき場合もありうるので，審理員の裁量で終結することを認める趣旨である。

(6) 「次のイからホまでに掲げる規定の相当の期間内に，当該イからホまでに定める物件が提出されない場合において，更に一定の期間を示して，当該物件の提出を求めたにもかかわらず，当該提出期間内に当該物件が

第 41 条（審理手続の終結）

提出されなかったとき」（2 項 1 号）

　審理員が相当の期間を定めて書面その他の物件の提出を求めたが、当該期間内に提出されなかった場合には、審理関係人の手続的権利を慎重に保障するために、更に一定の期間を示して、当該物件を提出する機会を与えることとしている。当該期間内にも当該物件等の提出がなされなかった場合には、それ以上の主張・立証の機会を付与することは、審理手続の迅速性の要請にかんがみ不要と考えられるので、審理手続を終結することができることとしている。

　民事訴訟法においても、「当事者が故意又は重大な過失により時機に後れて提出した攻撃又は防御の方法については、これにより訴訟の完結を遅延させることとなると認めたときは、裁判所は、申立てにより又は職権で、却下の決定をすることができる」こととされ（157 条 1 項）、審理の計画に特定の事項についての攻撃または防御の方法を提出すべき期間が定められている場合において、当事者がその期間の経過後に提出した攻撃または防御の方法については、これにより審理の計画に従った訴訟手続の進行に著しい支障を生ずるおそれがあると認めたときは、裁判所は、申立てにより、または職権で、却下の決定をすることができるが、「その当事者がその期間内に当該攻撃又は防御の方法を提出することができなかったことについて相当の理由があることを疎明したときは、この限りでない」とされている（157 条の 2）。

　行政手続法においても、聴聞主宰者は、当事者の全部もしくは一部が正当な理由なく聴聞の期日に出頭せず、かつ、陳述書もしくは証拠書類等を提出しない場合、または参加人の全部もしくは一部が聴聞の期日に出頭しない場合には、これらの者に対し改めて意見を述べ、および証拠書類等を提出する機会を与えることなく、聴聞を終結することができるとされ（23 条 1 項）、以上の場合のほか、「当事者の全部又は一部が聴聞の期日に出頭せず、かつ、……陳述書又は証拠書類等を提出しない場合において、これらの者の聴聞の期日への出頭が相当期間引き続き見込めないときは、これらの者に対し、期限を定めて陳述書及び証拠書類等の提出を求め、当該期限が到来したときに聴聞を終結することとすることができる」こととされている（同条 2 項）。

(7) 「第 29 条第 2 項　弁明書」（2 項 1 号イ）

　審理員が、相当の期間を定めて、処分庁等に対し提出を求めた弁明書である。

(8) 「第30条第1項後段　反論書」（2項1号ロ）

審理員が，相当の期間を定めて，審査請求人に対し提出を求めた反論書である。

(9) 「第30条第2項後段　意見書」（2項1号ハ）

審理員が，相当の期間を定めて，参加人に対し提出を求めた意見書である。

(10) 「第32条第3項　証拠書類若しくは証拠物又は書類その他の物件」（2項1号ニ）

審理関係人が提出する証拠書類もしくは証拠物または書類その他の物件であって，審理関係人が提出すべき相当の期間を定めたものである。

(11) 「第33条前段　書類その他の物件」（2項1号ホ）

審理員が，相当の期間を定めて，所持人に対し提出を求めた書類その他の物件である。

(12) 「申立人が，正当な理由なく，口頭意見陳述に出頭しないとき」（2項2号）

申立人が口頭意見陳述に出頭せず，そのことについて申立人の責に帰すべき事由がないとはいえないときには，申立人が口頭意見陳述権を放棄したとみなすことができ，審理の迅速性の要請に照らし，審理を終結することを認めている。

(13) 「審理員が前二項の規定により審理手続を終結したときは，速やかに，審理関係人に対し，審理手続を終結した旨並びに次条第1項に規定する審理員意見書及び事件記録……を審査庁に提出する予定時期を通知するものとする」（3項前段）

審理手続についての透明性の確保，審理の迅速性の確保の要請に照らし，審理員意見書および事件記録を審査庁に提出する予定時期を審理関係人に通知することを審理員に義務づけている。通知されるのは「予定時期」であるから，それよりも遅延することが直ちに審理手続を違法とし，裁決固有の瑕疵になる

第 41 条（審理手続の終結）

わけではない。

⑭ 「（審査請求書，弁明書その他審査請求に係る事件に関する書類その他の物件のうち政令で定めるものをいう。同条第 2 項及び第 43 条第 2 項において同じ。）」（3 項前段）

　事件記録は，審理員意見書とともに審査庁に提出され（本法 42 条 2 項），行政不服審査会等への諮問の際も，審理員意見書とともに事件記録の写しを添えて行わなければならない（本法 43 条 2 項）。このように事件記録は，審査庁および行政不服審査会等における重要な判断資料として位置づけられている。したがって，審理員の判断を基礎づける記録，すなわち，審理関係人の主張およびその根拠となる資料を事件記録とすることが適切と考えられる。他方，利害関係人の参加の許可，総代の互選，法人格のない団体の代表者または管理人の資格の証明，口頭意見陳述その他の審理手続の申立てに係る記録のように，本案の判断との関係では間接的な手続的事項に係る記録まで事件記録に含めることとした場合，行政コストが相当に大きくなると思われるが，それに釣り合うメリットは見出し難い。また，もし行政不服審査会等がこれらの手続的事項についても調査する必要があると認める場合には，本法 74 条の調査権限を行使して，その提出を求めることができる。そこで，このように本案との関係では間接的な意義を有するにとどまる手続的事項に係る記録は，事件記録に含めていない。

　具体的に，「その他審査請求に係る事件に関する書類その他の物件のうち政令で定めるもの」としては，審査請求録取書（本法 20 条），行政手続法 24 条 1 項の聴聞調書および同条 3 項の報告書ならびに同法 29 条 1 項の弁明書（本法 29 条 4 項），反論書（本法 30 条 1 項），意見書（同条 2 項），口頭意見陳述書（本法 31 条），審査請求人または参加人から提出された証拠書類等（本法 32 条 1 項），処分庁等から提出された書類その他の物件（同条 2 項），審理員からの提出の求めに応じて提出された書類その他の物件（本法 33 条），参考人陳述書（本法 34 条），鑑定書（同条），検証調書（本法 35 条），審理員による審理関係人への質問に係る記録（本法 36 条），審理手続の申立てに関する意見聴取記録（本法 37 条 1 項・2 項），個別法の規定により審理員が審査請求人から行った意見聴取（本法施行令 15 条 2 項）の記録が定められている。なお，事件記録として念頭に置か

れているのは，いわゆる調書であって，その作成段階での審理員のメモは含まれない。

　特定意見聴取に当たるものは，基本的に，審査請求人等からの申立てに基づくことなく，一律に公開による口頭意見陳述を実施することとしているものであり，行政不服審査法の施行に伴う関係法律の整備等に関する法律において，本法31条の口頭意見陳述に係る規定の適用を除外した上で，同条2項〜5項の規定を準用しているものである（詳しくは，宇賀克也・解説行政不服審査法関連三法〔弘文堂，2015年〕201頁以下参照）。ただし，税務代理を行う権限を有する税理士に意見陳述の機会を付与する税理士法35条3項のように，公開による意見聴取とは別の理由から特定意見聴取とされている例もある。特定意見聴取の記録も，審査庁・行政不服審査会等の重要な判断資料となるため，事件記録に含めている。

⒂　「当該予定時期を変更したときも，同様とする」（3項後段）
　審理員意見書および事件記録を審査庁に提出する予定時期を変更した場合にも，審理手続についての透明性の確保，審理の迅速性の確保の要請に照らし，変更後の予定時期を速やかに，審理関係人に対し通知することを審理員に義務づけている。

> （審理員意見書）
> 第42条①　審理員は，審理手続を終結したときは，遅滞なく，審査庁がすべき裁決に関する意見書（以下「審理員意見書」という。）を作成しなければならない。
> ②　審理員は，審理員意見書を作成したときは，速やかに，これを事件記録とともに，審査庁に提出しなければならない。

（本条の趣旨）
　本条は，審理手続を終結したときに，審理員が審理員意見書および事件記録を作成し，審査庁に提出する義務について定めるものである。

第 42 条（審理員意見書）

(1) 「審理員は，審理手続を終結したときは，遅滞なく……作成しなければならない」（1 項）

　裁決の遅延を防止する必要性がある一方，審理手続終結後，審理員意見書の作成には，ある程度の時間を要すると考えられるので，「直ちに」「速やかに」ではなく，「遅滞なく」という表現を用いている。

(2) 「審査庁がすべき裁決に関する意見書（以下「審理員意見書」という。）」（1 項）

　審理員による審理の結果は，審査庁がする裁決に反映される必要があるので，審査庁がすべき裁決の原案となる，審理員による意見書を作成することを審理員に義務づけている。

(3) 「審理員は，審理員意見書を作成したときは，速やかに……審査庁に提出しなければならない」（2 項）

　作成した審理員意見書を審査庁に提出するには，作成ほどには時間を要しないと考えられるので，「遅滞なく」よりは早期であるが，事件記録等の整理の必要性を考え，「直ちに」ではなく「速やかに」という表現を用いている。審理員は，審理員意見書を提出するときは，事件記録とともに，事件記録に含まれない手続的事項に関する書類も，審査庁に提出しなければならない。なぜならば，審査庁が行った裁決の取消訴訟や無効等確認訴訟において，審理員による審理手続に瑕疵があったとして裁決固有の瑕疵が主張される可能性があるので，手続的事項に関する書類（電磁的記録も含む）も，審査庁において適切に管理しておく必要があるからである。審査庁に提出する手続的事項に関する書類は，(i)審理関係人その他の関係人から審理員に対して行われた審査請求への参加（再審査請求への参加を含む）の許可の申請その他の通知，(ii)審理員が審理関係人その他の関係人に対して行った審査請求への参加（再審査請求への参加を含む）の許可その他の通知，(iii)その他審理員が必要と認める書類とされている（本法施行規則 4 条）。具体的には，①法人その他の団体の代表者または管理人，総代または代理人の資格の証明（本法施行令 3 条 1 項），②法人その他の団体の代表者または管理人，総代または代理人の資格の喪失の届出（同条 2 項），③利害関係人による審査請求への参加の許可（本法 13 条 1 項），④利害関係人への

本論　第2章　審査請求

審査請求への参加の求め（同条2項），⑤弁明書の提出の求め（本法29条2項），⑥審査請求人および参加人への弁明書の送付（同条5項），⑦反論書・意見書を提出する相当の期間の定め（本法30条1項・2項），⑧反論書・意見書の送付（同条3項），⑨口頭意見陳述の申立て（本法31条1項），⑩口頭意見陳述に際しての処分庁等への質問の申立て（同条5項），⑪証拠書類または証拠物を提出する相当の期間の定め（本法32条3項），⑫審理員による物件の提出の求め（本法33条），⑬物件を提出する相当の期間の定め（同条），⑭参考人の陳述および鑑定の要求の申立て（本法34条），⑮審理員による参考人の陳述および鑑定の要求の求め（同条），⑯検証の申立て（本法35条1項），⑰検証の日時および場所の申立人への通知（同条2項），⑱審理員による審理関係人への質問の申立て（本法36条），⑲審理手続の計画的遂行のための会合の日時および場所の審理関係人への通知（本法37条1項），⑳審理手続の期日および場所ならびに審理手続の終結の予定時期の審理関係人への通知（同条3項），㉑審査請求人等による提出種類等の閲覧または写し等の交付の求め（本法38条1項），㉒閲覧または写し等の交付に係る提出書類等の提出人への意見聴取（同条2項），㉓手数料の減免（同条5項）に関する書類等が考えられる。

(4)　「これを事件記録とともに」（2項）

　事件記録とは，審査請求書，弁明書その他審査請求に係る事件に関する書類その他の物件のうち政令で定めるものをいう（本法41条3項）。審査庁が裁決の判断を行うためには，審理員意見書のみならず，事件記録も調べる必要があるため，事件記録を審理員意見書とともに審査庁に提出することを審理員に義務づけている。事件記録のうち，正本と副本を提出することとしているもの（審査請求書，弁明書，反論書，意見書）については，事件記録の提出は，正本によって行う（本法施行令15条3項）。情報通信技術利用法3条1項の規定（宇賀・行政手続オンライン化3法41頁以下，同・行政手続三法の解説212頁以下参照）により同項に規定する電子情報処理組織を使用して審査請求（本法施行令4条4項），弁明（同6条2項），反論（同7条2項），意見（同項）が出された場合には，当該審査請求，当該弁明，当該反論または当該意見に係る電磁的記録については，それぞれ審査請求書，弁明書，反論書または意見書の正本とみなされる（同15条4項）。

第 4 節　行政不服審査会等への諮問

第43条①　審査庁は，審理員意見書の提出を受けたときは，次の各号のいずれかに該当する場合を除き，審査庁が主任の大臣又は宮内庁長官若しくは内閣府設置法第49条第1項若しくは第2項若しくは国家行政組織法第3条第2項に規定する庁の長である場合にあっては行政不服審査会に，審査庁が地方公共団体の長（地方公共団体の組合にあっては，長，管理者又は理事会）である場合にあっては第81条第1項又は第2項の機関に，それぞれ諮問しなければならない。

1　審査請求に係る処分をしようとするときに他の法律又は政令（条例に基づく処分については，条例）に第9条第1項各号に掲げる機関若しくは地方公共団体の議会又はこれらの機関に類するものとして政令で定めるもの（以下「審議会等」という。）の議を経るべき旨又は経ることができる旨の定めがあり，かつ，当該議を経て当該処分がされた場合

2　裁決をしようとするときに他の法律又は政令（条例に基づく処分については，条例）に第9条第1項各号に掲げる機関若しくは地方公共団体の議会又はこれらの機関に類するものとして政令で定めるものの議を経るべき旨又は経ることができる旨の定めがあり，かつ，当該議を経て裁決をしようとする場合

3　第46条第3項又は第49条第4項の規定により審議会等の議を経て裁決をしようとする場合

4　審査請求人から，行政不服審査会又は第81条第1項若しくは第2項の機関（以下「行政不服審査会等」という。）への諮問を希望しない旨の申出がされている場合（参加人から，行政不服審査会等に諮問しないことについて反対する旨の申出がされている場合を除く。）

5　審査請求が，行政不服審査会等によって，国民の権利利益及び行政の運営に対する影響の程度その他当該事件の性質を勘案して，諮問を要しないものと認められたものである場合

6　審査請求が不適法であり，却下する場合

7　第46条第1項の規定により審査請求に係る処分（法令に基づく申請を却下し，又は棄却する処分及び事実上の行為を除く。）の全部を取り消し，又は第47条第1号若しくは第2号の規定により審査請求に係る事

> 　　実上の行為の全部を撤廃すべき旨を命じ，若しくは撤廃することとする場合（当該処分の全部を取り消すこと又は当該事実上の行為の全部を撤廃すべき旨を命じ，若しくは撤廃することについて反対する旨の意見書が提出されている場合及び口頭意見陳述においてその旨の意見が述べられている場合を除く。）
> 　8　第46条第2項各号又は第49条第3項各号に定める措置（法令に基づく申請の全部を認容すべき旨を命じ，又は認容するものに限る。）をとることとする場合（当該申請の全部を認容することについて反対する旨の意見書が提出されている場合及び口頭意見陳述においてその旨の意見が述べられている場合を除く。）
> ②　前項の規定による諮問は，審理員意見書及び事件記録の写しを添えてしなければならない。
> ③　第1項の規定により諮問をした審査庁は，審理関係人（処分庁等が審査庁である場合にあっては，審査請求人及び参加人）に対し，当該諮問をした旨を通知するとともに，審理員意見書の写しを送付しなければならない。

（本条の趣旨）
　本法は，審理員による審理手続を導入することにより，審理手続の公正性を向上させているが，審理員は審査庁の職員であるので，一層の公正性を確保するためには，有識者からなる第三者機関等に諮問することが望ましい。そこで，本条は，処分の前または後にかかる第三者機関等に諮問する仕組みがとられていない場合には，原則として，行政不服審査会等に諮問すること，諮問を要しない事由，諮問に添付する書類，諮問した旨の審理関係人への通知について定めるものである。

⑴　「審査庁は，審理員意見書の提出を受けたときは……諮問しなければならない」（1項柱書）
　本法は，原処分に関与した者であること等を除斥事由とする審理員による公正中立な立場での審理を行うこととしているが，審理員は審査庁の職員から指名されるため，公正中立性の確保の観点からは，審理員による審理のみでは必ずしも十分とはいい難い。そこで，審理手続の終結後，さらに法律または行政

の有識者からなる行政不服審査会等の審査を原則として予定している。すなわち，行政不服審査会等は，合議制の第三者機関として，審理員による事実認定をレビューし，法令解釈等に問題がないかもチェックすることとされている。したがって，行政不服審査会等への諮問は，本法 42 条 2 項の規定に基づき，審査庁が審理員意見書の提出を受けたときに行うとしている。総務省行政不服審査制度検討会最終報告においては，審査会への諮問ではなく意見送付という文言が使用されていたが，意見送付という法制度の先例が存在しないこともあり，一般的な制度である諮問とされた。

審査庁は，諮問に係る審査請求に係る事件について，本法 15 条の規定による手続の承継があったときは，速やかに，その旨を行政不服審査会に通知しなければならず（行政不服審査会運営規則 23 条 1 項），審査庁から審査請求に係る事件の引継ぎを受けた行政庁は，速やかに，その旨を行政不服審査会に通知しなければならない（同条 2 項）。また，審査庁は，諮問の後に，総代または代理人が選任され，または解任されたときは，その旨を行政不服審査会に通知しなければならない（同 24 条）。

(2) 「次の各号のいずれかに該当する場合を除き」（1 項柱書）

行政不服審査会等への諮問義務が例外的に課されない場合を本項各号に定めている。いずれも，行政不服審査会等への諮問を義務づける必要がないと認められる場合が列記されている。

(3) 「審査庁が主任の大臣又は宮内庁長官若しくは内閣府設置法第 49 条第 1 項若しくは第 2 項若しくは国家行政組織法第 3 条第 2 項に規定する庁の長である場合にあっては行政不服審査会に」（1 項柱書）

ここで定められている審査庁は，本法 4 条 1 号において上級行政庁がないものとして取り扱われる審査庁と同一である。国に所属するこれらの行政庁は，いずれも独任制の機関であり，合議制機関による慎重な審理手続（審議会等への諮問など）が個別の法律または政令で定められていない場合には，行政不服審査会による審査の意義が認められるので，諮問を義務づけている。

内閣府設置法 49 条 1 項は内閣府に置かれる外局について定めており，外局には庁のみならず委員会もある。同条 2 項も，大臣委員会には庁のみならず委

本論 第2章 審査請求

員会も置くことができるとしている。また、国家行政組織法3条2項は省および省に置かれる外局について定めており、省の外局にも庁のみならず委員会もある。にもかかわらず、本項柱書が、行政不服審査会への諮問義務を委員会が審査庁の場合には課していないのは、これらの委員会は、中立性、専門技術性の確保等のために有識者で構成された合議制機関であり、組織法上、公正中立の立場での慎重な審議が担保されており、本法が、処分の事前または事後のいずれかの段階で、少なくとも1度は、有識者で構成される合議制の第三者機関による公正で慎重な審理の機会を確保するという立法政策を採用した以上、委員会が審査庁である場合には、行政不服審査会に諮問するまでもなく、かかる機会が確保されていると考えられるからである。

　内閣府設置法37条の規定に基づき内閣府本府に置かれる審議会等、同法54条の規定に基づき内閣府の外局に置かれる審議会等、国家行政組織法8条の規定に基づき省またはその外局に置かれる審議会等は一般的には諮問機関であるが、審査庁として自ら裁決を行う裁決庁とすることも、立法政策として排除されない。社会保険審査会（健康保険法189条1項・2項、社会保険審査官及び社会保険審査会法43条等）がその例である（宇賀・行政法概説Ⅲ 215頁）。かかる立法政策が採られた場合であっても、審議会等が有識者から構成される合議制第三者機関であり、公正かつ慎重な審議が制度的に担保されていると考えられること、かかる裁決庁としての審議会等は特に独立性の確保が重要であることにかんがみ、委員について国会同意人事とする方針が採られていることに照らし（社会保険審査官及び社会保険審査会法22条1項、労働保険審査官及び労働保険審査会法27条1項、更生保護法6条1項）、行政不服審査会への諮問を義務づけていない。

　国会、裁判所、会計検査院の機関が審査庁となる場合も考えられる。その場合には行政不服審査会への諮問が義務づけられていない。国有財産法18条6項の規定に基づく目的外使用許可に対する審査請求がされる場合に衆議院議長、参議院議長、最高裁判所長官または会計検査院長（同法4条2項参照）が審査庁になるのがその例である（もっとも、実際には、これらの機関に審査請求がされた実例は皆無である）。しかし、国会は立法機関であり、裁判所は司法機関であるため、これらの機関が審査庁の場合には、三権分立の観点から、行政機関である総務省に置かれる行政不服審査会への諮問を義務づけていない。また、会計検査院は実務上は行政機関として位置づけられているものの（宇賀・行政法概説Ⅲ

248頁)，内閣から独立した機関であるので，内閣の統轄下にある総務省に置かれる行政不服審査会への諮問を義務づけていない。人事院は，内閣補助機関であるが，内閣の所轄の下にあり，職権行使の独立性が保障されている。行政不服審査会が置かれる総務省は「内閣及び内閣総理大臣を補佐し，支援する体制を強化する役割を担うものとして設置」（中央省庁等改革基本法別表第2（第15条関係）備考一）されているものであるが，人事院が内閣からも職権行使の独立性を保障された機関であること，また，合議制機関として公正で慎重な手続による審理が行われることが制度的に担保されていると考えられることに照らし，行政不服審査会への諮問を義務づけていない。

(4) 「審査庁が地方公共団体の長である場合にあっては」（1項柱書）

「地方公共団体」とは，一般的には，普通地方公共団体（都道府県および市町村）および特別地方公共団体（特別区，地方公共団体の組合および財産区）を総称する用語であるが（地方自治法1条の3），本項でいう「地方公共団体」は，都道府県，市町村および特別区ならびに地方公共団体の組合のみを意味する（本法38条6項参照）。

普通地方公共団体である都道府県，市町村の長は独任制の機関であり，審議会等への諮問により，合議制機関による慎重な審理手続が個別の法律または政令（条例に基づく処分については条例）で定められていない場合には，本法81条1項または2項の機関による審査の意義が認められるので，諮問を義務づけている。普通地方公共団体の執行機関として長のみが挙げられており，委員会および委員が挙げられていないのは，委員会および委員が公正中立性が特に強く要請される分野において設置されており，長が委員を任命する場合においても一般に議会の同意が要件とされているためである（都道府県公安委員会〔警察法39条1項本文〕，人事委員会，公平委員会〔地方公務員法9条の2第2項〕，収用委員会〔土地収用法52条3項〕，監査委員〔地方自治法96条1項〕，固定資産評価審査委員会〔地方税法423条3項〕。もっとも，地方公共団体の執行機関の委員の選任方法は多様であり，全てが議会同意の下での長による任命ではない。宇賀・地方自治法概説293頁以下参照）。また，委員会は合議制機関であり，公正かつ慎重な審理が制度的に担保されている。監査委員は独任制機関であるが，重要な事項については，合議によることとされており（地方自治法199条11項），同様に，公正かつ慎重な

審理が制度的に担保されているといえる。そこで，普通地方公共団体の委員会および委員については，本法81条1項または2項の機関への諮問を義務づけていない。普通地方公共団体の議会は，立法機関であると同時に，情報公開条例に基づく開示請求に対する開示等の決定のように行政的な意思決定を行う場合もあるので，議長が審査庁になる場合もあるが，議会が公選の議員により構成される合議制機関であることに照らし，本法81条1項または2項の機関への諮問を義務づけていない。

特別区は，基礎的な地方公共団体であり（地方自治法281条の2第2項），地方自治法または政令で特別の定めをするものを除くほか，同法2編および4編中，市に関する規定は，特別区に適用することとされており（同法283条），特別区には執行機関として区長（同法139条2項）および議会（同法89条）が置かれ，条例で執行機関の附属機関を置くことができるとされていることに照らし（同法138条の4第3項），市と同様，区長が審査庁となる場合には，本法81条1項または2項の機関への諮問を義務づけている。

地方公共団体の組合には，一部事務組合（地方自治法284条〜291条）および広域連合（同法284条，285条の2，291条の2〜291条の13）が存在するが（同法284条1項），地方公共団体の組合は，都道府県，市町村および特別区が設置することができ（同条2項前段），地方公共団体の組合内の地方公共団体につきその執行機関の権限に属する事項がなくなったときは，その執行機関は，地方公共団体の組合の成立と同時に消滅する（同項後段，同条3項後段）。以上のように，地方公共団体の組合が実施する事務については，設置した都道府県，市町村または特別区に権限が残存するわけではなく，地方公共団体の組合が排他的に執行することになる。さらに，地方公共団体の組合については，法律またはこれに基づく政令に特別の定めがあるものを除くほか，都道府県の加入するものにあっては都道府県に関する規定，市および特別区の加入するもので都道府県の加入しないものにあっては市に関する規定，その他のものにあっては町村に関する規定が包括的に準用されている（同法292条）。そのため，地方公共団体の組合には執行機関も議会も設置される（一部事務組合の議会の議員および管理者は，規約の定めるところにより，選挙または選任され，広域連合の議会の議員および長は，直接公選または間接選挙による）。そして，執行機関には法律または条例で附属機関を置くこともできる（同法138条の4第3項）。さらに，地方公共団体

の組合が行う事務は、一般的には、都道府県、市町村および特別区が実施する事務であり、地方公共団体の組合が設置されていない場合には、行政不服審査会等への諮問が原則として義務づけられ、本法81条1項または2項の機関の審査を受ける機会が審査請求人に保障されていることとの均衡にも配慮して、本法81条1項または2項の機関への諮問を地方公共団体の組合の長等に原則として義務づけることとしている。

　他方、市町村および特別区の一部で財産を有し、または公の施設を設けているものがある場合において、当該財産または公の施設の管理および処分を行うために設置される財産区も特別地方公共団体であるが（地方自治法294条1項）、財産区は、特別区および地方公共団体の組合とは異なり、市または普通地方公共団体に関する規定が包括的に適用または準用されてはいない。すなわち、財産区の権限は、当該財産区を包摂する市町村または特別区の長および議会が、当該財産区の執行機関および議決機関として行使することとされ、当該財産または公の施設の管理および処分を行う権限は、当該財産区を包摂する市町村または特別区の長に帰属することになる。もっとも、財産区管理会または財産区管理委員に管理行為を委任することはできるが（地方自治法296条の3第2項）、処分権限は委任できない。以上の点に照らし、財産区の財産または公の施設に係る審査庁は市町村または特別区の長となると考えられる。また、財産区には条例制定権がなく、条例で執行機関の附属機関を設けることもできない。そこで、財産区には、本法81条1項または2項の機関を設ける義務を課す必要はないと判断された。

　なお、2011年の地方自治法改正で地方開発事業団制度は廃止されたが、同改正法施行時に存続していた地方開発事業団については、なお従前の例によることとされており、そのため、2017年1月1日現在、1つの地方開発事業団（青森県新産業都市建設事業団）が存続している。しかし、地方開発事業団は、設置団体から受託した事業を設置団体が議会の議決を経てする協議により定めた事業計画に従って実施するにすぎず、また、地方開発事業団の事業により取得または造成した土地やその事業により完成した公共施設を恒常的に維持管理する責任は設置団体にあり、そのため、地方開発事業団が行政処分を行うことは想定し難い。さらに、地方開発事業団には条例制定権がなく、条例で執行機関の附属機関を設けることもできない。そこで、地方開発事業団には、本法81

条 1 項または 2 項の機関を設ける義務を課す必要はないと判断された。

なお，審査庁となるのは，国または地方公共団体の機関であるとは限らない。日本弁護士連合会のような民間団体が処分庁となり審査庁となる場合には，当該団体の独立性，自主性を尊重するために，不服申立てについても国または地方公共団体の行政機関を関与させないことが適切と考えられ，行政不服審査会等への諮問義務を課さないこととしている。ただし，民間の指定検査機関等が主務大臣の指定を受けて指定機関として行った処分については，当該指定機関は主務大臣の権限を代行しているため，行政機関としての統一性確保の観点から主務大臣への審査請求を個別法で認めている例があり（宇賀・解説行政不服審査法関連三法 186 頁以下参照），かかる場合には，主務大臣の判断の公正性，客観性を確保するため，行政不服審査会への諮問を義務づけている。

(5) 「（地方公共団体の組合にあっては，長，管理者又は理事会）」（1 項柱書）

地方公共団体の組合の執行機関は，一部事務組合の場合には管理者（地方自治法 287 条 2 項）または理事会（複合的一部事務組合にあっては管理者に代えて理事会を設置することができる。同法 287 条の 3 第 2 項），広域連合の場合は長または理事会となる（同法 291 条の 2 第 4 項，291 条の 13，287 条の 3 第 2 項）。平成 20 年法案にあっては，本項かっこ書に当たる部分は明文化されていなかったが，本法は，管理者または理事会が執行機関となる場合であっても，本法 81 条 1 項または 2 項の機関への諮問義務が原則としてあることを明確にする趣旨で本項かっこ書を設けている。とりわけ，理事会は合議制機関であっても，有識者から構成される第三者機関ではないので，本法 81 条 1 項または 2 項の機関への諮問義務が免除されない点に留意が必要である。

(6) 「第 81 条第 1 項又は第 2 項の機関」（1 項柱書）

本法 81 条 1 項の機関とは，地方自治法 138 条の 4 第 3 項の規定に基づき，法律または条例の定めるところにより，執行機関の附属機関として，本法の規定によりその権限に属させられた事項を処理するために置かれる審査会等の機関である。本法 81 条 2 項の機関とは，条例で定めるところにより，事件ごとに，執行機関の附属機関として，本法の規定によりその権限に属させられた事

項を処理するために置かれる審査会等の機関である。

(7) 「審査請求に係る処分をしようとするときに」（1項1号）

　本法は，事前または事後のいずれかにおいて，公正中立性または専門技術性を確保する観点から設置された合議制の第三者機関の審査を受けることとされている場合には，それにより行政不服審査会等の審査機能が代替されていると考えられるため，行政不服審査会等への諮問を義務づけないこととしている。本号は「審査請求に係る処分をしようとするときに」，すなわち処分前に，かかる第三者機関に諮問できることとされ，実際に当該諮問に対する答申を経て当該処分がされた場合において，合議制の第三者機関の審査を受けるという国民の手続的権利がすでに実現していると考えられることから，行政不服審査会等への諮問義務を免除するものである。

(8) 「他の法律又は政令」（1項1号）

　「他の法律」とは，本法以外の法律である。本法以外の法律に第三者機関への諮問が定められている場合に，本項の規定に基づく行政不服審査会等への諮問義務を課さないこととしている。本項が法律により行政不服審査会等への諮問義務を一般的に定めているので，第三者機関への諮問について定める個別の法律の規定は，その特別法として位置づけられることになる。

　法律に限らず政令に基づき第三者機関への諮問が行われる場合についても，本項の規定に基づく行政不服審査会等への諮問義務の例外としている理由は，(i)審議会等は，一般に法律のみならず政令でも設置することができ（内閣府設置法37条2項，54条，国家行政組織法8条。法律設置への限定から政令設置を認める緩和に至る経緯について詳しくは，宇賀・行政法概説Ⅲ 16頁以下参照。また，法律で設置しなければならないとされる審議会等の類型については，宇賀・行政法概説Ⅲ 211頁参照），審議会等への諮問条項も政令に定められている場合があること（「審議会等の整理合理化に関する基本的計画」（1999年4月27日閣議決定）1(1)④においては，「法律又は政令により，審議会等が決定若しくは同意機関とされている場合又は審議会等への必要的付議が定められている場合については，その必要性を見直した上で，必要最小限の機能に限って存置する」とされた），(ii)諮問の根拠が法律であれ政令であれ，有識者からなる合議制の第三者機関による公正で慎重な審理を期待し

うる点に変わりはないこと，(ⅲ)政令は最高の行政機関である内閣が閣議による決定に基づき制定するものであること（憲法73条6号，内閣法4条1項）である。

(9)　「（条例に基づく処分については，条例）」（1項1号）

　地方自治の尊重の観点から，条例に基づく処分については，個別の条例で地方公共団体の附属機関等への諮問条項が置かれている場合には，本法81条1項または2項の機関への諮問義務の例外を認めている。

(10)　「第9条第1項各号に掲げる機関」（1項1号）

　本法9条1項各号に掲げる機関であり，(ⅰ)内閣府設置法49条1項もしくは2項または国家行政組織法3条2項に規定する委員会（同項1号），(ⅱ)内閣府設置法37条もしくは54条または国家行政組織法8条に規定する機関（同項2号），(ⅲ)地方自治法138条の4第1項に規定する委員会もしくは委員または同条3項に規定する機関（同項3号）を意味する。法律または行政に関して優れた識見を有する者からなる行政不服審査会等（本法69条1項）による公正かつ慎重な審査に代替するといいうる諮問機関による審査であることが，本項の規定に基づく行政不服審査会等への諮問義務の例外を認めるために必要であるので，かかる例外を認める場合の諮問機関は，公正中立性，専門技術性を有する有識者により構成されるか，諸利益が公正に代表される構成の機関に限らなければならない。本法9条1項各号に掲げる機関は，この要件を充足すると認められるため，かかる機関に諮問が行われる場合には，行政不服審査会等への諮問は要しないこととしている。

(11)　「地方公共団体の議会」（1項1号）

　地方公共団体の議会は，公選の議員により構成される合議制機関であり，諸利益が民意を反映して公正に代表されていると認められることに照らし，本法81条1項または2項の機関への諮問を義務づけないこととされた。地方公共団体の議会への諮問の例としては，分担金，使用料，加入金，手数料および過料その他の普通地方公共団体の歳入を納期限までに納付しない者に対して普通地方公共団体の長が行う滞納処分についての審査請求（地方自治法231条の3第7項），公の施設を利用する権利に関する処分についての審査請求（同法244条

の4第2項）がある。もっとも，合議制機関とはいっても，地方公共団体の議会は，有識者からなる第三者機関ではないので，本法81条1項または2項の機関への諮問を義務づけるべきであるという意見，または，議会への諮問と本法81条1項または2項の機関への諮問の選択を審査請求人に認めるべきという意見も存在する。

⑿　「これらの機関に類するものとして政令で定めるもの」（1項1号）

　個別の法律または政令で諮問が定められている場合には，本法9条1項各号に掲げる機関，地方公共団体の議会以外にも多様なものがありうる。そこで，定型的に行政不服審査会等への諮問義務を免除しうる本法9条1項各号に掲げる機関，地方公共団体の議会への諮問以外については，個別に，行政不服審査会等への諮問に代替しうるものかを審査し，政令で定めることとしている。政令では，①日本公認会計士協会に置かれる資格審査会（公認会計士法46条の11），②地方社会保険医療協議会，③日本司法書士連合会に置かれる登録審査会（司法書士法67条），④港務局に置かれる地方港湾審議会（港湾法24条の2），⑤日本土地家屋調査士連合会に置かれる登録審査会（土地家屋調査士法62条），⑥日本行政書士連合会に置かれる資格審査会（行政書士法18条の4），⑦日本税理士会連合会に置かれる資格審査会（税理士法49条の16），⑧独立行政法人都市再生機構または地方住宅供給公社に置かれる土地区画整理審議会（土地区画整理法71条の4），⑨全国社会保険労務士連合会に置かれる資格審査会（社会保険労務士法25条の37），⑩個人施行者，市街地再開発組合または再開発会社に選任される審査委員（都市再開発法7条の19，43条，50条の14）および独立行政法人都市再生機構または地方住宅供給公社に置かれる市街地再開発審査会（同法59条），⑪独立行政法人都市再生機構または地方住宅供給公社に置かれる住宅街区整備審議会（大都市地域における住宅及び住宅地の供給の促進に関する特別措置法60条），⑫個人施行者，防災街区整備事業組合または事業会社に選任される審査委員（密集市街地における防災街区の整備の促進に関する法律131条，161条，177条）および独立行政法人都市再生機構または地方住宅供給公社に置かれる防災街区整備審査会（同法190条），⑬日本弁理士会に置かれる登録審査会（弁理士法70条），⑭マンション建設組合または個人施行者に選任される審査委員（マンションの建替え等の円滑化に関する法律37条，53条，136条），⑮認証審査参与員

(裁判外紛争解決手続の利用の促進に関する法律10条)，⑯郵政民営化委員会，⑰地方年金記録訂正審議会，が定められている（本法施行令17条1項）。

⒀ 「議を経るべき旨又は経ることができる旨の定めがあり」（1項1号）

「議を経る」とは，行政手続法39条4項4号の「議を経て」という表現を参考にしたものであり，諮問手続を経ること一般を意味し，「議決を経て」「議に基づいて」「議により」「決定に基づいて」「諮問する」「意見を求める」「諮る」等の用語が使用されている場合を含む。「意見を聴く」という規定の例も多い。たとえば，「就学前の子どもに関する教育，保育等の総合的な提供の推進に関する法律」17条3項（「審議会その他の合議制の機関の意見を聴かなければならない」），「労働者派遣事業の適正な運営の確保及び派遣労働者の保護等に関する法律」5条5項（「労働政策審議会の意見を聴かなければならない」），火薬類取締法52条1項（「都道府県公安委員会の意見をきかなければならない」）等がある。

⒁ 「かつ，当該議を経て当該処分がされた場合」（1項1号）

本項柱書が定める行政不服審査会等への諮問義務の例外を認めるためには，処分前または処分後に行政不服審査会等に匹敵する諮問機関に諮問が行われることが必要である。本号は，処分前にかかる諮問機関に諮問される場合について定めている。諮問を義務づける規定または諮問できる旨の規定があっても，実際に諮問が行われていなかった場合には，上記の例外を認めることは正当化されない。そこで，実際に諮問を経て処分がされたことも要件としている。

⒂ 「裁決をしようとするときに」（1項2号）

処分がなされた後，審査請求について裁決をする前にという意味である。本項1号が処分の事前手続について定めているのに対し，本号は処分の事後手続について定めている。

⒃ 「他の法律又は政令（条例に基づく処分については，条例）に第9条第1項各号に掲げる機関若しくは地方公共団体の議会又はこれらの機関に類するものとして政令で定めるもの」（1項2号）

認証審査参与員（裁判外紛争解決手続の利用の促進に関する法律10条）が政令で

⒄ 「かつ，当該議を経て裁決をしようとする場合」（1項2号）

　「当該議を経て」とは，本法以外の法律または政令（条例に基づく処分については条例）に本法9条第1項各号に掲げる機関もしくは地方公共団体の議会またはこれらの機関に類するものとして政令で定めるものの議を経るべき旨，または議を経ることができるとされている場合に，当該機関の議を経ることである。処分後に審査請求がされた場合，行政不服審査会等に匹敵する諮問機関に諮問しなければならないか，または諮問できる旨の規定があっても，実際に当該機関に諮問がされないのであれば，本項柱書が定める行政不服審査会等への諮問義務の例外を認めることは正当化されない。したがって，実際に当該機関への諮問手続を経て裁決をしようとする場合であることを，例外を認める要件としている。

⒅ 「第46条第3項又は第49条第4項の規定により審議会等の議を経て裁決をしようとする場合」（1項3号）

　本法46条3項の規定により審議会等の議を経て裁決をしようとする場合とは，(i)法令に基づく申請を拒否する処分に対する審査請求がなされ，審査庁が，拒否処分を全部または一部取り消すにとどまらず，(ii)処分庁の上級行政庁である審査庁が当該処分庁に対し，当該処分をすべき旨を命ずるか，処分庁である審査庁が当該処分をする場合において，(iii)本項1号に規定する議を経るべき旨の定めがあるケースを念頭に置いている。かかる場合において，審査庁が，当該処分庁に対し，当該処分をすべき旨を命じ，または自ら当該処分をするために必要があると認めるときは，審査庁は，当該定めに係る審議会等の議を経ることができる。

　本法49条4項の規定により審議会等の議を経て裁決をしようとする場合とは，(i)法令に基づく申請に対する不作為についての審査請求がなされ，審査庁が，裁決で，当該不作為が違法または不当である旨を宣言するにとどまらず，(ii)不作為庁の上級行政庁である審査庁が当該不作為庁に対し，当該処分をすべき旨を命ずるか，不作為庁である審査庁が当該処分をする場合において，(iii)本項1号に規定する議を経るべき旨の定めがあるケースを念頭に置いている。か

本 論 第2章 審査請求

かる場合において，審査庁が当該処分をすべき旨を命じ，または自ら当該処分をするために必要があると認めるときは，審査庁は，当該定めに係る審議会等の議を経ることができる。

上記のようなケースにおいて審査庁が当該定めに係る審議会等の議を経て裁決をしようとする場合にも，審査庁の裁決前に行政不服審査会等に匹敵する諮問機関の審理がなされることになるので，行政不服審査会等への諮問義務の例外としている。平成20年法案においては，法令に基づく申請に対する不作為についての審査請求がなされ，審査庁が，裁決で，当該処分をすべき旨を命じ，または自ら当該処分をするために必要があると認めるときに，行政不服審査会等に匹敵する諮問機関の議を経るべき旨の定めがある場合に行政不服審査会等への諮問義務を免除する規定は，行政不服審査会等への諮問に係る条に置かれていた（42条4項）。しかし，本法においては，審査庁が一定の処分を命じ，または自ら行う裁決をしようとするときにとる措置に係る規定であるので，本法49条4項は裁決に関する第2章第5節に置かれている。

⑲ 「審査請求人から，行政不服審査会又は第81条第1項若しくは第2項の機関（以下「行政不服審査会等」という。）への諮問を希望しない旨の申出がされている場合」（1項4号）

平成20年法案においては，審理員による審理の後，行政不服審査会等への諮問を行うか否かの判断に当たり，審査請求人の希望は考慮されないことになっていた。しかし，平成20年法案が審理員制度に加えて行政不服審査会等への諮問制度を設けたことに対しては，迅速な救済を阻害するという批判も存在した。そこで，本号は，審査請求人が行政不服審査会等への諮問を希望しない場合には，原則として，審査庁に諮問義務を課さないこととした。類似の例として，整備法による改正前の地方自治法255条の5が，審査請求人等からの要求があったとき，または，総務大臣が特に必要があると認めるときに自治紛争処理委員を任命し，その審理を経ることとしており，自治紛争処理委員による審理を受けるか否かについて，審査請求人等の希望を考慮していたことが挙げられる（整備法による改正後の同条1項は，審査請求等があった場合には，請求を却下する場合を除き，自治紛争処理委員を任命し，その審理を経ることとしている）。

本法が行政の適正な運営を確保することを目的としていること（1条1項）

にかんがみ，審査請求人の希望の有無により行政不服審査会等への諮問の有無が左右されることが妥当かは問題になりうるが，本法の第一義的目的は，国民の権利利益の救済を図ることであり，そのために審査請求人の不利益に原処分を変更することを禁止していること（48条），本項7号・8号も，審査請求人の請求を全部認容する場合には，原則として行政不服審査会等への諮問を要しないとしていることに照らし，問題ないと考えられる。なお，審理員意見書が請求一部認容，一部棄却とすべきというものであった場合，審査請求人が行政不服審査会等への諮問を一部棄却の部分に限定することができる制度にはなっていないため，行政不服審査会等は審理員意見書において一部認容とすべき部分も含めて，全体を審理することになり，審理員意見書よりも不利益な内容の答申を行うことも妨げられないとするのが立法者意思であるが，かかる立法者意思を前提としたとしても，運用上，審理員意見書において一部棄却とすべき部分に限定して審査すべきであろう。他方，審査請求人と利害が対立する参加人がいる場合には，参加人の権利利益の保護の必要性があるため，審査請求人に不利な審理員意見書の部分のみを審査することができないことはいうまでもない。

⑳　「（参加人から，行政不服審査会等に諮問しないことについて反対する旨の申出がされている場合を除く。）」（1項4号）

　審査請求人と利害が一致しない参加人が，行政不服審査会等への諮問を希望している場合には，参加人の権利利益の保護に配慮する必要があるため，審査請求人が行政不服審査会等への諮問を希望しない場合であっても，諮問義務を免除しないこととしている。

㉑　「審査請求が，行政不服審査会等によって，国民の権利利益及び行政の運営に対する影響の程度その他当該事件の性質を勘案して，諮問を要しないものと認められたものである場合」（1項5号）

　処分の要件が明確に定められ，行政裁量が認められず，行政不服審査会等に諮問するまでもなく，要件該当性を客観的に判断することができる場合がありうる。かかる場合には，行政不服審査会等への諮問が審査請求人や参加人の権利利益の救済につながる可能性もないと考えられる。いかなる場合がそのよう

な場合に該当するかは，あらかじめ法定するよりも，行政不服審査会等の運用の蓄積に委ねるほうが適切と考えられるため，行政不服審査会等によって諮問を要しないものと認められたものについて，諮問義務を課さないこととしている。

本号に該当する場合は，行政不服審査会等の運用を通じて類型化していくと考えられるが，(i)行政手続法 8 条 1 項ただし書に該当するような場合，すなわち，法令に定められた許認可等の要件または公にされた審査基準が数量的指標その他の客観的指標により明確に定められている場合であって，当該申請がこれらに適合しないことが申請書の記載または添付書類その他の申請の内容から明らかであるとき，(ii)先例答申が存在し，それを見直すべき理由は見当たらず，行政不服審査会等に諮問しても結果が変わらないと認められるとき等が考えられる。他の法律においても，諮問機関が諮問を要しないものと認める場合に諮問を不要としている例がある（公益社団法人及び公益財団法人の認定等に関する法律 43 条 3 項ただし書，電波法 99 条の 11 第 2 項，国土交通省設置法 15 条 3 項）。

(22) 「審査請求が不適法であり，却下する場合」（1 項 6 号）

審査請求が不適法であり，本案の審査の必要性が認められない場合には，審理員は指名されず，審理員が主宰した審理手続や審理員の事実認定・法解釈の適法性・妥当性を審査するという行政不服審査会等の役割も果たせないため，行政不服審査会等に諮問する意義はないという認識の下に，行政不服審査会等への諮問義務は課さないこととしている。

なお，不作為についての審査請求の場合，申請から相当の期間が経過していなければ，審査請求は不適法であり却下されることになるが（本法 49 条 1 項），申請から相当の期間が経過していれば，不作為が違法または不当かが本案事項として審理されることになるし，不作為が違法または不当であれば，一定の処分をすべきか否かが審理されることになるので，行政不服審査会等への諮問義務が生ずることになる。

(23) 「第 46 条第 1 項の規定により審査請求に係る処分（法令に基づく申請を却下し，又は棄却する処分及び事実上の行為を除く。）の全部を取り消し」（1 項 7 号）

第43条

　本法46条1項は，処分（事実上の行為を除く）についての審査請求が理由がある場合（本法45条3項の規定に基づき事情裁決がされる場合を除く）に，審査庁が裁決で当該処分の全部もしくは一部を取り消し，またはこれを変更する場合について規定している。本号においては，このうち，「法令に基づく申請を却下し，又は棄却する処分」は除かれているので，審査請求人に対する不利益処分または審査請求人以外の第三者に対する申請認容処分が念頭に置かれており，その全部を取り消す場合のみを規定しているから，一部取消しや変更の場合は含まないことになる。審査請求人に対する不利益処分または審査請求人以外の第三者に対する申請認容処分の取消しを求めて審査請求がなされ，全部取消しがなされた場合には，審査請求人にとり完全に満足な結果が得られたことになるので，本項4号の規定により，審査請求人から行政不服審査会等への諮問を希望しない旨の申出がなされることを想定し，本号の規定を不要とする立法政策もありうると思われる。しかし，本号は，審査請求人から諮問を希望しない旨の申出があるか否かにかかわらず，審査請求人が当該審査請求により求めた権利利益の救済が完全に実現した以上，本法の第一義的な目的が行政救済にあることに照らせば，行政不服審査会等への諮問を義務づける必要はないという判断の下，諮問義務の例外としている。

⑷　「第47条第1号若しくは第2号の規定により審査請求に係る事実上の行為の全部を撤廃すべき旨を命じ，若しくは撤廃することとする場合」
（1項7号）
　事実上の行為についての審査請求が理由がある場合（本法45条3項の規定に基づき事情裁決がされる場合を除く）に，審査庁が，裁決で，当該事実上の行為が違法または不当である旨を宣言するとともに，(i)処分庁以外の審査庁にあっては，当該処分庁に対し，当該事実上の行為の全部を撤廃すべき旨を命じ，(ii)処分庁である審査庁にあっては，当該事実上の行為の全部を撤廃する場合を意味する。
　審査請求の対象である事実上の行為の全部の撤廃を求めて審査請求がなされ，全部の撤廃がなされる場合には，審査請求人にとり完全に満足な結果が得られたことになるので，処分の場合と同様の判断の下，諮問義務の例外としている。

㉕「(当該処分の全部を取り消すこと又は当該事実上の行為の全部を撤廃すべき旨を命じ，若しくは撤廃することについて反対する旨の意見書が提出されている場合及び口頭意見陳述においてその旨の意見が述べられている場合を除く。)」(1項7号)

　審査請求人と利害関係が一致せず対立する立場にある参加人が，処分(事実上の行為を除く)の全部取消し，または事実上の行為の全部撤廃に対する反対意見書を提出している場合には，審査請求の全部認容は当該参加人の権利利益を損なうおそれがあり，処分庁，審査請求人，参加人の三面関係を念頭に置いた慎重な審議が必要と考えられるので，行政不服審査会等への諮問を義務づけている(行政機関情報公開法18条2号，独立行政法人等の保有する情報の公開に関する法律18条2項2号，行政機関個人情報保護法42条2号，独立行政法人等の保有する個人情報の保護に関する法律42条2項2号も参照)。

㉖「第46条第2項各号又は第49条第3項各号に定める措置(法令に基づく申請の全部を認容すべき旨を命じ，又は認容するものに限る。)をとることとする場合」(1項8号)

　「第46条第2項各号……に定める措置(法令に基づく申請の全部を認容すべき旨を命じ，又は認容するものに限る。)をとることとする場合」とは，処分(事実上の行為を除く)についての審査請求が理由がある場合(事情裁決をする場合を除く)であって，法令に基づく申請を却下または棄却する処分の全部を取り消す場合において，処分庁の上級行政庁である審査庁は，当該処分庁に対し，当該処分をすべき旨を命じ，処分庁である審査庁は当該処分をすることとする場合である。

　「第49条第3項各号に定める措置(法令に基づく申請の全部を認容すべき旨を命じ，又は認容するものに限る。)をとることとする場合」とは，不作為についての審査請求に理由がある場合であって，審査庁が裁決で当該不作為が違法または不当である旨を宣言し，不作為庁の上級行政庁である審査庁が当該不作為庁に対し，当該処分をすべき旨を命じ，不作為庁である審査庁が当該処分をすることとする場合である。

　これらの場合には，審査請求人にとって完全に満足できる状態が実現することとなるため，行政不服審査会等への諮問を要しないこととしている。

⑵⁷ 「(当該申請の全部を認容することについて反対する旨の意見書が提出されている場合及び口頭意見陳述においてその旨の意見が述べられている場合を除く。)」（1項8号）

　審査請求人と利害関係が一致せず対立する立場にある参加人が，当該申請の全部を認容することについて反対意見書を提出している場合には，審査請求の全部認容は当該参加人の権利利益を損なうおそれがあり，不作為庁，審査請求人，参加人の三面関係を念頭に置いた慎重な審議が必要と考えられるので，行政不服審査会等への諮問を義務づけている。

⑵⁸ 「前項の規定による諮問は，審理員意見書及び事件記録の写しを添えてしなければならない」（2項）

　行政不服審査会等における審理は，審査請求を覆審的に審理し直すのではなく，審理員による審理が適正に行われたかを審理することを原則とする。したがって，審理員意見書と審理員による審理に係る事件記録が行政不服審査会等に提出されることは不可欠である。そこで，審査庁が行政不服審査会等に諮問するに当たっては，本法42条2項の規定に基づき提出された審理員意見書および事件記録の写しを添えて行うことを審査庁に義務づけている。

　諮問書には，審理員意見書および事件記録の写しを添付するほか，(i)事件記録の写しにつき，本法78条1項の規定による他の審査関係人からの閲覧または交付の求めがあった場合の当該閲覧または交付についての審査庁の意見をあらかじめ記載した書面（当該事件記録の写しに含まれる提出書類等に係る本法38条1項の規定による閲覧もしくは交付の求めに関する書類または当該提出書類等の閲覧もしくは交付の求めについて提出人がその意見を記載した書類がある場合には，それらを添付するものとする），(ii)諮問説明書（裁決〔①法令に基づく申請を却下し，または棄却する処分の全部または一部を取り消す場合において，処分庁の上級行政庁である審査庁が当該処分庁に対し，当該処分をすべき旨を命じ，または処分庁である審査庁が当該処分をする措置，②事実上の行為についての審査請求が理由がある場合〔事情裁決の規定の適用がある場合を除く〕に，審査庁が，裁決で，当該事実上の行為が違法または不当である旨を宣言するとともに，処分庁以外の審査庁が当該処分庁に対し，当該事実上の行為の全部もしくは一部を撤廃し，またはこれを変更すべき旨を命じ，処分庁である審査庁が当該事実上の行為の全部もしくは一部を撤廃し，またはこれを変更する措置

本論　第2章　審査請求

〔審査庁が処分庁の上級行政庁以外の審査庁である場合には，当該事実上の行為を変更すべき旨を命ずることはできない〕，③不作為についての審査請求が理由がある場合に，審査庁が，裁決で，当該不作為が違法または不当である旨を宣言し，不作為庁の上級行政庁である審査庁が当該不作為庁に対し，当該処分をすべき旨を命じ，または不作為庁である審査庁が当該処分をする措置を含む〕についての審査庁の考え方およびその理由を記載した書面），(iii)審査請求人が総代もしくは代理人を選任している場合，参加人がいる場合または参加人が代理人を選任している場合には，当該選任または参加を示す書面を添付しなければならない（行政不服審査会運営規則6条1項）。

　以上のほか，(ア)処分（口頭でした処分および事実上の行為を除く）についての審査請求に係る事件については，当該処分の決定通知書（当該処分が情報通信技術利用法4条1項の規定により同項に規定する電子情報処理組織を使用して行われたものである場合にあっては，これに相当する電磁的記録またはそれを用紙に出力したもの），(イ)法令に基づく申請に対する処分についての審査請求に係る事件については，当該申請の申請書（当該申請が情報通信技術利用法3条1項の規定により同項に規定する電子情報処理組織を使用して行われたものである場合にあっては，これに相当する電磁的記録またはそれを用紙に出力したもの）および当該処分に係る行政手続法2条8号ロに規定する審査基準，(ウ)同法2条4号に規定する不利益処分についての審査請求に係る事件については，同法2条8号ハに規定する処分基準，(エ)不作為についての審査請求に係る事件については，当該不作為に係る処分についての申請の申請書（当該申請が情報通信技術利用法3条1項の規定により同項に規定する電子情報処理組織を使用して行われたものである場合にあっては，これに相当する電磁的記録またはそれを用紙に出力したもの）ならびに当該処分に係る審査基準および同法6条に規定する標準処理期間も添付しなければならない。ただし，当該資料が事件記録に含まれている場合は，この限りではない（行政不服審査会運営規則6条2項）。

⑳　「第1項の規定により諮問をした審査庁は，審理関係人（処分庁等が審査庁である場合にあっては，審査請求人及び参加人）に対し，当該諮問をした旨を通知するとともに，審理員意見書の写しを送付しなければならない」（3項）

　審理関係人は，審査請求人，参加人および処分庁等である（本法28条）。審

査請求人，参加人，処分庁等が行政不服審査会等において主張立証を行うためには，審理員意見書の内容を認識している必要があるため，行政不服審査会等への諮問の通知とともに，審理員意見書の送付を審査庁に義務づけている。ただし，処分庁等が審査庁である場合には，自らに送付することは無意味であるため，送付義務を課していない。

第5節　裁　決

(裁決の時期)
第44条　審査庁は，行政不服審査会等から諮問に対する答申を受けたとき（前条第1項の規定による諮問を要しない場合（同項第2号又は第3号に該当する場合を除く。）にあっては審理員意見書が提出されたとき，同項第2号又は第3号に該当する場合にあっては同項第2号又は第3号に規定する議を経たとき）は，遅滞なく，裁決をしなければならない。

(本条の趣旨)

本条は，審査庁が，行政不服審査会等から諮問に対する答申を受けたとき，行政不服審査会等への諮問を要しない場合にあっては審理員意見書が提出されたとき（他の法律または政令に基づく諮問が行われた場合はその答申を受けたとき）に，遅滞なく裁決する義務を審査庁に課すものである。

(1)　「審査庁は……裁決をしなければならない」

審査請求において審理員は中心的役割を果たすが，審理員は審査庁の補助機関であり，審理員意見書は，法的には審査庁を拘束するものではない。また，行政不服審査会等は諮問機関であり，その答申も法的には審査庁を拘束しない。裁決権限は審査庁に留保されている。審査庁が裁決を行うに当たっても，実際には，補助機関の補助が必要であるが，その補助職員の資格については，審理員とは異なり，法定されておらず，運用に委ねられている。しかし，審査請求に係る処分に関与した者が，審査庁による裁決の補助を行うことは，審理員の除斥事由に照らして，避けるべきであろう。

本論　第2章　審査請求

(2)　「行政不服審査会等から諮問に対する答申を受けたとき」

本法43条1項の規定に基づき行政不服審査会等へ諮問をした場合であって，当該諮問に対する答申を審査庁が受けたときである。

(3)　「(前条第1項の規定による諮問を要しない場合（同項第2号又は第3号に該当する場合を除く。）にあっては審理員意見書が提出されたとき……)」

本法43条1項各号のいずれか（同項2号または3号に該当する場合を除く）に該当する場合であって審理員意見書が審査庁に提出されたときである。

(4)　「同項第2号又は第3号に該当する場合にあっては同項第2号又は第3号に規定する議を経たとき」

「同項第2号……に規定する議を経たとき」とは，裁決をしようとするときに他の法律または政令（条例に基づく処分については条例）に，本法9条1項各号に掲げる機関（(i)内閣府設置法49条1項もしくは2項または国家行政組織法3条2項に規定する委員会，(ii)内閣府設置法37条もしくは54条または国家行政組織法8条に規定する機関，(iii)地方自治法138条の4第1項に規定する委員会もしくは委員または同条第3項に規定する機関）もしくは地方公共団体の議会またはこれらの機関に類するものとして政令で定めるものの議を経るべき旨または経ることができる旨の定めがあり，かつ，実際に当該議を経た場合である。

「第3号に規定する議を経たとき」とは，㋐法令に基づく申請を拒否する処分に対する審査請求がなされ，審査庁が，拒否処分を全部または一部取り消すにとどまらず，㋑処分庁の上級行政庁である審査庁が当該処分庁に対し，当該処分をすべき旨を命ずるか，処分庁である審査庁が当該処分をする場合において，㋒本法43条1項1号に規定する議を経るべき旨の定めがあるケース，または，㋓法令に基づく申請に対する不作為についての審査請求がなされ，審査庁が，裁決で，当該不作為が違法または不当である旨を宣言するにとどまらず，㋔不作為庁の上級行政庁である審査庁が当該不作為庁に対し，当該処分をすべき旨を命ずるか，不作為庁である審査庁が当該処分をする場合において，㋕本法43条1項1号に規定する議を経るべき旨の定めがあるケースのいずれかにおいて，審査庁が，当該定めに係る審議会等の議を経たときを意味する。

(5) 「遅滞なく」

　行政不服審査会等の答申を受けたとき，行政不服審査会等以外の第三者機関の議を経たとき，または，第三者機関への諮問を要しない場合であって審理員意見書の提出を受けたときには，裁決の判断をすることになるが，審査庁は，諮問機関の答申や審理員意見書に法的に拘束されるわけではなく，これらを踏まえて自らの責任において裁決をしなければならず，事案の複雑さは多様であり，場合によっては，審査庁の独自調査が必要になる場合もありえないわけではない。そこで，「直ちに」「速やかに」ではなく「遅滞なく」としている。

> （処分についての審査請求の却下又は棄却）
> 第45条① 処分についての審査請求が法定の期間経過後にされたものである場合その他不適法である場合には，審査庁は，裁決で，当該審査請求を却下する。
> ② 処分についての審査請求が理由がない場合には，審査庁は，裁決で，当該審査請求を棄却する。
> ③ 審査請求に係る処分が違法又は不当ではあるが，これを取り消し，又は撤廃することにより公の利益に著しい障害を生ずる場合において，審査請求人の受ける損害の程度，その損害の賠償又は防止の程度及び方法その他一切の事情を考慮した上，処分を取り消し，又は撤廃することが公共の福祉に適合しないと認めるときは，審査庁は，裁決で，当該審査請求を棄却することができる。この場合には，審査庁は，裁決の主文で，当該処分が違法又は不当であることを宣言しなければならない。

（本条の趣旨）

　本条は，審査請求が不適法である場合の却下裁決，審査請求が理由がない場合の棄却裁決，審査請求が違法または不当であるが，公の利益への著しい障害を避けるために審査請求を棄却する事情裁決について定めるものである。

(1) 「処分についての審査請求が法定の期間経過後にされたものである場合その他不適法である場合には」（1項）

本　論　第2章　審査請求

審査請求を却下する場合の要件を定めている。本法24条が規定するように，審査請求人が審査庁が定める相当の期間内に不備の補正命令に従わない場合にも，審査請求は不適法として却下される。その他不適法である場合としては，教示の懈怠，教示の誤りがないのに審査請求をすべき行政庁以外の行政庁に審査請求がなされた場合，審査請求人適格がない場合等が考えられる。

(2)　「裁決」（1項）

本項では，原処分についての審査請求に対し，審査庁が却下という最終判断を示す場合について定めており，裁決も行政処分である。裁決の方式については本法50条，その効力の発生については本法51条，その拘束力については本法52条に定められている。

(3)　「当該審査請求を却下する」（1項）

訴訟要件を充足しない訴訟が本案審理を行わずに却下されるのと同様，審査請求が適法要件を欠くことを理由として，審査請求に係る処分が違法または不当かの本案の審理を拒否することを意味する。

(4)　「処分についての審査請求が理由がない場合には」（2項）

審査請求の適法要件は満たしているが，審査請求に係る処分が違法でも不当でもない場合である。平成20年法案44条2項においては，旧行政不服審査法40条2項の「審査請求が理由がないときは」を「審査請求に係る処分が違法又は不当のいずれでもない場合には」と表現を変え，かかる場合には，審査庁は，裁決で当該審査請求を棄却すると規定していた。その理由は，審査請求人の主張する理由が審査庁にとり受け入れられないものであっても，職権探知により処分が違法または不当かの審理がなされることがあるので，「審査請求が理由がない」という表現よりも，「審査請求に係る処分が違法又は不当のいずれでもない」という表現のほうが正確と考えられたからである（平成20年法案48条2項〔不作為についての審査請求を棄却する裁決〕も同じ）。同様の理由から，旧行政不服審査法40条3項等で，審査請求が「理由があるとき」と規定されていた部分を平成20年法案では審査請求に係る処分，事実行為，不作為が「違法又は不当である場合」という表現に変えていた（平成20年法案45条1項，

第45条（処分についての審査請求の却下又は棄却）

46条1項，48条3項）。

　しかし，東京高判昭和48・3・14行集24巻3号115頁が，行政不服審査手続には民事訴訟とは異なり弁論主義が適用されず，職権主義が採用され，したがって審査の範囲は，審査請求の理由に拘束されることなく，職権で審査請求人の提出しない証拠を取り調べることもできるのであり，当該審査請求の対象となった処分の当否を判断するのに必要な範囲全般に及ぶと述べ，当時の法人税法35条5項2号・3号の「審査の請求の全部についてその理由がないと認めるとき」，あるいは「審査の請求の全部又は一部についてその理由があると認めるとき」とは，「原処分に対する不服の申立（審査の請求）自体を不相当あるいは相当と認めることを指しているものであって，審査請求人が請求を理由あらしめるものとして主張している個々の不服の理由の当否を指しているものではないから，……審査請求人の主張する理由と異る理由によって審査請求を棄却することになんら違法はない」と判示しているように，旧行政不服審査法40条3項等のような規定の仕方をしたからといって，審査請求人の主張の範囲でしか審査できないことになるわけでは必ずしもない。

　また，旧行政不服審査法の下において，審査庁は職権探知の権限を有するが職権探知の義務を負うものではないと解されてきたところ，この点について従前の立場を変更する趣旨ではないにもかかわらず，平成20年法案のような規定の仕方をした場合，職権探知を義務づける趣旨と解される可能性もある。そこで，本項は，旧行政不服審査法40条3項と同様，「審査請求が理由がない」という表現を用いている。

(5)　「審査請求に係る処分が違法又は不当ではあるが，これを取り消し，又は撤廃することにより公の利益に著しい障害を生ずる場合において，審査請求人の受ける損害の程度，その損害の賠償又は防止の程度及び方法その他一切の事情を考慮した上，処分を取り消し，又は撤廃することが公共の福祉に適合しないと認めるときは，審査庁は，裁決で，当該審査請求を棄却することができる」（3項前段）

　旧行政不服審査法40条6項は，行政事件訴訟法31条の事情判決に相当する事情裁決を定めていたが，本項は，これを踏襲するものである。たとえば河川法の許可を得て大規模なダムが建設された後に，当該許可が違法または不当で

あるとして取り消すと，公の利益に著しい障害を生ずるような場合が考えられる。

(6)「この場合には，審査庁は，裁決の主文で，当該処分が違法又は不当であることを宣言しなければならない」(3項後段)

　旧行政不服審査法40条6項，平成20年法案44条3項においては，裁決で当該処分が違法または不当であることを宣言しなければならないと定めていたが，主文で宣言しなければならない旨を明記していなかった。そこで，行政事件訴訟法31条1項後段が，判決の主文で処分または裁決が違法であることを宣言しなければならないと規定しているのに合わせて，裁決の主文（本法50条1項1号）で当該処分が違法または不当であることを宣言する必要があることを明記している。

:::
（処分についての審査請求の認容）
第46条①　処分（事実上の行為を除く。以下この条及び第48条において同じ。）についての審査請求が理由がある場合（前条第3項の規定の適用がある場合を除く。）には，審査庁は，裁決で，当該処分の全部若しくは一部を取り消し，又はこれを変更する。ただし，審査庁が処分庁の上級行政庁又は処分庁のいずれでもない場合には，当該処分を変更することはできない。
②　前項の規定により法令に基づく申請を却下し，又は棄却する処分の全部又は一部を取り消す場合において，次の各号に掲げる審査庁は，当該申請に対して一定の処分をすべきものと認めるときは，当該各号に定める措置をとる。
　1　処分庁の上級行政庁である審査庁　当該処分庁に対し，当該処分をすべき旨を命ずること。
　2　処分庁である審査庁　当該処分をすること。
③　前項に規定する一定の処分に関し，第43条第1項第1号に規定する議を経るべき旨の定めがある場合において，審査庁が前項各号に定める措置をとるために必要があると認めるときは，審査庁は，当該定めに係る審議会等の議を経ることができる。
:::

> ④ 前項に規定する定めがある場合のほか，第2項に規定する一定の処分に関し，他の法令に関係行政機関との協議の実施その他の手続をとるべき旨の定めがある場合において，審査庁が同項各号に定める措置をとるために必要があると認めるときは，審査庁は，当該手続をとることができる。

(本条の趣旨)

　本条は，処分（事実上の行為を除く）についての審査請求を認容する場合の処分の取消しおよび変更の裁決について定めるほか，申請拒否処分を取り消す場合に審査庁が一定の処分をすべきものと認めるときの裁決について定めるものである。

(1)　「処分（事実上の行為を除く。以下この条及び第48条において同じ。）」（1項本文）

　旧行政不服審査法2条1項は，公権力の行使に当たる事実上の行為で，人の収容，物の留置その他その内容が継続的性質を有するものが処分に含まれる旨を明記していたが，本法2条は，処分に公権力の行使に当たる事実上の行為が含まれることは解釈上当然として，その旨を明記していない。一般的に「事実上の行為」といえば，その中には，公権力の行使に当たらないものも含まれるが，処分は公権力の行使に当たるものに限られるから，本項で処分から除かれる事実上の行為は，公権力の行使に当たる事実上の行為に限られる。旧行政不服審査法2条1項では，公権力の行使に当たる事実上の行為で，人の収容，物の留置その他その内容が継続的性質を有するものを「事実行為」と定義し，この用語を以下の条文で用いているが，他の法令で「事実行為」という文言を用いている例はなく，行政手続法2条4号イにおいても「事実上の行為」という用語が使用されているため，本項においても，本法48条においても，「事実行為」という文言は用いられていない。

(2)　「審査請求が理由がある場合」（1項本文）

　「審査請求が理由がある場合」とは，審査請求が適法であり，かつ，審査請求に係る処分が違法または不当である場合である。なお，本条の見出しは，

本論　第2章　審査請求

「処分についての審査請求の認容」となっているが，旧行政不服審査法22条5項では，「審査請求……を容認すべきときは」と規定され，「容認」という文言が使用されていた。しかし，「容認」とは，通常，他人の行為を監督し，またはその行為の実現を阻止すべき地位にある者が，その行為のなされることを知りながら，これに対して明示的または黙示的な承認を与える場合に使われることが多く（国家公務員法111条，地方公務員法62条，公職選挙法251条の2第2項等。吉国一郎ほか共編・法令用語辞典〔第9次改訂版〕〔学陽書房，2009年〕742頁），他方，「認容」とは，一般に認めて許す意味で用いられる（法令用語研究会編・法律用語辞典〔第4版〕〔有斐閣，2012年〕917頁）ので，審査請求が理由がある場合には「認容」という文言を使用することのほうが適切と考えられる。また，行政事件訴訟法33条3項においても，「審査請求を認容した裁決」と規定されている。そこで，本条の見出しには，「容認」ではなく「認容」という用語が使用されている。

(3)　「（前条第3項の規定の適用がある場合を除く。）」（1項本文）

「前条第3項の規定の適用がある場合」とは，本法45条3項の規定により，事情裁決が行われる場合である。事情裁決が行われる場合には，審査請求を棄却することになるので，処分の取消しまたは変更について定める本項から除いている。

(4)　「審査庁は，裁決で，当該処分の全部若しくは一部を取り消し」（1項本文）

当該処分の取消しとは，原処分を行う意思決定が違法または不当であるとして，原処分の効果を失わせることを意味する。違法または不当な部分が一部であり，当該部分を違法でも不当でもない部分と分けることが可能であるときに，前者に係る意思決定のみの効果を消滅させるのが一部取消しである。

(5)　「又はこれを変更する」（1項本文）

「変更する」とは，原処分を行う意思決定は存続させたまま，その法的効果を変更することを意味する。申請拒否処分についての審査請求で申請を認容すべき旨を命じたり，申請を認容する裁決を行うことは，申請拒否処分の取消し

が前提となっているので，変更裁決ではない。

(6) 「**ただし，審査庁が処分庁の上級行政庁又は処分庁のいずれでもない場合には，当該処分を変更することはできない**」（1項ただし書）

審査庁が処分庁の上級行政庁である場合には，直接に当該処分を行う権限を有しないが，上級行政庁としての一般的な指揮監督権（その内容について宇賀・行政法概説Ⅲ 56頁以下参照）の発動として，処分の変更を命ずることはできる。また，審査庁が処分庁である場合には，自らの判断で当該処分を変更する権限を有する。これに対し，審査庁が処分庁の上級行政庁または処分庁のいずれでもない場合には，当該処分を自ら変更する権限を有しないし，処分庁に対する一般的指揮監督権も有しないから，個別法に別段の定めがない限り，処分庁に変更を命ずることもできない。本項ただし書は，このことを確認するものである。

(7) 「**前項の規定により法令に基づく申請を却下し，又は棄却する処分の全部又は一部を取り消す場合において**」（2項柱書）

本項は，申請に対して許認可等の一定の処分をすべきものと認める場合についての規定であるが，申請を認容する処分をする場合には，それと矛盾する申請拒否処分の取消しが前提となる。そこで，申請拒否処分を全部または一部取り消す場合において，申請認容処分を行うことができることを確認的に規定している。

(8) 「**当該申請に対して一定の処分をすべきものと認めるときは**」（2項柱書）

審査庁が，原処分の全部または一部の取消しにとどまらず，当該申請に対し，許認可等の一定の処分をすべきものと判断する場合であり，「すべきものと認めるときは」とは，この点についての審査庁の裁量を認める趣旨である。行政事件訴訟法37条の3第6項前段が，取消訴訟または無効等確認訴訟と申請型義務付け訴訟が併合提起された事案において，審理の状況その他の事情を考慮して，取消訴訟または無効等確認訴訟についてのみ終局判決をすることにより迅速な解決に資すると認めるときは，当該訴えについてのみ終局判決をするこ

とができると定めているのと同様，審査庁は，審理の状況その他の事情を考慮して，処分の取消しのみを行うこともできる。「一定の処分」は「特定の処分」と異なり，ある程度の幅のある概念であり，どの範囲までが「一定の処分」といえるかは，当該処分の根拠法令の趣旨および社会通念により定まる。処分庁は，「一定の処分」の範囲内で附款付き処分を行うことができる場合もありうる。以上は，審査庁が処分庁でない場合を念頭に置いているが，処分庁が審査庁となる場合には，自らの判断で処分の具体的内容を決定し「特定の処分」を行うことになるから，「一定の処分」の範囲を問題にする必要はないと思われる。

(9)　「次の各号に掲げる審査庁は……当該各号に定める措置をとる」（2項柱書）

　本項柱書に相当する平成20年法案45条2項柱書においては，「審査庁は……次の各号に掲げる審査庁の区分に応じ，当該各号に定める措置をとる」と規定し，同項1号で「処分庁の上級行政庁である審査庁」，同項2号で「処分庁である審査庁」がとるべき措置について定めていたが，「次の各号に掲げる審査庁」には，処分庁の上級行政庁でも処分庁でもない審査庁は含まれていないため，「審査庁は」という主語について，「次の各号に掲げる」ものに限定されることを明記することが適切と考えられ，本項柱書では，「次の各号に掲げる審査庁は……当該各号に定める措置をとる」という表現に変えられた。

(10)　「処分庁の上級行政庁である審査庁　当該処分庁に対し，当該処分をすべき旨を命ずること」（2項1号）

　処分庁の上級行政庁である審査庁は，処分の取消しにとどまらず，「一定の処分」を行わせることが，争訟の一回的解決を図るために望ましいと認めるときには，2004（平成16）年の行政事件訴訟法改正により設けられた申請型義務付け訴訟を参照して，上級行政庁としての一般的な指揮監督権の行使により，処分庁に対し，当該処分をすべき旨を命ずることとしている（旧行政不服審査法の下において，かかる裁決が可能かについては議論があった。宇賀・行政法概説Ⅱ73頁参照）。

第46条（処分についての審査請求の認容）

⑾　「処分庁である審査庁　当該処分をすること」（2項2号）
　処分庁である審査庁は、申請拒否処分についての審査請求を受けて、当該処分を取り消す場合において、当該申請を認容すべきと考える場合、取消裁決を行い、自らの判断で、処分庁として、当該申請を認容する処分をすることができる。しかし、審査請求による紛争の一回的解決を図る観点から、処分庁である審査庁は、申請拒否処分を取り消すと同時に申請を認容する処分をすることとしている。

⑿　「前項に規定する一定の処分に関し」（3項）
　本項は、前項（本条2項）に規定する一定の処分（審査請求に係る処分を取り消した上で新たにされる処分）を行う場合の手続に関して定めるものであるので、「審査請求に係る処分に関し」ではなく、「一定の処分に関し」と規定されている。

⒀　「第43条第1項第1号に規定する議を経るべき旨の定めがある場合において」（3項）
　本法43条1項1号に規定する議を経るべき旨の定めがある場合とは、審査請求に係る処分をしようとするときに他の法律または政令（条例に基づく処分については条例）に本法9条1項各号に掲げる機関（内閣府設置法49条1項もしくは2項または国家行政組織法3条2項に規定する委員会、内閣府設置法37条もしくは54条または国家行政組織法8条に規定する機関、地方自治法138条の4第1項に規定する委員会もしくは委員または同条3項に規定する機関）もしくは地方公共団体の議会またはこれらの機関に類するもの（以下「審議会等」という）の議を経るべき旨の定めがある場合である。

⒁　「審査庁が前項各号に定める措置をとるために必要があると認めるときは、審査庁は、当該定めに係る審議会等の議を経ることができる」（3項）
　審査庁が、申請に対して一定の処分をすべきものと認め、本条2項各号に定める措置をとるに当たり、審議会等の議を経ることにより、当該個別法が義務づけている諮問手続をとったという法効果が生ずることを意味する。この諮問

本 論 第2章 審査請求

手続がとられた場合には，行政不服審査会等への諮問は不要になる（本法43条1項1号）。

　平成20年法案42条4項においては，審査請求に係る不作為に係る処分に関し，審議会等の議を経るべき旨の定めがある場合において，審査庁が不作為庁の上級行政庁である場合に不作為庁に一定の処分をすべき旨を命じ，審査庁が不作為庁である場合に一定の処分をするために必要があると認めるときは，当該定めに係る審議会等の議を経ることができるとされていた。その理由は，(i)不作為についての審査請求に関しては，不作為庁が個別法が定める諮問手続を履践していないと考えられること，(ii)個別法で諮問手続が義務づけられている場合に，審査庁が平成20年法案48条3項の規定に基づき，申請に対する一定の処分をすべき旨を命じ，または自らすることを認めることは，行政不服審査法により，個別法の諮問手続の意義を失わせることになること，であった。そこで，審査庁が，申請に対する一定の処分をすべき旨を命じ，または自らしようとする場合において，審査庁が個別法で定める諮問手続をとることにより，個別法が定める諮問手続がとられたという法効果を生じさせることとしたのである。

　このように，平成20年法案においては，不作為についての審査請求に対して審査庁が申請を認容すべきと認めるときの処分前の諮問手続については規定されていたものの，申請拒否処分についての審査請求に関しては，同様の規定は設けられていなかった。しかし，申請拒否処分についての審査請求であっても，審査庁が申請を認容すべきと認めるときに，個別法の定める諮問手続を履践する必要があり，処分庁において当該手続がとられていないことがありうる。かかる場合に，審査庁が当該手続を行わないで，一定の処分をすべき旨を命じ，または一定の処分をすることは，上記(ii)で述べたのと同様，行政不服審査法により，個別法の諮問手続の意義を失わせることになる。

　そこで，本法は，申請拒否処分についての審査請求に関しても，審査庁が申請を認容しようとする場合における諮問手続の履践に係る規定を本項で設けている。なお，平成20年法案42条4項は，かかる諮問手続をとることにより，行政不服審査会等への諮問が不要となることに着目し，行政不服審査会等への諮問に関する節（2章4節）に置かれていたが，本法は，本項が，裁決を行うに当たり，一定の処分に係る諮問手続を履践することについての規定である点

第 46 条（処分についての審査請求の認容）

に着目し，裁決に関する節（2章5節）に置いている。

　なお，異議申立てという不服申立類型が廃止され，原則として審査請求に一元化されたため，従前の異議申立ては，基本的に処分庁を審査庁とする審査請求になった。そのため，旧行政不服審査法 47 条 3 項の定める処分庁による処分の取消しおよび変更については，本条で規定することになったが，旧行政不服審査法 47 条 3 項ただし書のうち，「当該処分が法令に基づく審議会その他の合議制の行政機関の答申に基づいてされたものであるときは，さらに当該行政機関に諮問し，その答申に基づかなければ，当該処分の全部若しくは一部を取り消し，又はこれを変更することができない」の部分は，本条には規定されていない。旧行政不服審査法 47 条 3 項ただし書の当該部分の趣旨は，審査請求に対する裁決の場合には，処分庁以外の行政庁が，上級行政庁としての指揮監督権に基づき，または個別法により付与された権限に基づき，取消しまたは変更を行うのに対し，処分庁は，審議会等の答申に基づいて処分を行うことが個別法で定められているので，処分の取消しまたは変更に当たっても，当該審議会等の意見に基づいて行うべきということにある。

　より具体的に述べれば，旧行政不服審査法 47 条 3 項ただし書の「審議会その他の合議制の行政機関の答申に基づいてされたものであるとき」とは，当該審議会等が参与機関（宇賀・行政法概説Ⅲ 31 頁参照）であって，その答申が法的拘束力を有する場合のみが念頭に置かれている。参与機関ではない一般の諮問機関の場合には，答申には法的拘束力はないため，異議申立てに対して，原処分の取消しまたは変更の決定を行うに当たり，重ねて諮問を義務づける必要はなく，再度諮問を行うか否かは異議審理庁の判断に委ねて差支えないと考えられたためである。参与機関の答申に基づいて処分を行う場合，処分を行うに当たり，処分庁単独で判断することは不適切であり，形式的には処分庁の名で処分を行うが，実質的判断は参与機関に委ねることが適切であるとする判断が立法者により行われているのであるから，その趣旨は，異議申立てに対する決定にも妥当するはずであり，個別法で処分を行うに当たり参与機関の議を経るべき旨を定めておきながら，異議申立てに対する決定の場合には，参与機関の議を経ずに処分庁の判断で取消しまたは変更ができるとすることは背理であると考えられたのである。

　他方，異議申立てに対する決定において原処分の判断を維持して棄却決定を

本論 第2章 審査請求

する場合には，原処分に係る参与機関の判断を維持することになり，改めて参与機関に諮る必要はないため，旧行政不服審査法47条3項ただし書は，原処分の取消しまたは変更の場合のみにおいて，参与機関に諮ることを義務づけていた。

　本法は，処分庁が審査庁となる場合において，旧行政不服審査法47条3項ただし書の参与機関の議に基づく処分についての従前の考えを維持している。しかし，旧行政不服審査法47条3項ただし書の参与機関の議に基づく処分の具体例は，整備法による改正前の税理士法47条4項の規定に基づき，税理士に対する懲戒処分を国税審議会の議決に基づいて行う場合，整備法による改正前の同法48条の20第1項・2項の規定に基づき，税理士法人に対する懲戒処分を国税審議会の議決に基づいて行う場合，公共用地の取得に関する特別措置法7条の規定に基づき，国土交通大臣が社会整備資本審議会の議を経て，特定公共事業の認定をするときに限られており，かつ，実際に異議申立てがされた例は僅少である。したがって，旧行政不服審査法47条3項ただし書の参与機関の議に基づく処分に係る規定を一般法である本法に設ける必要性は希薄であり，個別法に規定を設ければ足りると考えられた。そのため，整備法において，個別法に規定が設けられている（税理士法47条4項後段，48条の20第2項，公共用地の取得に関する特別措置法42条3項）。

　なお，弁護士法58条5項は，弁護士会は，当該弁護士会の懲戒委員会の議決に基づき，対象弁護士等を懲戒しなければならないと定めており，この場合の懲戒委員会は参与機関であるが，同法59条1項は，日本弁護士連合会は，弁護士会がした懲戒の処分について審査請求があったときは，日本弁護士連合会の懲戒委員会に事案の審査を求め，その議決に基づき，裁決をしなければならないと定めている。この場合の日本弁護士連合会の懲戒委員会も参与機関であるが，原処分時の（各弁護士会に設置される）懲戒委員会とは異なる。すなわち，原処分を取り消し，または変更する場合であっても，原処分を行う場合の参与機関の議を重ねて求めているわけではない。これは，処分庁とは異なる審査庁が裁決で原処分を取り消し，または変更する場合には，原処分を行うときの参与機関の議決に拘束されるわけではないからである。

⑴5 「前項に規定する定めがある場合のほか，第2項に規定する一定の処

第 46 条（処分についての審査請求の認容）

分に関し，他の法令に関係行政機関との協議の実施その他の手続をとるべき旨の定めがある場合において」（4項）

　本法 43 条 1 項 1 号に規定する審議会等の議を経るべき旨の定めがある場合のほか，本条 2 項に規定する一定の処分を行おうとするときに，他の法令（法令であるので，府省令，委員会規則等を含む）に，説明会の開催等（土地収用法 15 条の 14），利害関係人・地方公共団体の長等からの意見聴取（「密集市街地における防災街区の整備の促進に関する法律」122 条 3 項等），公聴会の開催（土地収用法 23 条），関係行政機関との協議（「就学前の子どもに関する教育，保育等の総合的な提供の推進に関する法律」17 条 5 項等）等の手続をとるべき旨の定めがある場合である。

⑯　「審査庁が同項各号に定める措置をとるために必要があると認めるときは，審査庁は，当該手続をとることができる」（4 項）

　「同項各号に定める措置」とは，本条 2 項各号に定める措置である。かかる措置をとるために審査庁が必要があると認めて，個別の法令が定める手続をとった場合には，個別の法令で要求されている手続を履践した的法効果が生ずる。平成 20 年法案 42 条 5 項においては，審査請求に係る不作為に係る処分に関し，他の法令に関係行政機関との協議の実施その他の手続をとるべき旨の定めがある場合において，審査庁が不作為庁の上級行政庁である場合に不作為庁に一定の処分をすべき旨を命じ，審査庁が不作為庁である場合に一定の処分をするために必要があると認めるときは，当該手続をとることができると規定されていた。このように，平成 20 年法案においては，不作為についての審査請求に対して審査庁が申請を認容すべきと認めるときの処分前の協議等の手続については規定されていたものの，申請拒否処分についての審査請求に関しては，同様の規定は設けられていなかった。しかし，申請拒否処分についての審査請求であっても，審査庁が申請を認容すべきと認めるときに，個別法の定める協議等の手続を履践する必要があり，処分庁において当該手続がとられていないことがありうる。かかる場合に，審査庁が当該手続を行わないで，一定の処分をすべき旨を命じ，または一定の処分をすることは，行政不服審査法により，個別法の協議等の手続の意義を失わせることになる。そこで，本法は本項で，申請拒否処分についての審査請求に関しても，審査庁が申請を認容しようとする場

合における協議等の手続の履践に係る規定を設けている。

> 第47条 事実上の行為についての審査請求が理由がある場合（第45条第3項の規定の適用がある場合を除く。）には，審査庁は，裁決で，当該事実上の行為が違法又は不当である旨を宣言するとともに，次の各号に掲げる審査庁の区分に応じ，当該各号に定める措置をとる。ただし，審査庁が処分庁の上級行政庁以外の審査庁である場合には，当該事実上の行為を変更すべき旨を命ずることはできない。
> 1 処分庁以外の審査庁 当該処分庁に対し，当該事実上の行為の全部若しくは一部を撤廃し，又はこれを変更すべき旨を命ずること。
> 2 処分庁である審査庁 当該事実上の行為の全部若しくは一部を撤廃し，又はこれを変更すること。

（本条の趣旨）

本条は，事実上の行為についての審査請求を認容する撤廃または変更の裁決について定めるものである。

(1) 「事実上の行為についての審査請求が理由がある場合」（柱書本文）

本法46条1項で処分（事実上の行為を除く）についての審査請求が理由がある場合について定めているので，本条は，事実上の行為についての審査請求が理由がある場合について定めている。

(2) 「（第45条第3項の規定の適用がある場合を除く。）」（柱書本文）

事情裁決が行われる場合には，審査請求に理由があっても，審査請求は棄却されるので，その場合を除いている。

(3) 「審査庁は，裁決で，当該事実上の行為が違法又は不当である旨を宣言する」（柱書本文）

公権力の行使に当たる事実上の行為の場合，処分（事実上の行為を除く）とは異なり法的効果を生ずるものではないので，「取消し」という法概念にはなじ

まないともいえる。そこで，裁決で，当該事実上の行為が違法または不当である旨を宣言し，「撤廃」の措置を講ずることとしている。

(4) 「次の各号に掲げる審査庁の区分に応じ，当該各号に定める措置をとる」（柱書本文）

審査庁が処分庁以外の行政庁の場合と審査庁が処分庁である場合では，講ずる措置が異なるため，審査庁の区分に応じて措置を定めている。

(5) 「ただし，審査庁が処分庁の上級行政庁以外の審査庁である場合には，当該事実上の行為を変更すべき旨を命ずることはできない」（柱書ただし書）

審査庁が処分庁の上級行政庁以外の審査庁である場合には，処分庁に対して上級行政庁としての一般的な指揮監督権を有しないので，事実上の行為の変更を命ずることはできない。

(6) 「処分庁以外の審査庁　当該処分庁に対し，当該事実上の行為の全部若しくは一部を撤廃し，又はこれを変更すべき旨を命ずること」（1号）

事実上の行為の撤廃とは，人の収容を例にとれば，拘束状態から解放することを意味する。事実上の行為の変更とは，同じく人の収容を例にとれば，隔離病棟から開放病棟に移すことがこれに当たる。処分庁以外の審査庁は，自ら事実上の行為の撤廃または変更を行うのではなく，処分庁にそれを命ずることになる。

(7) 「処分庁である審査庁　当該事実上の行為の全部若しくは一部を撤廃し，又はこれを変更すること」（2号）

処分庁である審査庁は，裁決で違法または不当である旨を宣言した事実上の行為を自ら撤廃し，または変更することになる。

（不利益変更の禁止）
第48条　第46条第1項本文又は前条の場合において，審査庁は，審査請求

> 人の不利益に当該処分を変更し，又は当該事実上の行為を変更すべき旨を命じ，若しくはこれを変更することはできない。

（本条の趣旨）
　本条は，本法が行政統制よりも国民の権利利益の保護（行政救済）を重視していることから，変更裁決を行うに当たり，不利益変更を禁止するものである。

(1) 「第46条第1項本文……の場合において」
　処分（事実上の行為を除く）についての審査請求が理由がある場合（事情裁決規定の適用がある場合を除く）に，審査庁が，裁決で，当該処分を変更する場合である。

(2) 「前条の場合において」
　事実上の行為についての審査請求が理由がある場合（事情裁決規定の適用がある場合を除く）に，審査庁が，裁決で，当該事実上の行為が違法または不当である旨を宣言するとともに，処分庁に対し当該事実上の行為を変更すべき旨を命じ（本法47条1号），または自ら事実上の行為を変更する場合（同条2号）である。

(3) 「審査庁は，審査請求人の不利益に当該処分を変更し，又は当該事実上の行為を変更すべき旨を命じ，若しくはこれを変更することはできない」
　訴願法については，不利益変更の可否について，全面肯定説，全面否定説もあったが，通説は，処分庁の上級行政庁が審査庁である場合には，一般的指揮監督権を根拠に不利益変更を認めるが，処分庁の上級行政庁でない審査庁は，一般的指揮監督権を有しないので，不利益変更をすることはできないと解していた。本法は，「国民の権利利益の救済を図るとともに，行政の適正な運営を確保することを目的とする」（1条1項）ので，行政救済と行政統制の双方を目的としているが，行政救済を重視したものであるので，旧行政不服審査法40条5項ただし書と同様，不利益変更禁止原則をとっている。

(不作為についての審査請求の裁決)
第49条① 不作為についての審査請求が当該不作為に係る処分についての申請から相当の期間が経過しないでされたものである場合その他不適法である場合には,審査庁は,裁決で,当該審査請求を却下する。
② 不作為についての審査請求が理由がない場合には,審査庁は,裁決で,当該審査請求を棄却する。
③ 不作為についての審査請求が理由がある場合には,審査庁は,裁決で,当該不作為が違法又は不当である旨を宣言する。この場合において,次の各号に掲げる審査庁は,当該申請に対して一定の処分をすべきものと認めるときは,当該各号に定める措置をとる。
 1 不作為庁の上級行政庁である審査庁 当該不作為庁に対し,当該処分をすべき旨を命ずること。
 2 不作為庁である審査庁 当該処分をすること。
④ 審査請求に係る不作為に係る処分に関し,第43条第1項第1号に規定する議を経るべき旨の定めがある場合において,審査庁が前項各号に定める措置をとるために必要があると認めるときは,審査庁は,当該定めに係る審議会等の議を経ることができる。
⑤ 前項に規定する定めがある場合のほか,審査請求に係る不作為に係る処分に関し,他の法令に関係行政機関との協議の実施その他の手続をとるべき旨の定めがある場合において,審査庁が第3項各号に定める措置をとるために必要があると認めるときは,審査庁は,当該手続をとることができる。

(本条の趣旨)
　本条は,旧行政不服審査法50条の不作為庁の決定その他の措置,同法51条の審査庁の裁決に関する規定を,不作為についての不服申立ての審査請求への一元化を踏まえ,不作為についての審査請求の裁決の規定として整理するとともに,申請に対して一定の処分をすべきものと認めるときの措置について規定するものであり,不作為についての審査請求が不適法な場合の却下裁決,理由がない場合の棄却裁決,理由がある場合の認容裁決について定めている。

本 論 第2章 審査請求

(1) 「不作為についての審査請求が当該不作為に係る処分についての申請から相当の期間が経過しないでされたものである場合」(1項)

　不作為についての審査請求が当該不作為に係る処分についての申請から相当の期間（「相当の期間」については，本法3条の解説(2)参照）が経過しないものである場合，当該審査請求を不適法と解するか，適法であるが理由がないと解するかという問題があるが，本項は，かかる場合には，審査請求は不適法であるとする立場をとっている。本法3条は，法令に基づく申請から相当の期間が経過したにもかかわらず，行政庁が何らの処分もしないという不作為の存在を審査請求をすることができる要件としていると解されることによる。

(2) 「その他不適法である場合には」(1項)

　審査請求書の補正を命じられたが，審査庁が定めた期間内に補正しなかった場合（本法24条1項），法令に基づく申請をしていない者からの審査請求であり不服申立適格がない場合等が考えられる。

(3) 「審査庁は，裁決で，当該審査請求を却下する」(1項)

　不適法な審査請求について，審査庁は違法または不当かの審理を行わずに，審査請求を退けることを意味する。

(4) 「不作為についての審査請求が理由がない場合には」(2項)

　東京地判昭和39・11・4判時389号3頁は，「相当の期間経過の有無は，その処分をなすに通常必要とする期間を基準として判断し，通常の所要期間を経過した場合には原則として被告の不作為は違法となり，ただ右期間を経過したことを正当とするような特段の事情がある場合には違法たることを免れるものと解するのが相当である」と判示している。このように，申請を処理するのに通常要する期間が経過しているが，そのことを正当化する特段の事情がある場合には，不作為は違法でも不当でもないと解される。かかる正当な理由があるか否かは，当該申請の内容，不作為庁における処理体制等の諸般の事情を総合考慮する必要がある。そこで，本項は，かかる正当な理由がある場合には，審査請求は適法であるが，本案の問題として不作為は違法でも不当でもなく，審査請求は理由がないものと解する立場に立っている。なお，不作為の違法確認

第49条（不作為についての審査請求の裁決）

訴訟とは異なり，不作為についての審査請求においては，違法性のみならず不当性も審査されるので，申請を処理するのに通常要する期間が経過したことを正当化する特段の事情の有無の判断は，不作為の違法確認訴訟の場合よりも，厳格に判断すべきことになり，たとえば，不作為庁の処理体制が不十分であったことが，違法とまではいえないが不当性を基礎づける場合もありえないわけではないと思われる。

(5) 「審査庁は，裁決で，当該審査請求を棄却する」（2項）

審査請求の適法要件は満たしているが，本案の判断として，不作為の違法性も不当性も認められないので，審査請求は理由がないことになる場合には，本案の判断を経ているので，却下ではなく棄却することになる。

(6) 「不作為についての審査請求が理由がある場合には」（3項柱書前段）

当該類型の申請の処理に通常要すべき期間が経過し，そのことを正当化する特段の事情も認められない場合を意味する。

(7) 「審査庁は，裁決で，当該不作為が違法又は不当である旨を宣言する」（3項柱書前段）

事情裁決の場合には，「裁決の主文」で，処分が違法または不当である旨を宣言しなければならないと規定されている（本法45条3項）のに対し，本項では，「裁決」で宣言する旨，規定している。これは，不作為が違法または不当である旨の宣言は，裁決の主文（本法50条1項1号）で行われることは，明記するまでもなく明らかであるからである。

(8) 「この場合において，次の各号に掲げる審査庁は，当該申請に対して一定の処分をすべきものと認めるときは，当該各号に定める措置をとる」（3項柱書後段）

「一定の処分」には，申請を認容する処分のみならず，申請を拒否する処分も含まれる。不作為の違法確認訴訟と併合提起される申請型義務付け訴訟を参考にして，不作為が違法または不当であり，当該申請に対して一定の処分をすべきものと認めるときには，争訟の一回的解決を図るために，当該一定の処分

がとられることを裁決で確保する措置を講ずることとしている。行政事件訴訟法37条の3第6項を参考にして，本項においても，審理の状況その他の事情を考慮し，申請に対して一定の処分をすべきものとは認めず，不作為が違法または不当である旨を宣言するにとどめ，不作為庁の事務処理の促進を図ることにより，紛争の迅速な解決を期することもできることとしている。

平成20年法案48条3項柱書においては，「審査庁は……次の各号に掲げる審査庁の区分に応じ，当該各号に定める措置をとる」と規定していたが，「次の各号に掲げる審査庁」は，(i)不作為庁の上級行政庁である審査庁，(ii)不作為庁である審査庁のみであり，(iii)不作為の上級行政庁でも不作為庁でもない審査庁は含まれていなかったので，審査庁の全てを包摂するかのように「審査庁は」と規定することは適切でないことから，「次の各号に掲げる審査庁は」と規定している（本法46条の解説(9)も参照）。

(9) 「不作為庁の上級行政庁である審査庁　当該不作為庁に対し，当該処分をすべき旨を命ずること」（3項1号）

上級行政庁としての一般的な指揮監督権の行使により，不作為庁に対し，一定の処分をすべき旨を命ずることである。

(10) 「不作為庁である審査庁　当該処分をすること（3項2号）

法令に基づく申請に対する諾否の応答（行政手続法2条3号）としての処分をすることである。

(11) 「審査請求に係る不作為に係る処分に関し，第43条第1項第1号に規定する議を経るべき旨の定めがある場合において，審査庁が前項各号に定める措置をとるために必要があると認めるときは，審査庁は，当該定めに係る審議会等の議を経ることができる」（4項）

本法43条1項1号に規定する議を経るべき旨の定めがある場合とは，審査請求に係る処分をしようとするときに他の法律または政令（条例に基づく処分については条例）に本法9条1項各号に掲げる機関の議を経るべき旨の定めがある場合である。審査庁が，申請に対して一定の処分をすべきものと認め，本条3項各号に定める措置をとるに当たり，審議会等の議を経ることにより，当該

第50条（裁決の方式）

個別法が義務づけている諮問手続をとったという法的効果が生ずることになる。この諮問手続がとられた場合には，行政不服審査会等への諮問は不要になる（本法43条1項1号）。詳しくは，本法46条3項の解説⒀⒁参照。

⑿　「前項に規定する定めがある場合のほか，審査請求に係る不作為に係る処分に関し，他の法令に関係行政機関との協議の実施その他の手続をとるべき旨の定めがある場合において，審査庁が第3項各号に定める措置をとるために必要があると認めるときは，審査庁は，当該手続をとることができる」（5項）

本法43条1項1号に規定する審議会等の議を経るべき旨の定めがある場合のほか，本条3項に規定する一定の処分を行おうとするときに，他の法令（法令であるので，府省令，委員会規則等を含む）に，説明会の開催等，利害関係人・地方公共団体の長等からの意見聴取，公聴会の開催，関係行政機関との協議等の手続をとるべき旨の定めがある場合である。本条3項各号に定める措置をとるために審査庁が必要があると認めて，個別の法令が定める手続をとった場合には，個別の法令で要求されている手続を履践した法的効果が生ずる。詳しくは，本法46条4項の解説⒂⒃参照。

（裁決の方式）
第50条①　裁決は，次に掲げる事項を記載し，審査庁が記名押印した裁決書によりしなければならない。
　1　主文
　2　事案の概要
　3　審理関係人の主張の要旨
　4　理由（第1号の主文が審理員意見書又は行政不服審査会等若しくは審議会等の答申書と異なる内容である場合には，異なることとなった理由を含む。）
②　第43条第1項の規定による行政不服審査会等への諮問を要しない場合には，前項の裁決書には，審理員意見書を添付しなければならない。
③　審査庁は，再審査請求をすることができる裁決をする場合には，裁決書に再審査請求をすることができる旨並びに再審査請求をすべき行政庁及び

> 再審査請求期間（第62条に規定する期間をいう。）を記載して、これらを教示しなければならない。

（本条の趣旨）

本条は、裁決書の必要的記載事項、行政不服審査会等への諮問を要しない場合における審理員意見書の添付、再審査請求をすることができる裁決をする場合における再審査請求の教示について定めるものである。

(1) 「裁決は、次に掲げる事項を記載し、審査庁が記名押印した裁決書によりしなければならない」（1項柱書）

旧行政不服審査法41条は、「裁決は、書面で行ない、かつ、理由を附し、審査庁がこれに記名押印をしなければならない」と定めるのみで、裁決書の必要的記載事項は明記されていなかった。本項は、審査請求人、参加人の手続保障、審査庁の説明責任を確保する観点から、裁決書の必要的記載事項を明記している。本項が定めるのは必要的記載事項であるから、必要に応じ、それ以外の事項を任意に記載することは妨げられない。たとえば、事案の概要、審理関係人の主張の要旨の後に「争点」を整理して掲げること等が考えられる。行政不服審査会は、審査庁が答申を受けて裁決を行った場合には裁決書の写しを同会に提出するよう求めることとされている（行政不服審査会運営規則35条1項）。

(2) 「主文」（1項1号）

民事訴訟法253条1項1号の「主文」に相当するもので、裁決の結論部分である。審査請求の却下（本法45条1項、49条1項）、棄却（本法45条2項、49条2項）、認容（本法46条1項・2項、47条、49条3項）の結論が示され、事情裁決の場合には、処分が違法または不当であることも主文に書かれることになる（本法45条3項）。

(3) 「事案の概要」（1項2号）

民事訴訟法253条1項2号の「事実」においては、当事者の主張の要旨も記載されるが、本項では、審理関係人の主張の要旨は、本項3号で「事案の概

第50条（裁決の方式）

要」とは別に記載することとしている。

(4) 「審理関係人の主張の要旨」（1項3号）

　審理関係人は，審査請求人，参加人および処分庁等であり（本法28条），それぞれの主張の要旨を記載する必要がある。

(5) 「理由（第1号の主文が審理員意見書又は行政不服審査会等若しくは審議会等の答申書と異なる内容である場合には，異なることとなった理由を含む。）」（1項4号）

　「理由」は，民事訴訟法253条1項3号の「理由」に相当する。審理員は審査庁の補助機関であり（本法9条1項柱書），行政不服審査会等その他の審議会等は諮問機関であるから（本法43条1項柱書），審査庁は審理員意見書や行政不服審査会等の答申に法的には拘束されないが（例外的に審査庁が処分庁であって，参与機関の議決に当該審査庁が法的に拘束される場合については個別法で対応している。本法46条の解説(14)参照），審理員による審理制度，行政不服審査会等への諮問制度を設けた趣旨にかんがみれば，審査庁が審理員意見書または行政不服審査会等もしくは審議会等の答申書と異なる内容の裁決をしようとする場合には，透明性の確保，審理関係人に対する説明責任の確保の観点から，異なった判断をする理由の記載を義務づけている。かかる明文の規定がなくても，裁決における理由提示制度の意義に照らし，解釈論上も，かかる義務が認められると解されるが，本項4号は，明文で，そのことを確認したものといえる。この理由が説明されていないか，一応の説明はされていても不十分な場合には，裁決固有の瑕疵となる。他方，審理員意見書または行政不服審査会等もしくは審議会等の答申書に詳細に理由が説明されており，審査庁がその判断を是認する場合には，裁決に付す理由は，それらと同様のもので足りる。

(6) 「第43条第1項の規定による行政不服審査会等への諮問を要しない場合には，前項の裁決書には，審理員意見書を添付しなければならない」（2項）

　行政不服審査会等に諮問がされる場合には，審理関係人（28条）に審理員意見書の写しが送付されるので（本法43条3項），裁決に審理員意見書を添付す

る必要はないが，本法43条1項各号の規定により行政不服審査会等への諮問を要しない場合には，審理関係人への手続保障の観点から，審理員意見書を裁決書に添付することを審査庁に義務づけている。本法46条3項または49条4項の規定に基づき，行政不服審査会等以外の審議会等に諮問される場合にも，行政不服審査会等への諮問を要しない場合に当たるので（本法43条1項3号），裁決書への審理員意見書の添付が義務づけられることになる。審理員意見書の添付により，審理関係人は，裁決の理由と審理意見書の内容の異同を確認することが可能になる。

(7) 「審査庁は，再審査請求をすることができる裁決をする場合には，裁決書に再審査請求をすることができる旨並びに再審査請求をすべき行政庁及び再審査請求期間（第62条に規定する期間をいう。）を記載して，これらを教示しなければならない」（3項）

旧行政不服審査法41条2項においても，審査請求に対する裁決における再審査請求に係る教示義務が規定されていた。ただし，同項の「再審査庁」を本項では「再審査請求をすべき行政庁」と規定している。これは，本法4条の「審査請求をすべき行政庁」という表現と平仄を合わせたものである。

（裁決の効力発生）

第51条① 裁決は，審査請求人（当該審査請求が処分の相手方以外の者のしたものである場合における第46条第1項及び第47条の規定による裁決にあっては，審査請求人及び処分の相手方）に送達された時に，その効力を生ずる。

② 裁決の送達は，送達を受けるべき者に裁決書の謄本を送付することによってする。ただし，送達を受けるべき者の所在が知れない場合その他裁決書の謄本を送付することができない場合には，公示の方法によってすることができる。

③ 公示の方法による送達は，審査庁が裁決書の謄本を保管し，いつでもその送達を受けるべき者に交付する旨を当該審査庁の掲示場に掲示し，かつ，その旨を官報その他の公報又は新聞紙に少なくとも1回掲載してするものとする。この場合において，その掲示を始めた日の翌日から起算して2週

間を経過した時に裁決書の謄本の送付があったものとみなす。
④　審査庁は、裁決書の謄本を参加人及び処分庁等（審査庁以外の処分庁等に限る。）に送付しなければならない。

（本条の趣旨）
　本条は、裁決の効力発生時期、裁決の審査請求人への送達、裁決書の謄本の参加人および処分庁等への送付について定めるものである。

(1)　「裁決は、審査請求人……に送達された時に、その効力を生ずる」（1項）
　旧行政不服審査法 42 条 1 項においては、「送達することによって、その効力を生ずる」と規定していた。独占禁止法 62 条 2 項、企業担保法 20 条 2 項のように同様の表現を用いている例もあるが、特許法 105 条の 4 第 4 項、民事再生法 28 条 2 項、外国倒産処理手続の承認援助に関する法律 29 条 4 項のように、「送達された時から、その効力を生ずる」と規定したり、武力攻撃事態における捕虜等の取扱いに関する法律 120 条 1 項のように、「送達された時に、その効力を生ずる」と規定する条項のほうが多く、また、後者のほうが、到達により効力が発生する趣旨を明確にしうるため、本項では「送達された時に、その効力を生ずる」と規定している。

(2)　「（当該審査請求が処分の相手方以外の者のしたものである場合における第 46 条第 1 項及び第 47 条の規定による裁決にあっては、審査請求人及び処分の相手方）」（1項）
　本法 46 条 1 項の規定による裁決は、処分（事実上の行為を除く）についての審査請求が理由がある場合（事情裁決を行う場合を除く）に、審査庁が裁決で、当該処分の全部または一部を取り消し、またはこれを変更する裁決である。本法 47 条の規定による裁決は、事実上の行為についての審査請求が理由がある場合（事情裁決を行う場合を除く）に、審査庁が裁決で、当該事実上の行為が違法または不当である旨を宣言するとともに、当該事実上の行為の全部もしくは一部を撤廃し、またはこれを変更すべきことを命ずるか、または自ら、当該事

実上の行為の全部もしくは一部を撤廃し，またはこれを変更する裁決である。
　かかる裁決の場合，当該取消し，変更，撤廃により，処分の相手方の権利利益が直接に影響を受けることになるため，審査請求人のみならず，処分の相手方にも送達を行い，その到達を裁決の効力発生要件としている。審査請求人と処分の相手方の双方に到達することが裁決の効力発生要件になるので，両者のうち遅く到達した時点に裁決の効力が発生することになる。

(3) 「裁決の送達は，送達を受けるべき者に裁決書の謄本を送付することによってする」（2項本文）

　「謄本」とは，原本の内容全部を完全に謄写した書面であり，原本の内容を証明するためのものである。原本自体は審査庁で保存する必要があるため，謄本を送付することとしている。「送付」は郵送によっても，送達を受けるべき者に直接に交付してもよい。

(4) 「ただし，送達を受けるべき者の所在が知れない場合……には，公示の方法によってすることができる」（2項ただし書）

　「送達を受けるべき者の所在が知れない場合」について，審査請求人の所在が分からなくなることは通常は想定し難いが，本条かっこ書の「処分の相手方」については，かかる場合を想定しうる。「所在が知れない場合」の意味については，最判昭和56・3・27民集35巻2号417頁が参考になる。同判決は，「商標法77条5項により準用される特許法191条の規定に基づく公示送達は，送達を受けるべき者の住所，居所その他送達をすべき場所が知れないときにこれをすることができるとされているところ，商標法50条の規定に基づく商標登録取消の審判事件における被請求人である商標権者が商標登録を受けた後その本店所在地を変更し，これにつき，特許庁に対する届出をしていないが，商業登記手続を了しているような場合には，右商業登記の登記簿ないしその謄本につき調査をすれば，送達を受けるべき者としての右被請求人の住所を容易に知ることができるものであって，その住所，居所その他送達をすべき場所が知れないときにあたるとすることはできないから，同人に対し公示送達をするための要件が具備しているということはできない。そうすると，右のような場合に被請求人に対しされた公示送達は，その要件を欠き効力を生じないと解する

のが相当である」と判示している。したがって，住所の変更届が審査庁に提出されていなくても，公的記録を調べることにより容易に所在が判明するような場合には，「所在が知れない場合」として公示送達を行うことはできないであろう。

(5) 「その他裁決書の謄本を送付することができない場合」(2項ただし書)

その他裁決書の謄本を送付することができない場合としては，所在は分かっていても，送付が困難な海外に居住しており，国内に受領代理人もいないような場合がある。

(6) 「公示の方法による送達は，審査庁が裁決書の謄本を保管し，いつでもその送達を受けるべき者に交付する旨を当該審査庁の掲示場に掲示し，かつ，その旨を官報その他の公報又は新聞紙に少なくとも1回掲載してするものとする。この場合において，その掲示を始めた日の翌日から起算して2週間を経過した時に裁決書の謄本の送付があったものとみなす」(3項)

公示する内容は，裁決の内容またはその要旨ではなく，裁決書を審査庁が保管しており，いつでもその送達を受けるべき者に交付する旨である。

(7) 「審査庁は，裁決書の謄本を参加人及び処分庁等（審査庁以外の処分庁等に限る。）に送付しなければならない」(4項)

審査請求人は裁決の名あて人であるので「送達」しなければならないが（本条1項），参加人および処分庁等には「送付」することとされている。「（審査庁以外の処分庁等に限る。）」とされているのは，審査庁が処分庁等である場合には，自らに送付するのは無意味だからである。

（裁決の拘束力）
第52条① 裁決は，関係行政庁を拘束する。
② 申請に基づいてした処分が手続の違法若しくは不当を理由として裁決で

取り消され，又は申請を却下し，若しくは棄却した処分が裁決で取り消された場合には，処分庁は，裁決の趣旨に従い，改めて申請に対する処分をしなければならない。
③　法令の規定により公示された処分が裁決で取り消され，又は変更された場合には，処分庁は，当該処分が取り消され，又は変更された旨を公示しなければならない。
④　法令の規定により処分の相手方以外の利害関係人に通知された処分が裁決で取り消され，又は変更された場合には，処分庁は，その通知を受けた者（審査請求人及び参加人を除く。）に，当該処分が取り消され，又は変更された旨を通知しなければならない。

（本条の趣旨）
　本条は，裁決の関係行政庁に対する拘束力について定めるものであり，申請に基づいてした処分が手続の違法もしくは不当を理由として裁決で取り消され，または申請拒否処分が裁決で取り消された場合における裁決の拘束力について具体的に規定している。

⑴　「裁決は，関係行政庁を拘束する」（1項）
　「関係行政庁」とは，処分庁およびその上級行政庁，下級行政庁のみならず，当該処分に係る協議を受けた行政庁等を含む。同一の行政主体に属するものに限られない。裁決の拘束力とは，裁決が確定した場合に，関係行政庁に当該裁決の趣旨に従って行動する義務を負わせる法的効果をいう。拘束力は，裁決の実効性を確保するために認められるものであるから，裁決主文（本法50条1項1号）を導き出すのに必要な要件事実の認定および法律判断についてのみ生じ，裁決の主文と無関係な傍論や間接事実の認定には生じない。

⑵　「申請に基づいてした処分が手続の違法若しくは不当を理由として裁決で取り消され」（2項）
　申請を認容する処分が申請者以外の第三者からの審査請求で取り消された場合であり，行政事件訴訟法33条3項に対応する（同項の意味について，宇賀克

也・改正行政事件訴訟法〔補訂版〕〔青林書院，2006年〕136頁参照）。申請を認容する処分について，手続的瑕疵で取り消された場合のみを念頭に置いた規定になっているのは，実体的瑕疵を理由として処分が取り消されれば，再び申請を認容する処分がされる可能性は低いのに対し，手続的瑕疵を理由として処分が取り消されても，再び同一の処分が反復してされる可能性が高く，同一の手続が反復されることを禁止しなければ，審査請求人の救済の実効性が損なわれるおそれがあるからである。もっとも，実体的瑕疵を理由として処分が取り消された場合においても，再度申請を認容する処分がされる可能性は存在するので，申請を認容する処分について，手続的瑕疵による取消しの場合のみを規定することで足りるかという問題は存在する。

(3) 「申請を却下し，若しくは棄却した処分が裁決で取り消された場合」（2項）

申請却下処分または申請棄却処分が裁決で取り消されると，その形成力により，当該処分は遡及的に失効することになる。この場合，当初の申請が係属している状態に戻ることになるので，処分庁は諾否の応答を義務づけられることになる（行政手続法2条3号）。

(4) 「処分庁は，裁決の趣旨に従い，改めて申請に対する処分をしなければならない」（2項）

申請に基づいてした処分が手続の違法または不当を理由として裁決で取り消された場合には，裁決の拘束力により，処分庁は，違法または不当とされた手続を反復することが禁止される。申請を却下し，または棄却した処分が裁決で取り消された場合，裁決の拘束力により，処分庁は，違法または不当とされたのと同一の理由により同一の処分を行うことが禁止される。

(5) 「法令の規定により公示された処分が裁決で取り消され，又は変更された場合には，処分庁は，当該処分が取り消され，又は変更された旨を公示しなければならない」（3項）

処分を法令の規定により公示することが義務づけられている場合には，当該処分の内容を一般に周知することが必要と考えられているのであるから，当該

本 論 第2章 審査請求

処分が取り消され、または変更された場合にも、当該処分が有効と信じて行動する者等に不測の損害を与えないように、公示を義務づけることとしている。なお、法令の規定により公示された処分が裁決で取り消され、または変更された場合に限らず、裁決の要旨の公示が個別法で義務づけられている場合がある（鉱業法131条1項、採石法38条、砂利採取法30条3項等）。

(6)「法令の規定により処分の相手方以外の利害関係人に通知された処分が裁決で取り消され、又は変更された場合には、処分庁は、その通知を受けた者（審査請求人及び参加人を除く。）に、当該処分が取り消され、又は変更された旨を通知しなければならない」（4項）

法令の規定により処分の相手方以外の利害関係人に処分の通知が義務づけられている場合には、当該処分が裁決で取り消され、または変更された場合にもかかる通知をしないと、当該処分が有効と信じて行動する者等に不測の損害を与えかねないので、同様に通知を義務づけている。審査請求人および参加人が本項による通知の対象外とされているのは、審査請求人および参加人には裁決書の謄本が送達または送付されるからである（本法51条2項・4項）。

（証拠書類等の返還）
第53条 審査庁は、裁決をしたときは、速やかに、第32条第1項又は第2項の規定により提出された証拠書類若しくは証拠物又は書類その他の物件及び第33条の規定による提出要求に応じて提出された書類その他の物件をその提出人に返還しなければならない。

（本条の趣旨）
本条は、審査庁が裁決をしたときに、速やかに、証拠書類等を提出人に返還する義務について定めるものである。

(1)「審査庁は、裁決をしたときは、速やかに……その提出人に返還しなければならない」

裁決により、審査請求に係る一連の手続が終了することになり、書類その他

第53条（証拠書類等の返還）

の物件を審査庁が保管する意味がなくなるし，かかる書類その他の物件を提出した者にとっては，可及的速やかにそれらの返還を欲するのが通常であると考えられるので，裁決後の速やかな返還義務を定めている。裁決前であっても，審査庁が保管する必要がなくなったときは，提出者に速やかに返還する運用をすることが望ましい。なお，個別法において，裁決をしたときの特定の物件の返還義務が法定されている場合がある（エックス線写真について，じん肺法19条6項参照）。

(2)　「第32条第1項又は第2項の規定により提出された証拠書類若しくは証拠物又は書類その他の物件」

　本法32条1項の規定により提出された証拠書類もしくは証拠物または書類その他の物件とは，審査請求人または参加人が，自発的に審理員に提出したものである。本法32条2項の規定により提出された証拠書類もしくは証拠物または書類その他の物件とは，処分庁等が，自発的に当該処分の理由となる事実を証する書類その他の物件を提出したものである。本条は，旧行政不服審査法44条に対応する規定であるが，そこにおいては，処分庁等から自発的に提出された当該処分の理由となる事実を証する書類その他の物件の返還については規定されていなかった。しかし，本法は，審理員による審理手続の主宰の下で，審査請求人と処分庁等が対峙する審理構造がとられることに照らし，処分庁等が自発的に提出した物件の返還についても定めている。

(3)　「第33条の規定による提出要求に応じて提出された書類その他の物件」

　審理員が，審査請求人もしくは参加人の申立てにより，または職権で，書類その他の物件の所持人に対し，相当の期間を定めて，その物件の提出を求めて，所持人から提出を受けたものである。

第3章　再調査の請求

(再調査の請求期間)
第54条① 　再調査の請求は，処分があったことを知った日の翌日から起算して3月を経過したときは，することができない。ただし，正当な理由があるときは，この限りでない。
② 　再調査の請求は，処分があった日の翌日から起算して1年を経過したときは，することができない。ただし，正当な理由があるときは，この限りでない。

(本条の趣旨)
　本条は，再調査の請求についての主観的請求期間，客観的請求期間の原則と例外について定めるものである。

(1)　「再調査の請求は，処分があったことを知った日の翌日から起算して3月を経過したときは，することができない」(1項本文)
　旧行政不服審査法45条においては，異議申立ては，処分があったことを知った日の翌日から起算して60日以内にしなければならないとされていたが，主観的審査請求期間が60日から3か月に延長されたのに合わせ，再調査の請求期間は，処分があったことを知った日の翌日から起算して3か月とされた。なお，本法61条による本法18条3項の規定の準用により，再調査の請求期間の計算については，再調査の請求書の送付に要した日数は算入されない。このことは，本条2項の客観的期間の場合も同じである。

(2)　「ただし，正当な理由があるときは，この限りでない」(1項ただし書)
　旧行政不服審査法における主観的異議申立期間については，同法48条において同法14条1項ただし書および同条2項の規定が準用されていたため，60日を経過した場合，天災その他異議申立てをしなかったことについてやむをえ

第54条（再調査の請求期間）・第55条（誤った教示をした場合の救済）

ない理由があるときは，その理由がやんだ日の翌日から起算して1週間以内に限り，異議申立てをすることが認められていた。しかし，本条は主観的再調査の請求期間について，期間経過について正当な理由があれば救済することとしている。本法で，主観的審査請求期間を経過した場合でも，正当な理由があれば審査請求をできる（18条1項ただし書）ことと平仄を合わせたものである。

(3)　「再調査の請求は，処分があった日の翌日から起算して1年を経過したときは，することができない」（2項本文）

　旧行政不服審査法48条は客観的審査請求期間を1年とする同法14条3項を異議申立てに準用していたため，客観的異議申立期間は，処分があった日の翌日から起算して1年であった。本条は，再調査の請求について，旧行政不服審査法の客観的異議申立期間と同じ期間とした。

(4)　「ただし，正当な理由があるときは，この限りでない」（2項ただし書）

　旧行政不服審査法48条で同法14条3項が異議申立てに準用されていたため，客観的異議申立期間の経過に正当な理由があるときは救済されることになっていた。本条は，客観的再調査の請求期間について，この立法政策を踏襲した。

（誤った教示をした場合の救済）

第55条①　再調査の請求をすることができる処分につき，処分庁が誤って再調査の請求をすることができる旨を教示しなかった場合において，審査請求がされた場合であって，審査請求人から申立てがあったときは，審査庁は，速やかに，審査請求書又は審査請求録取書を処分庁に送付しなければならない。ただし，審査請求人に対し弁明書が送付された後においては，この限りでない。

②　前項本文の規定により審査請求書又は審査請求録取書の送付を受けた処分庁は，速やかに，その旨を審査請求人及び参加人に通知しなければならない。

③　第1項本文の規定により審査請求書又は審査請求録取書が処分庁に送付されたときは，初めから処分庁に再調査の請求がされたものとみなす。

本 論 第3章 再調査の請求

(本条の趣旨)
　本法は，個別法で再調査の請求が認められている場合であっても，審査請求を選択することを認めているが，再調査の請求をすることができる処分につき，処分庁が誤って再調査の請求をすることができる旨を教示しない場合が考えられる。本条は，かかる場合に，審査請求人からの申立てにより，審査請求書を処分庁に送付し，送付を受けた処分庁が速やかにその旨を審査請求人および参加人に通知し，審査請求書が処分庁に送付されたときに初めから処分庁に再調査の請求がされたとみなすことにより，処分庁の過誤により再調査の請求ができなくなる事態を回避しようとするものである。

(1) 「再調査の請求をすることができる処分につき」(1項本文)
　再調査の請求は，処分庁以外の行政庁に対して審査請求をすることができる場合において，個別の法律に再調査の請求をすることができる旨の定めがあるときのみすることができる（本法5条1項）。

(2) 「処分庁が誤って再調査の請求をすることができる旨を教示しなかった場合において，審査請求がされた場合であって」(1項本文)
　平成20年法案においては，再調査の請求は審査請求に前置することを義務づけられていた。本法は，再調査の請求ができる場合においても審査請求との選択を認めているから，再調査の請求は，不服申立人が，審査請求の前に再調査の請求をすることを選択する場合にのみ行われることになる。したがって，再調査の請求ができる場合における本法82条1項の規定の「不服申立てをすることができる旨」の教示は，再調査の請求または審査請求のいずれかをすることができる旨を教示すべきことになる。しかし，再調査の請求ができる旨を教示せずに審査請求をすることができる旨のみ教示した場合には，不服申立人が再調査の請求をする機会を奪わないように本条で救済することになる。「再調査の請求をすることができる旨を教示しなかった場合」には，審査請求をすることができることのみ教示をした場合のほか，不服申立てをすることができる旨の教示を全くしなかった場合も含まれる。
　「審査請求がされた場合」は，審査請求をすべき行政庁に直接に審査請求がされた場合，本法21条の規定に基づき処分庁を経由して審査請求がされた場

第 55 条（誤った教示をした場合の救済）

合，本法 22 条 1 項・2 項・5 項の規定に基づき初めから審査請求がされたものとみなされる場合，本法 83 条 1 項・3 項・4 項の規定に基づき初めから審査請求がされたものとみなされる場合を含む。

　本法 19 条 2 項 5 号の規定に基づき「処分庁の教示の有無及びその内容」が審査請求書に記載されることになるから，審査庁は，この記載をチェックし，再調査の請求をすることができるにもかかわらず，その旨の教示があったことの記載がない場合には，審査請求人および処分庁に再調査の請求に係る教示の有無およびその内容を確認し，再調査の請求ができる旨の教示が懈怠されたことが判明した場合には，速やかに再調査の請求が可能なことを教示する運用をすべきと思われる。

　本法 22 条 1 項が，審査請求をすることができる処分につき，処分庁が審査請求をすべき行政庁を誤って教示した場合における救済について定めているのに対し，本項は，再調査の請求をすべき行政庁を誤って教示した場合の救済については規定していない。その理由は，再調査の請求は処分庁に対してのみ認められるので，再調査の請求をすべき行政庁を誤って教示することは想定しがたいからである。万一，再調査の請求をすべき行政庁として誤って処分庁以外の行政庁を教示した場合には，再調査の請求を受けた行政庁は，再調査の請求人に対し，処分庁に再調査の請求をすべき旨を教示する運用をすべきであろう。この教示を受けて改めて処分庁に再調査の請求をしたが，再調査の請求期間を徒過してしまった場合には，再調査の請求人が誤った教示にもかかわらず再調査の請求を処分庁に対して行うべきことを知ることができた特別の事情がない限り，主観的再調査の請求期間経過後に再調査の請求をすることについて，本法 54 条 1 項ただし書の「正当な理由」があると解すべきであろう。再調査の請求をすべき行政庁として誤って審査請求をすべき行政庁を教示し，審査請求をすべき行政庁に再調査の請求書が提出された場合，再調査の請求人の意向を確認し，審査請求に切り替えることを希望する場合には，審査請求をすることもできる旨を教示していた場合においても，本法 22 条 4 項・5 項の規定を類推適用して，当初から適法な審査請求がされたものとみなすことができると解される。

(3)　「審査請求人から申立てがあったときは，審査庁は，速やかに，審査

本論 第3章 再調査の請求

請求書又は審査請求録取書を処分庁に送付しなければならない」（1項本文）

「審査請求人から申立てがあったときは」と規定しているのは，再調査の請求は不服申立人が審査請求の前に行うことを望む場合にのみ選択される不服申立類型であるから，再調査の請求ができる旨の教示の懈怠があった場合において審査請求がされたときに，審査請求人の意思にかかわらず一律に再調査の請求として扱うことは適切ではなく，再調査の請求をするか否かについては，審査請求人の意思に委ねることが適切であるからである。

⑷ 「ただし，審査請求人に対し弁明書が送付された後においては，この限りでない」（1項ただし書）

本法では，不服申立類型を原則として審査請求に一元化され，再調査の請求は例外的に認められるにすぎない。また，審査請求から再調査の請求への切替えを認めた場合，当該再調査の請求の決定後に再調査の請求人がなお不服がある場合には，再度，審査請求をすることができるため，審査請求の審理がかなり進行した後に再調査の請求への切替えを認めることには，争訟経済上の問題がある。そこで，実質的な本案審理を開始させる手続であって審査請求人が明確に認識できる弁明書の送付（本法29条5項）後においては，再調査の請求への切替えを認めないこととした。なお，民事訴訟においても，本案において弁論をし，または弁論準備手続において申述したときは，応訴管轄が認められたり（民事訴訟法12条），移送が認められなくなったり（同法19条1項ただし書・2項ただし書），訴えの取下げが原則としてできなくなる（同法261条2項本文）例がある。

⑸ 「前項本文の規定により審査請求書又は審査請求録取書の送付を受けた処分庁は，速やかに，その旨を審査請求人及び参加人に通知しなければならない」（2項）

本項は，審査請求人や参加人が，再調査の請求に移行したことを認識せずに，従前の審査庁に書類等を提出することのないように，審査請求書等の送付を受けた処分庁にその旨の通知を義務づけている。本項が審査請求に参加した者も規定したのは，前項の申立てが，審査請求についての審理が開始された後にな

第56条（再調査の請求についての決定を経ずに審査請求がされた場合）

される可能性があり，審理員の許可または求めによる参加人（本法13条1項・2項）が存在することもありうるからである。

(6) 「第1項本文の規定により審査請求書又は審査請求録取書が処分庁に送付されたときは，初めから処分庁に再調査の請求がされたものとみなす」（3項）

　処分庁に審査請求書または審査請求録取書を送付し，初めから処分庁に再調査の請求がされたものとみなすことによって，処分庁の教示の懈怠や誤りにより，再調査の請求をすることを望む者が，再調査請求期間が経過することで，その機会を喪失することがないようにするためである。

　審査請求における参加人には，本条2項の規定に基づき，審査請求書または審査請求録取書の送付を受けた旨の通知がその送付を受けた処分庁から行われることになるが，当該参加人は，審理員の許可または審理員の求めによって参加人としての地位を得たのであるから，再調査の請求への切替えにより再調査の請求手続においても自動的に参加人の地位が継続すると考えることは適切ではない。しかし，審査請求において参加人としての地位を得ていたことに照らせば，処分庁は，その事実を尊重して，原則として，再調査の請求手続においても参加を認める運用をすべきと思われる。

（再調査の請求についての決定を経ずに審査請求がされた場合）
第56条　第5条第2項ただし書の規定により審査請求がされたときは，同項の再調査の請求は，取り下げられたものとみなす。ただし，処分庁において当該審査請求がされた日以前に再調査の請求に係る処分（事実上の行為を除く。）を取り消す旨の第60条第1項の決定書の謄本を発している場合又は再調査の請求に係る事実上の行為を撤廃している場合は，当該審査請求（処分（事実上の行為を除く。）の一部を取り消す旨の第59条第1項の決定がされている場合又は事実上の行為の一部が撤廃されている場合にあっては，その部分に限る。）が取り下げられたものとみなす。

本 論 第3章　再調査の請求

（本条の趣旨）
　再調査の請求がされたときはその決定を経ずに審査請求をすることができないという原則の例外として，再調査の請求についての決定を経ずに審査請求が認められる場合がある。本条は，かかる場合には，再調査の請求が取り下げられたとみなすことを定めるものである。

(1)　「第5条第2項ただし書の規定により審査請求がされたときは」（本文）
　再調査の請求をしたときは，当該再調査の請求についての決定を経た後でないと審査請求ができないのが原則であるが（本法5条2項本文），(i)当該処分につき再調査の請求をした日の翌日から起算して3か月を経過しても，処分庁が当該再調査の請求につき決定をしない場合，(ii)その他再調査の請求についての決定を経ないことにつき正当な理由がある場合には，当該再調査の請求についての決定を経ずに審査請求をすることが認められている（同項ただし書各号）。

(2)　「同項の再調査の請求は，取り下げられたものとみなす」（本文）
　再調査の請求についての決定を経ずに審査請求がされたときは，審査請求人は，もっぱら審査請求に対する裁決を求めているのであるから，再調査の請求についての審理を継続する意味はなく，国税通則法110条2項の規定を参考にして，再調査の請求は取り下げられたものとみなすこととしている。

(3)　「ただし，処分庁において当該審査請求がされた日以前に再調査の請求に係る処分（事実上の行為を除く。）を取り消す旨の第60条第1項の決定書の謄本を発している場合又は再調査の請求に係る事実上の行為を撤廃している場合は，当該審査請求……が取り下げられたものとみなす」（ただし書）
　処分庁において当該審査請求がされた日以前に再調査の請求に係る処分（事実上の行為を除く）を取り消す旨の本法60条第1項の決定書の謄本を発している場合または再調査の請求に係る事実上の行為を撤廃している場合は，すでに再調査の請求の審理が終了し最終判断である決定が出されているのであるから，再調査の請求が取り下げられたとみなすのは，争訟経済に反することになる。

かかる場合には，再調査の請求に対する決定を受けて，審査請求を行うか否かを再調査の請求人が判断して，当該決定に不服があり，審査請求をする場合には，再調査の請求に対する決定を前提とした審理を行うことが，争訟経済に資することになる。そこで，かかる場合には，審査請求が取り下げられたとみなすこととしている。

(4) 「（処分（事実上の行為を除く。）の一部を取り消す旨の第59条第1項の決定がされている場合又は事実上の行為の一部が撤廃されている場合にあっては，その部分に限る。）」（ただし書）

再調査の請求に対して，処分庁が，当該処分（事実上の行為を除く）の一部を取り消し，または事実上の行為の一部を撤廃する決定をした場合には，当該部分についてのみ審査請求が取り下げられたとみなすこととしている。

> （3月後の教示）
> 第57条　処分庁は，再調査の請求がされた日（第61条において読み替えて準用する第23条の規定により不備を補正すべきことを命じた場合にあっては，当該不備が補正された日）の翌日から起算して3月を経過しても当該再調査の請求が係属しているときは，遅滞なく，当該処分について直ちに審査請求をすることができる旨を書面でその再調査の請求人に教示しなければならない。

（本条の趣旨）

再調査の請求がされた日の翌日から起算して3か月を経過しても当該再調査の請求が係属しているときは，再調査の請求についての決定を経ずに審査請求をすることができるが，本条は，再調査の請求人が審査請求の機会を失うことがないように，遅滞なく審査請求に係る教示をする義務を処分庁に課すものである。

(1) 「処分庁は，再調査の請求がされた日……の翌日から起算して3月を経過しても当該再調査の請求が係属しているときは，遅滞なく，当該処

分について直ちに審査請求をすることができる旨を書面でその再調査の請求人に教示しなければならない」

本法5条2項ただし書1号により、再調査の請求がされた日の翌日から起算して3か月を経過しても当該再調査の請求が係属しているときは、当該処分について直ちに審査請求をすることができるが、このことを再調査の請求人が認識していなければ、審査請求の機会を失するおそれがある。そこで、国税通則法111条1項の規定を参考にして、かかる場合、直ちに審査請求をすることができる旨の教示を処分庁に義務づけている。

(2)　「（第61条において読み替えて準用する第23条の規定により不備を補正すべきことを命じた場合にあっては、当該不備が補正された日）」

本法61条において読み替えて準用する本法23条の規定は、本法別表第2により「審査請求書」が「再調査の請求書」に読み替えられるので、再調査の請求書が本法19条の規定（本法19条についても3項、5項1号・2号以外は再調査の請求に準用されており、本法別表第2で必要な読替えが行われている）に違反する場合には、審査庁は、相当の期間を定め、その期間内に不備を補正すべきことを命じなければならない旨の規定になる。この補正命令が出された場合には、3か月の期間の起算日は、当該不備が補正された日の翌日となる。

> （再調査の請求の却下又は棄却の決定）
> 第58条①　再調査の請求が法定の期間経過後にされたものである場合その他不適法である場合には、処分庁は、決定で、当該再調査の請求を却下する。
> ②　再調査の請求が理由がない場合には、処分庁は、決定で、当該再調査の請求を棄却する。

（本条の趣旨）

本条は、再調査の請求が不適法な場合における却下裁決、理由がない場合における棄却裁決について定めるものである。

第58条（再調査の請求の却下又は棄却の決定）

(1) 「再調査の請求が法定の期間経過後にされたものである場合その他不適法である場合には」（1項）

「法定の期間」は，本法54条で定められているが，個別法で特例が定められている場合には，それによる。「その他不適法である場合」とは，再調査の請求人適格を欠く場合等である。

なお，本法61条による本法23条の規定の準用により，再調査の請求書の必要的記載事項に記載漏れがあったり，必要な添付書類が欠けている場合には，処分庁は相当の期間を定めて，その期間内に不備を補正すべきことを命じなければならず，再調査の請求人が当該期間内に不備を補正しないときは，本法24条の規定の準用により，処分庁は，本案の審理手続を経ないで，決定で当該再調査の請求を却下することができる。

(2) 「処分庁は，決定で，当該再調査の請求を却下する」（1項）

再調査の請求が適法要件を欠く場合には，処分が違法または不当かという本案の判断を行うことなく，再調査の請求を退けることになり，この場合には却下決定をすることになる。

審査請求に対する審査庁の最終判断は「裁決」として示されるのに対し，再調査の請求に対する処分庁の最終判断は「決定」として示される。旧行政不服審査法において，審査請求に対する審査庁の最終判断は「裁決」，異議申立てに対する異議審理庁の最終判断は「決定」と用語を分けていたのは，審査庁は処分庁以外の行政庁であるのに対し，異議審理庁は処分庁であるという点の差異に着目したからであった。これに対し，本法においては，審査庁が処分庁であることもあり，処分庁が審理するか否かで審査請求と再調査の請求を区分することはできないので，再調査の請求について「裁決」と区別して「決定」という文言を使用することが妥当かという問題がある。しかし，審査請求は審理員による審理制度，行政不服審査会等への諮問制度により，公正中立性を高めているのに対し，再調査の請求には，かかる制度は導入されておらず，審理手続の点で顕著な差異がある。そこで，この差異を明確に表現するために，再調査の請求に対する処分庁の最終判断は「決定」という形式で示すこととした。

(3) 「再調査の請求が理由がない場合には，処分庁は，決定で，当該再調

本論　第3章　再調査の請求

査の請求を棄却する」（2項）

　再調査の請求が適法要件を満たしているが，処分が違法でも不当でもない場合には，棄却という形式の決定をすることになる。処分についての審査請求を棄却する裁決には，事情裁決（本法45条3項）もあるが，本条は，事情決定についての規定を設けていない。旧行政不服審査法48条は，事情裁決についての同法40条6項の規定を異議申立てにも準用していた。しかし，再調査の請求は，異議申立てよりもさらに簡略な手続であり，要件事実の認定の当否に係る不服申立てが大量に行われるような場合に限定して例外的に認められているにすぎないので，事情決定についての規定を設ける実際上の必要性が認められない。そこで，本法ではかかる規定は設けられなかったのである。ちなみに，国税通則法83条も，再調査の請求に対する決定について，事情決定についての規定を設けていない。

　なお，本法61条による本法53条の規定の準用により，処分庁は，決定をしたときは，速やかに，再調査の請求人または参加人が提出した証拠書類もしくは証拠物または書類その他の物件をその提出人に返還しなければならない。

（再調査の請求の認容の決定）

第59条①　処分（事実上の行為を除く。）についての再調査の請求が理由がある場合には，処分庁は，決定で，当該処分の全部若しくは一部を取り消し，又はこれを変更する。

②　事実上の行為についての再調査の請求が理由がある場合には，処分庁は，決定で，当該事実上の行為が違法又は不当である旨を宣言するとともに，当該事実上の行為の全部若しくは一部を撤廃し，又はこれを変更する。

③　処分庁は，前二項の場合において，再調査の請求人の不利益に当該処分又は当該事実上の行為を変更することはできない。

（本条の趣旨）

　本条は，再調査の請求に理由がある場合の認容決定について定め，不利益変更の禁止を明確にするものである。

第 59 条（再調査の請求の認容の決定）

(1) 「処分（事実上の行為を除く。）についての再調査の請求が理由がある場合には，処分庁は，決定で，当該処分の全部若しくは一部を取り消し，又はこれを変更する」（1 項）

　再調査の請求は，不服申立てが大量になされる処分であって，要件事実の認定の当否について，処分庁が簡易な手続で見直しをする必要があるような場合に限り例外的に認められるものであるので，旧行政不服審査法 47 条 3 項ただし書（「当該処分が法令に基づく審議会その他の合議制の行政機関の答申に基づいてされたものであるときは，さらに当該行政機関に諮問し，その答申に基づかなければ，当該処分の全部若しくは一部を取り消し，又はこれを変更することができない」）に該当する処分が対象となっていないため，旧行政不服審査法 47 条 3 項ただし書に当たる規定は設けられていない。

　また，処分（事実上の行為を除く）についての審査請求の認容の場合には，法令に基づく申請に対する拒否処分を取り消すにとどまらず，当該申請を認容する処分をすべきものと認めるときに，当該申請を認容する「一定の処分」に係る措置についての規定（本法 46 条 2 項）が設けられているが，本項には，かかる規定は設けられていない。その理由は，再調査の請求の場合には，かかる規定がなくても，処分庁は，申請拒否処分を取り消す決定をした後，速やかに申請認容処分を行うと考えられるからである。

　なお，本法 61 条による本法 51 条 1 項の規定の準用により，決定は，再調査の請求人に送達されたときにその効力を生ずるが，当該再調査の請求が処分の相手方以外の者のしたものである場合における認容（一部取消しを含む）決定にあっては，再調査の請求人および処分の相手方に送達されたときに，その効力を生ずる。

(2) 「事実上の行為についての再調査の請求が理由がある場合には，処分庁は，決定で，当該事実上の行為が違法又は不当である旨を宣言するとともに，当該事実上の行為の全部若しくは一部を撤廃し，又はこれを変更する」（2 項）

　整備法で定められた再調査の請求の中には，公権力の行使に当たる事実上の行為に該当するものは存在しない。しかし，公権力の行使に当たる事実上の行為が再調査の請求の対象になることが，理論的にありえないわけではないので，

本項が設けられている。

> （決定の方式）
> 第60条① 前二条の決定は，主文及び理由を記載し，処分庁が記名押印した決定書によりしなければならない。
> ② 処分庁は，前項の決定書（再調査の請求に係る処分の全部を取り消し，又は撤廃する決定に係るものを除く。）に，再調査の請求に係る処分につき審査請求をすることができる旨（却下の決定である場合にあっては，当該却下の決定が違法な場合に限り審査請求をすることができる旨）並びに審査請求をすべき行政庁及び審査請求期間を記載して，これらを教示しなければならない。

（本条の趣旨）
本条は，再調査の請求に係る決定書の必要的記載事項を明らかにし，審査請求に係る教示義務を定めるものである。

(1) 「前二条の決定」（1項）
再調査の請求の却下または棄却の決定（本法58条）および再調査の請求の認容の決定（本法59条）をさす。

(2) 「主文及び理由を記載し，処分庁が記名押印した決定書によりしなければならない」（1項）
決定書には，本項に明記されている主文および理由のほか，再調査の請求人の氏名および決定の年月日を記載することが必要である。また，決定書の真正性を担保するため，処分庁の記名押印が義務づけられている。審査請求の裁決書において必要的記載事項とされている「事案の概要」（本法50条1項2号），「審理関係人の主張の要旨」（同項3号）に相当する再調査の請求人等の主張の要旨は，決定書の必要的記載事項とされていない。その理由は，再調査の請求が審査請求よりも大幅に簡略な手続により迅速に原処分を見直すことを目的とするものであり，さらに，再調査の請求に対する決定に不服があれば，審査請

第60条（決定の方式）

求をすることも可能であるからである。しかし、事案の概要、再調査の請求人等の主張の要旨等を決定書に任意に記載することが妨げられるものではない。

(3) 「処分庁は、前項の決定書……に、再調査の請求に係る処分につき審査請求をすることができる旨……並びに審査請求をすべき行政庁及び審査請求期間を記載して、これらを教示しなければならない」（2項）

旧行政不服審査法47条5項（「処分庁は、審査請求をすることもできる処分に係る異議申立てについて決定をする場合には、異議申立人が当該処分につきすでに審査請求をしている場合を除き、決定書に、当該処分につき審査請求をすることができる旨並びに審査庁及び審査請求期間を記載して、これを教示しなければならない」）に倣い、審査請求に係る教示を決定書において行うことを処分庁に義務づけている。

(4) 「（再調査の請求に係る処分の全部を取り消し、又は撤廃する決定に係るものを除く。）」（2項）

再調査の請求に対し、処分（事実上の行為を除く）の全部を取り消し、または、事実上の行為の全部を撤廃する場合には、再調査の請求に係る処分が失効することになり、審査請求をすることができなくなるので、教示の対象にならないことになる。旧行政不服審査法47条5項、平成20年法案58条2項では「審査請求をすることができる旨」を教示する義務である以上、異議申立てまたは再調査の請求が全部認容されて処分が失効した場合に教示の対象にならないことは当然の前提としてかかる確認規定は置かれなかったが、本項では明記されている。

(5) 「（却下の決定である場合にあっては、当該却下の決定が違法な場合に限り審査請求をすることができる旨）」（2項）

本法5条2項本文は、再調査の請求を選択した場合、当該再調査の請求についての決定を経た後でなければ、審査請求をすることができないとしているが、これは適法な再調査の請求が前置されていることを前提としているので、再調査の請求が不適法として却下された場合には、再調査の請求に対する決定を経るという要件を満たさず、審査請求は不適法として却下されることになる。再調査の請求が適法であるにもかかわらず、処分庁が不適法として違法に却下決

255

本論 第3章 再調査の請求

定をする可能性があるが、かかる場合には、再調査の請求前置の要件は満たしていると解すべきである（最判昭和36・7・21民集15巻7号1966頁参照）。そこで、本項は、再調査の請求却下決定が違法な場合に限り審査請求をすることができる旨の教示を処分庁に義務づけた。

```
（審査請求に関する規定の準用）
第61条　第9条第4項、第10条から第16条まで、第18条第3項、第19条（第3項並びに第5項第1号及び第2号を除く。）、第20条、第23条、第24条、第25条（第3項を除く。）、第26条、第27条、第31条（第5項を除く。）、第32条（第2項を除く。）、第39条、第51条及び第53条の規定は、再調査の請求について準用する。この場合において、別表第2の上欄に掲げる規定中同表の中欄に掲げる字句は、それぞれ同表の下欄に掲げる字句に読み替えるものとする。
```

（本条の趣旨）

　本条は、再調査の請求に準用される審査請求に関する規定を列記するものである。

　旧行政不服審査法48条は、審査請求に関する手続を基本的には異議申立てにも準用することとしていたので、同法2章2節（処分についての審査請求）の規定を準用するとしたうえで、同節の規定のうち準用しないものを除く形式をとっていた。これに対し、本条は、再調査の請求が、要件事実の認定の当否に係る不服申立てが大量になされるような処分について、その利用が選択された場合に、簡易迅速な手続で処分庁が処分を見直すための手続であり、再調査の請求に対する決定を経た後に審査請求を行うことも可能であることから、審査請求に関する手続のうち必要最小限のものに限り準用する方針をとっている。そのため、審査請求の手続に関する節の規定を準用したうえで準用しない条項を除く方式ではなく、準用規定を個別に列記する方式を採用している。

　本法9条4項の規定の準用により、処分庁は、必要があると認めるときに、その職員に再調査の請求人または参加人の意見陳述の聴取を行わせることができる。

第61条（審査請求に関する規定の準用）

　本法10条は法人でない社団または財団の審査請求，11条は総代，12条は代理人による審査請求，13条は参加人についての規定である。本法13条1項の規定の準用により，利害関係人は処分庁の許可を得て，当該再調査の請求に参加することができ，同条2項の規定の準用により，処分庁は，必要があると認める場合には，利害関係人に対して，当該再調査の請求に参加することを求めることができる。本法14条は行政庁が裁決をする権限を有しなくなった場合の措置，15条は審理手続の承継，16条は標準審理期間についての規定である。

　本法18条3項の規定の準用により，再調査の請求書を郵送した場合における再調査の請求期間の計算については，送付に要した日数は算入されないことになる。

　本法19条（3項ならびに5項1号および2号を除く）の規定の準用により，再調査の請求は，他の法律（条例に基づく処分については条例）に口頭ですることができる旨の定めがある場合を除き，再調査の請求書を提出して行わなければならないことになる。本法19条3項の規定が準用されていないのは，不作為についての再調査の請求は認められていないからである。

　本法20条は口頭による審査請求についての規定である。本法21条は，処分庁等を経由する審査請求の規定であり，処分庁以外の行政庁が審理を行う場合の規定であるので，再調査の請求には準用されていない。本法22条の規定が準用されていないのも，基本的に同じ理由によるが，同条4項（誤って審査請求をすることができる旨を教示しなかった場合の救済）の規定も準用されていないので，再調査の請求の決定書における教示（本法60条2項）を懈怠した場合の救済については，本法は定めていないことになる（なお，本法83条は処分をする場合の教示を懈怠した場合の救済規定であり，再調査の請求の決定書における教示を懈怠した場合には適用されない）。これは，再調査の請求の決定書における審査請求に係る教示は，2段階目の不服申立てに係る教示であるので，実際に問題になることはほとんどないと考えられるためである。

　本法23条は審査請求書の補正，本法24条は審理手続を経ないでする却下裁決，本法25条は執行停止についての規定である。同条3項の規定が準用されていないのは，処分庁の上級行政庁または処分庁のいずれでもない審査庁による執行停止の規定であるからである。本法26条は執行停止の取消し，本法27条は審査請求の取下げについての規定である。

本 論 第 3 章 再調査の請求

　本法31条は口頭意見陳述についての規定であるが，処分庁等に対する質問権についての5項の規定は準用されていない。本法32条は証拠書類等の提出についての規定であるが，審理員が主宰する審理手続で一方当事者として処分庁等が物件を提出する場合についての同条2項は，かかる対審的審理構造をとらない再調査の請求には準用されていない。本法39条は審理手続の併合または分離に関する規定であり，本法51条は裁決の効力の発生，本法53条は証拠書類等の返還についての規定である。

　以上を整理すると，旧行政不服審査法が異議申立てに準用していなかったのと同様，本法も弁明書の提出（29条），提出書類等の閲覧（38条）等の規定は，再調査の請求に準用していない。また，異議申立てに対する決定には裁決の拘束力の規定は準用されていなかったが，再調査の請求は，異議申立て以上に簡略な手続で処分庁自身が原処分を見直す手続であるので，裁決の拘束力に関する規定も準用されていない。

　旧行政不服審査法において異議申立てに準用されていた審査請求についての審査請求人の手続的権利のうち，再調査の請求にも準用されているのは，口頭意見陳述（ただし，本法で認められた質問権は除く），証拠書類等の提出，執行停止の申立て等に限定されている。旧行政不服審査法が異議申立てに準用していた参考人の陳述および鑑定の要求（27条），物件の提出要求（28条），検証（29条），審査請求人または参加人の審尋（30条）に係る規定は，再調査の請求には準用されていない。

　本法が新たに設けた制度のうち再調査の請求にも準用されているのが標準審理期間制度であり，これは，再調査の請求については，審査請求の場合以上に迅速性の要請が大きいと考えられるからである。他方，本法が新たに設けた規定のうち，審理員およびそれを前提とした規定（9条1項～3項，17条，40条），審理手続の計画的進行・遂行（28条，37条），審理手続の終結（41条），行政不服審査会等への諮問（43条）等は再調査の請求に準用されていない。

　本法施行令3条（代表者等の資格の証明），4条2項（審査請求書への押印）および3項（代表者等の資格を証する書面の審査請求書への添付）ならびに8条（映像等の送受信による通話の方法による口頭意見陳述等）の規定は，再調査の請求に準用されている。他方，審査請求をすべき行政庁と処分庁等が異なることを前提とした本法施行令4条1項・4項の規定は再調査の請求について準用されていな

第61条（審査請求に関する規定の準用）

い。また，本法61条において再調査の請求に準用されていない規定の施行のための本法施行令の規定，すなわち，本法施行令1条（審理員），2条（本法9条3項に規定する場合の読替え等），5条（審査請求書の送付），6条（弁明書の提出），7条（反論書等の提出），9条（通話者等の確認），10条（交付の求め），11条（交付の方法），12条（手数料の額等），13条（手数料の減免），14条（送付による交付），15条（事件記録），16条（審理員意見書の提出），17条（審議会等）の規定は，再調査の請求に準用されていない。

第4章　再審査請求

> （再審査請求期間）
> 第62条①　再審査請求は，原裁決があったことを知った日の翌日から起算して1月を経過したときは，することができない。ただし，正当な理由があるときは，この限りでない。
> ②　再審査請求は，原裁決があった日の翌日から起算して1年を経過したときは，することができない。ただし，正当な理由があるときは，この限りでない。

（本条の趣旨）

本条は，再審査請求について，主観的請求期間および客観的請求期間の原則および例外について定めるものである。

(1) 「再審査請求は，原裁決があったことを知った日の翌日から起算して1月を経過したときは，することができない」（1項本文）

旧行政不服審査法53条は，再審査請求は審査請求についての裁決があったことを知った日の翌日から起算して30日以内にしなければならないとしていた。再審査請求は，審査請求に対する裁決に不服がある者が行うものである（本法6条1項）。主観的審査請求期間は3か月であって（本法18条1項本文），審査請求に対する裁決がされた時点では，処分があったことを知った日からかなりの年月が経過していることになる。また，審理手続を終えているため，一般に争点が絞られ，証拠書類等の準備も十分にできていると思われることを考慮すれば，原裁決があったことを知った日の翌日から起算して1か月という期間が短すぎるとはいえないと考えられる。そこで，本条は旧行政不服審査法の主観的再審査請求期間を維持することとした。

なお，本法66条1項による本法18条3項の規定の準用により，再審査請求期間の計算については，再審査請求書の送付に要した日数は算入されない。このことは，本条2項の客観的期間の場合も同じである。

第62条（再審査請求期間）

(2)「ただし，正当な理由があるときは，この限りでない」(1項ただし書)

　旧行政不服審査法では，審査請求についての裁決があったことを知った日の翌日から起算して30日を経過した場合，天災その他再審査請求をしなかったことについてやむをえない理由があるときにのみ，例外的に救済が認められ，その場合も，その理由がやんだ日の翌日から起算して1週間以内に再審査請求をしなければならないこととされていた（旧56条による旧14条1項ただし書・2項の規定の準用）。しかし，本法では，主観的審査請求期間の経過について正当な理由があるときには救済されることとなったこと（18条1項ただし書）と平仄を合わせて，主観的再審査請求期間についても，本項により，正当な理由があるときには，原裁決があったことを知った日の翌日から起算して1か月を経過しても再審査請求をすることができることとされた。

　法定の期間よりも長い期間が誤って再審査請求期間として教示された場合には，教示された期間内に再審査請求がされれば，法定の再審査請求期間を経過したことに「正当の理由」があると解される。また，再審査請求期間が教示されなかった場合にも，審査庁が審査請求人に口頭で再審査請求期間を伝え，再審査請求人が正しい再審査請求期間を認識していたというような特段の事情がない限り，法定の再審査請求期間を経過したことに「正当の理由」があると解すべきと思われる。

(3)「再審査請求は，原裁決があった日の翌日から起算して1年を経過したときは，することができない」(2項本文)

　旧行政不服審査法では，客観的再審査請求期間は，原裁決があった日の翌日から起算して1年であった（旧56条による旧14条3項の規定の準用）。本法も客観的再審査請求期間を原裁決があった月の翌月から起算して1年としたが，客観的再調査の請求期間について客観的審査請求期間に係る規定を準用するのではなく独立に規定したこと（本法54条2項）と平仄を合わせ，本項で直接規定することとした。

(4)「ただし，正当な理由があるときは，この限りでない」(2項ただし書)

本論　第4章　再審査請求

　旧行政不服審査法56条が準用する同法14条3項は，ただし書で客観的審査請求期間の経過について正当な理由があれば救済することとしていた。本項は，主観的再審査請求期間の経過の場合の例外的救済と異なり，旧行政不服審査法の立法政策を踏襲している。

> （裁決書の送付）
> 第63条　第66条第1項において読み替えて準用する第11条第2項に規定する審理員又は第66条第1項において準用する第9条第1項各号に掲げる機関である再審査庁（他の法律の規定により再審査請求がされた行政庁（第66条第1項において読み替えて準用する第14条の規定により引継ぎを受けた行政庁を含む。）をいう。以下同じ。）は，原裁決をした行政庁に対し，原裁決に係る裁決書の送付を求めるものとする。

（本条の趣旨）
　本条は，再審査庁が，事案の概要，原裁決の理由等を理解するために，原裁決をした行政庁に対し，原裁決に係る裁決書の送付を求めることを定めるものである。

(1)　「第66条第1項において読み替えて準用する第11条第2項に規定する審理員」
　本法66条1項は，審査請求に関する規定の再審査請求への準用を定める規定である。本法11条2項に規定する審理員とは，本法9条1項の規定により審査庁から指名された者である。再審査請求の審理は，実際には，大臣，都道府県知事等の補助機関の職員により審理されることになるが，再審査請求は，審査請求の裁決に不服がある者が行うものであり（本法6条1項），再審査請求に対する裁決は，行政組織内では最終の判断になる。したがって，その審理の公正中立性を確保する必要があり，審査請求における審理員と同様，再審査請求に係る処分に関与した者等を除斥事由とする審理員が主宰することを原則としている。

第63条（裁決書の送付）

(2)　「第66条第1項において準用する第9条第1項各号に掲げる機関である再審査庁」

　本法9条1項各号に掲げる機関は，国の行政委員会および審議会等ならびに地方公共団体の長以外の執行機関および附属機関であり，これらの機関が審理主体となる場合には，審理員を指名する必要はないと考えられるので，これらの再審査庁を裁決書の送付を求める主体としている。

(3)　「（他の法律の規定により再審査請求がされた行政庁……をいう。以下同じ。）」

　再審査請求がされる行政庁は，本法6条2項が定めるように，再審査請求を認める個別の法律で規定することになるので，「他の法律の規定により再審査請求がされた行政庁」と定められている。

(4)　「（第66条第1項において読み替えて準用する第14条の規定により引継ぎを受けた行政庁を含む。）」

　本法14条は，行政庁が裁決をする権限を有しなくなった場合の措置について定めている。本法66条1項において別表第3に従い読み替えて準用する本法14条の規定により，再審査請求がされた後，行政庁が法令の改廃により当該再審査請求につき裁決をする権限を有しなくなったときは，当該行政庁は，再審査請求書または再審査請求録取書および関係書類その他の物件を新たに再審査請求をする権限を有することとなった行政庁に引き継ぎ，引継ぎを受けた行政庁は，速やかに，その旨を再審査請求人および参加人に通知しなければならない。このようにして引継ぎを受けた行政庁も，再審査請求がされた行政庁として扱われることを明確にしている。

(5)　「原裁決をした行政庁に対し，原裁決に係る裁決書の送付を求めるものとする」

　「原裁決」とは，当該再審査請求に係る審査請求に対する裁決である（本法6条2項参照）。旧行政不服審査法54条は，審査請求手続における弁明書の提出（同法22条）および反論書の提出（同法23条）の規定は準用していなかったものの，「再審査庁は，再審査請求を受理したときは，審査庁に対し，審査請求

についての裁決書の送付を求めることができる」と規定していた。これは，原処分または原裁決のいずれを対象とする場合であっても，審査請求に対する裁決の理由を検討することが不可欠であることから，弁明書に相当するものとして，裁決書の送付を求めることができるとしたものである。本法においては，審査請求の審理手続を主宰する審理員は，原処分に関与していないので，事案の概要，原処分の理由を理解するために，弁明書の提出を必ず求めることとしているが（29条2項），この規定は再審査請求に準用されていない（66条）。したがって，審理員は，弁明書に代わるものとして，原裁決に係る裁決書の送付を原裁決をした行政庁に必ず求めることとしている。同様に，審理員が指名されない場合の再審査庁も，事案の概要，原処分の理由を理解することが不可欠であることから，原裁決に係る裁決書の送付を原裁決をした行政庁に必ず求めることとしている。

なお，審査請求における弁明書については，「相当の期間を定めて」提出を求めることとされているが（本法29条2項），これは，弁明書の作成にある程度の期間を要することが考えられるからである。これに対し，原裁決に係る裁決書は，再審査請求がされた時点では，すでに作成されているのであり，新たに作成する必要はないから，提出を求められれば，直ちに送付することが可能なはずである。したがって，「相当の期間を定めて」提出を求める必要はないので，弁明書の提出の求めの場合と異なり，「相当の期間を定めて」の部分は本条には規定されていない。

本条では，裁決書の送付のみが規定されており，審理員が審査庁に提出した事件記録（本法42条2項）の提出の求めについては規定されていない。また，本法9条1項各号に掲げる機関である審査庁が審理をする場合，事件記録の作成・提出が法定されているわけではない（本法9条3項において読み替えて適用される本法41条3項）。しかし，本法66条1項において，物件の提出要求に係る本法33条の規定が準用されているので，必要に応じ，事件記録の送付を物件の提出要求の規定により求めることができると考えられる。

（再審査請求の却下又は棄却の裁決）
第64条① 再審査請求が法定の期間経過後にされたものである場合その他

第 64 条（再審査請求の却下又は棄却の裁決）

> 不適法である場合には，再審査庁は，裁決で，当該再審査請求を却下する。
> ② 再審査請求が理由がない場合には，再審査庁は，裁決で，当該再審査請求を棄却する。
> ③ 再審査請求に係る原裁決（審査請求を却下し，又は棄却したものに限る。）が違法又は不当である場合において，当該審査請求に係る処分が違法又は不当のいずれでもないときは，再審査庁は，裁決で，当該再審査請求を棄却する。
> ④ 前項に規定する場合のほか，再審査請求に係る原裁決等が違法又は不当ではあるが，これを取り消し，又は撤廃することにより公の利益に著しい障害を生ずる場合において，再審査請求人の受ける損害の程度，その損害の賠償又は防止の程度及び方法その他一切の事情を考慮した上，原裁決等を取り消し，又は撤廃することが公共の福祉に適合しないと認めるときは，再審査庁は，裁決で，当該再審査請求を棄却することができる。この場合には，再審査庁は，裁決の主文で，当該原裁決等が違法又は不当であることを宣言しなければならない。

（本条の趣旨）

　本条は，再審査請求が不適法な場合の却下裁決，理由がない場合の棄却裁決，原裁決が違法または不当であるが原処分が違法または不当のいずれでもないときの棄却裁決，原裁決等が違法または不当であるが，公の利益に著しい障害が生ずることを避けるために請求を棄却する事情裁決について定めるものである。

⑴　「再審査請求が法定の期間経過後にされたものである場合その他不適法である場合には，再審査庁は，裁決で，当該再審査請求を却下する」（1項）

　旧行政不服審査法は 55 条で「審査請求を却下し又は棄却した裁決が違法又は不当である場合においても，当該裁決に係る処分が違法又は不当でないときは，再審査庁は，当該再審査請求を棄却する」と規定するほかは，裁決について，審査請求に関する規定を準用していた（56 条）。本法は，一般に分かりやすい規定とするため，再調査の請求の場合と同様，再審査請求についても，審査請求の裁決に関する規定を準用せず，独立に規定を設けている。本項は，再

審査請求が不適法な場合に，違法または不当の審理に立ち入らず却下裁決により再審査請求を退けるものとしている。

なお，本法66条1項による本法23条の規定の準用により，再審査請求書の必要的記載事項に記載漏れがあったり，必要な添付書類が欠けている場合には，再審査庁は相当の期間を定めて，その期間内に不備を補正すべきことを命じなければならず，再審査請求人が当該期間内に不備を補正しないときは，本法24条の規定の準用により，再審査庁は，本案の審理手続を経ないで，決定で当該再審査請求を却下することができる。

(2) 「再審査請求が理由がない場合には，再審査庁は，裁決で，当該再審査請求を棄却する」（2項）

再審査請求は，原処分と原裁決のいずれかを対象とすることができ，いずれについての審理を求めるかは，再審査請求人の選択に委ねられている。したがって，再審査請求人が原処分を対象として再審査請求をしたときは原処分が違法または不当か，再審査請求人が原裁決を対象として再審査請求をしたときは原裁決が違法または不当かが審理され，再審査庁が違法でも不当でもないと認めるときは，当該再審査請求は理由がないとして棄却されることになる。再審査庁は，裁決をしたときは，本法66条1項による本法53条の規定の準用により，速やかに，再審査請求人または参加人が提出した証拠書類もしくは証拠物または書類その他の物件をその提出人に返還しなければならない。

(3) 「再審査請求に係る原裁決（審査請求を却下し，又は棄却したものに限る。）が違法又は不当である場合において，当該審査請求に係る処分が違法又は不当のいずれでもないときは，再審査庁は，裁決で，当該再審査請求を棄却する」（3項）

旧行政不服審査法55条が，「審査請求を却下し又は棄却した裁決が違法又は不当である場合においても，当該裁決に係る処分が違法又は不当でないときは，再審査庁は，当該再審査請求を棄却する」と規定した趣旨は，原処分が違法でも不当でもない場合には，原裁決に固有の瑕疵があるため原裁決を取り消して審査請求をやり直しても，審査請求を認容することにはならないので，争訟経済を考慮して，審査請求手続の反復を避けることにある。本項は，この立法政

第65条（再審査請求の認容の裁決）

策を踏襲するものである。

(4)「前項に規定する場合のほか，再審査請求に係る原裁決等が違法又は不当ではあるが，これを取り消し，又は撤廃することにより公の利益に著しい障害を生ずる場合において，再審査請求人の受ける損害の程度，その損害の賠償又は防止の程度及び方法その他一切の事情を考慮した上，原裁決等を取り消し，又は撤廃することが公共の福祉に適合しないと認めるときは，再審査庁は，裁決で，当該再審査請求を棄却することができる。この場合には，再審査庁は，裁決の主文で，当該原裁決等が違法又は不当であることを宣言しなければならない」(4項)

「再審査請求に係る原裁決等」とは，当該再審査請求の対象となった原処分または原裁決を意味する。旧行政不服審査法においては，再審査請求について事情裁決が認められていたが（同法56条における同法40条6項の規定の準用），本項も，再審査請求に対する裁決について事情裁決が必要な場合がありうるという前提で設けられている。

（再審査請求の認容の裁決）
第65条① 原裁決等（事実上の行為を除く。）についての再審査請求が理由がある場合（前条第3項に規定する場合及び同条第4項の規定の適用がある場合を除く。）には，再審査庁は，裁決で，当該原裁決等の全部又は一部を取り消す。
② 事実上の行為についての再審査請求が理由がある場合（前条第4項の規定の適用がある場合を除く。）には，裁決で，当該事実上の行為が違法又は不当である旨を宣言するとともに，処分庁に対し，当該事実上の行為の全部又は一部を撤廃すべき旨を命ずる。

（本条の趣旨）

本条は，再審査請求に理由があり認容する場合の取消裁決，撤廃裁決について定めるものである。

本論　第4章　再審査請求

(1) 「原裁決等（事実上の行為を除く。）についての再審査請求が理由がある場合……には，再審査庁は，裁決で，当該原裁決等の全部又は一部を取り消す」（1項）

　旧行政不服審査法56条は，処分（事実上の行為を除く）についての審査請求に対する認容裁決に係る同法40条3項（「処分（事実行為を除く。）についての審査請求が理由があるときは，審査庁は，裁決で，当該処分の全部又は一部を取り消す」）の規定を準用していた。本項は，これに対応する規定である。

　なお，旧行政不服審査法56条は，同法40条5項の規定（「前2項の場合において，審査庁が処分庁の上級行政庁であるときは，審査庁は，裁決で当該処分を変更し，又は処分庁に対し当該事実行為を変更すべきことを命ずるとともに裁決でその旨を宣言することもできる。ただし，審査請求人の不利益に当該処分を変更し，又は当該事実行為を変更すべきことを命ずることはできない」）も準用していたが，本条は，これに対応する変更裁決に関する規定を設けていない。その理由は，本法における審査庁は，原則として処分庁の最上級行政庁であるので（本法4条4号），再審査庁が処分庁・裁決庁であることのみならず，処分庁・裁決庁の上級行政庁であることも想定されないからである。そこで，本条では，再審査庁が処分庁・裁決庁または処分庁・裁決庁の上級行政庁のいずれでもない行政庁であることを想定した規定のみを設けており，その前提のもとでは，再審査庁は，原処分または原裁決を自ら変更する権限はなく，上級行政庁としての一般的指揮監督権も有しないから原処分または原裁決の変更を命ずる権限も有しないため，変更裁決に関する規定は設けられなかったのである。そして，もし，個別法で処分庁・裁決庁の上級行政庁を再処分庁とする例外を認める必要が生ずる場合には，当該個別法において，必要に応じ，変更裁決について定めることになる。

　同様に，申請に対する「一定の処分」に関する措置を定める本法46条2項に相当する規定が本条に設けられていない（本法46条2項の規定は再審査請求に準用されてもいない）のは，同項は，処分庁の上級行政庁である審査庁または処分庁である審査庁を前提とした規定であり，本条は，再審査庁が処分庁・裁決庁の上級行政庁であることを前提としていないからである。

　なお，本法66条1項による本法51条1項の規定の準用により，裁決は，再審査請求人に送達されたときに，その効力を生ずるが，当該再審査請求が原処分または原裁決の相手方以外の者のしたものである場合における認容（一部取

第 66 条（審査請求に関する規定の準用）

消しを含む）裁決にあっては，再審査請求人および原処分または原裁決の相手方に送達されたときに，その効力を生ずる。

(2)　「（前条第 3 項に規定する場合及び同条第 4 項の規定の適用がある場合を除く。）」（1 項）

「前条第 3 項に規定する場合」とは，再審査請求に係る原裁決（審査請求を却下し，または棄却したものに限る）が違法または不当である場合において，当該審査請求に係る処分が違法または不当のいずれでもない場合である。「同条第 4 項の規定の適用がある場合」とは事情裁決がされる場合である。これらの場合には，再審査請求に理由があっても棄却裁決がされるので，認容裁決について定める本項から除いている。

(3)　「事実上の行為についての再審査請求が理由がある場合……には，裁決で，当該事実上の行為が違法又は不当である旨を宣言するとともに，処分庁に対し，当該事実上の行為の全部又は一部を撤廃すべき旨を命ずる」（2 項）

旧行政不服審査法 56 条は，事実上の行為についての審査請求に対する認容裁決に係る同法 40 条 4 項の規定（「事実行為についての審査請求が理由があるときは，審査庁は，処分庁に対し当該事実行為の全部又は一部を撤廃すべきことを命ずるとともに，裁決で，その旨を宣言する」）を準用していた。本項は，これに対応する規定である。

(4)　「（前条第 4 項の規定の適用がある場合を除く。）」（2 項）

前条 4 項の規定の適用がある場合とは，事情裁決がされる場合である。この場合には，再審査請求に理由があっても棄却裁決がされるので，認容裁決について定める本項から除いている。

（審査請求に関する規定の準用）
第 66 条①　第 2 章（第 9 条第 3 項，第 18 条（第 3 項を除く。），第 19 条第 3 項並びに第 5 項第 1 号及び第 2 号，第 22 条，第 25 条第 2 項，第 29 条

本論　第4章　再審査請求

> （第1項を除く。），第30条第1項，第41条第2項第1号イ及びロ，第4節，第45条から第49条まで並びに第50条第3項を除く。）の規定は，再審査請求について準用する。この場合において，別表第3の上欄に掲げる規定中同表の中欄に掲げる字句は，それぞれ同表の下欄に掲げる字句に読み替えるものとする。
> ② 再審査庁が前項において準用する第9条第1項各号に掲げる機関である場合には，前項において準用する第17条，第40条，第42条及び第50条第2項の規定は，適用しない。

（本条の趣旨）

　本条は，再審査請求について準用される審査請求に関する規定を定めるものである。

(1)　「第2章……の規定は，再審査請求について準用する。この場合において，別表第3の上欄に掲げる規定中同表の中欄に掲げる字句は，それぞれ同表の下欄に掲げる字句に読み替えるものとする」（1項）

　再審査請求は，審査請求に対する裁決を経た後に，なお原処分または原裁決に不服のある者が提起する不服申立てであり，再審査請求に対する裁決は，行政組織内部では最終の判断になる。したがって，審査請求に準ずる手続により，公正中立な審理を確保することが必要になる。再調査の請求が審査請求に関する規定を必要最小限の範囲で準用するために準用規定を列挙しているのとは異なり，再審査請求については本条により審査請求に関する規定を包括的に準用したうえで，準用しない規定を除く方式をとっている。

　本法2章の規定は，審査請求に関する規定である。旧行政不服審査法56条も，再審査請求について，審査請求に関する同法2章2節（処分についての審査請求）の規定を準用するとしたうえで，準用しない規定を除く方式を採用していた。準用に当たって必要な読替えについては，別表第3で定められている。

(2)　「（第9条第3項，第18条（第3項を除く。），第19条第3項並びに第5項第1号及び第2号，第22条，第25条第2項，第29条（第1項を

第66条（審査請求に関する規定の準用）

除く。），第30条第1項，第41条第2項第1号イ及びロ，第4節，第45条から第49条まで並びに第50条第3項を除く。）」（1項）

　再審査請求においても審理員による審理が中心になるため，本法9条の審理員に関する規定が準用されているが，第三者機関が裁決機関となる場合の特例を定める同条3項の規定は準用されていない。その理由は，分かりやすい条文とするため，9条3項が定める読替規定については本項自体に読替規定を置き，同項が定める適用除外については，本条2項で適用除外にしているからである。

　本法18条1項の主観的審査請求期間に関する規定は，これに相当する内容が本法62条1項で直接定められているので，準用されていない。本法18条2項の客観的審査請求期間に関する規定は，これに相当する内容が本法62条2項で直接定められているので，準用されていない。

　本法19条3項は，不作為についての審査請求の規定であるが，再審査請求は処分についての審査請求の裁決に不服がある者が行うものであるので（本法6条1項），準用していない。本法19条5項1号・2号は，再調査の請求についての決定を経ないで審査請求をする理由の記載に関する規定であり，再審査請求とは無関係であるから，準用していない。本法22条（誤った教示をした場合の救済）の規定は準用されていないので，審査請求の裁決書における教示（本法50条3項）を懈怠した場合の救済については，本法は定めていないことになる（なお，本法83条は処分をする場合の教示を懈怠した場合の救済規定であり，審査請求の裁決書における教示を懈怠した場合には適用されない）。これは，審査請求の裁決書における再審査請求に係る教示は，2段階目の不服申立てに係る教示であるし，再審査請求は，個別法で特に定める場合に限り（本法6条1項），当該個別法で定める行政庁に対して認められるものであるので（同条2項），実際に問題になることはほとんどないと考えられるためである。

　本法25条2項は，処分庁の上級行政庁または処分庁である審査庁が執行停止をする場合についての規定であるが，これらの行政庁が再審査庁となることは，一般的には想定されないので，準用されていない。本法29条（1項を除く）は弁明書の提出，本法30条1項は反論書の提出に係る規定であるが，再審査請求については，本法63条の定める裁決書の送付をもって，これらの書面の機能を代替することとしているので，準用されていない。これに伴い，弁明書または反論書が提出されない場合の審理手続の終結に係る本法41条2項

本 論 第4章 再審査請求

1号イ・ロの規定も準用されていない。

　本条は，2章4節の行政不服審査会等への諮問に関する規定も準用していない。その理由は，本法は，処分または裁決を行うに際し，行政不服審査会等または個別法令で定める合議制の第三者機関の判断を経ることを原則としており，また，その判断を経ることを要しないのは，審査請求に対する裁決を行うに当たり，行政不服審査会等への諮問を要しないものと認められた場合等に限定されることとなるため，審査請求に対する裁決後に第2段の不服申立てとしてなされる再審査請求において，行政不服審査会等に諮問する意義に乏しいと考えられるからである。

　本法45条（処分についての審査請求の却下または棄却）に相当する規定は本法64条に，本法46条（処分についての審査請求の認容）に相当する規定は本法65条1項に，本法47条（事実上の行為についての審査請求の認容）に相当する規定は本法65条2項に直接規定されているので，準用されていない。本法48条は不利益変更禁止原則についての規定であるが，変更裁決を行う権限を有するのは処分庁の上級行政庁または処分庁である審査庁であるところ，再審査庁が処分庁・裁決庁の上級行政庁または処分庁・裁決庁であることは，一般的には想定されないので，同条の規定も準用されていない。本法49条は，不作為についての審査請求の裁決に関する規定であるが，再審査請求は処分についての審査請求の裁決に不服がある者が行うものであるので（本法6条1項），準用していない。本法50条3項は，再審査請求に関する教示規定であり，再審査請求に対する裁決の後にさらに再々審査請求をすることは一般的には想定されないので準用されていない。

　本法が新たに設けた標準審理期間に関する規定（16条），審理手続の計画的進行・遂行に関する規定（28条，37条）は，再審査請求についても迅速性の要請に応える必要があることから準用されている。参加人の意見書に係る規定（30条2項）については，審査請求手続に参加していなかった者が再審査請求手続で参加人となる可能性は否めないので，準用されている。

　なお，本項において再審査請求に準用されている本法2章（審査請求）の規定の施行のために必要な事項を規定している本法施行令の規定は，再審査請求に準用されている。すなわち，本法施行令1条（審理員），3条（代表者等の資格の証明等），4条（審査請求書の提出），5条（審査請求書の送付），7条（意見書の提

第 66 条（審査請求に関する規定の準用）

出。反論書に係る部分は準用されていない），8 条（映像等の送受信による通話の方法による口頭意見陳述等），9 条（通話者等の確認），10 条（交付の求め），11 条（交付の方法），12 条（手数料の額等），13 条（手数料の減免），14 条（送付による交付），15 条 1 項（事件記録。ただし，行政手続法 24 条 1 項の聴聞調書・同条 3 項の聴聞主宰者の報告書および同法 29 条 1 項に規定する弁明書ならびに反論書を除く），16 条（審理員意見書の提出）の規定が再調査の請求に準用されている。

　本法施行令 2 条（本法 9 条 3 項に規定する場合の読替え等），6 条（弁明書の提出），17 条（審議会等）の規定は，本法 66 条 1 項において再審査請求に準用されていない規定の施行のために必要な事項を定めるものであるので，再審査請求に準用されていない。本法施行令 15 条 1 項 2 号（弁明書の添付書面）・3 号（反論書）が準用されていないのは，本法 66 条 1 項において弁明書および反論書に係る規定が準用されていないためである。本法施行令 15 条 2 項（特定意見聴取）の規定が準用されていないのは，本法施行時点において特定意見聴取に相当する手続を個別法で規定している再審査請求が存在しないため，同条 1 項 5 号において特定意見聴取を含まないように読み替えているからである。

(3)　「再審査庁が前項において準用する第 9 条第 1 項各号に掲げる機関である場合には，前項において準用する第 17 条，第 40 条，第 42 条及び第 50 条第 2 項の規定は，適用しない」（2 項）

　本法 9 条 1 項各号に掲げる第三者機関が再審査庁となる場合には，審理員は指名されないため（本法 9 条 1 項ただし書），本条 1 項において再審査請求に準用される規定のうち，審理員による審理手続を前提とするものは適用の前提を欠くことになる。本項は，それらの規定を適用しないことを明確にするものである。具体的には，審理員となるべき者の名簿に関する規定（17 条），審理員による執行停止の意見書の提出に関する規定（40 条），審理員意見書に関する規定（42 条），裁決書への審理員意見書の添付に関する規定（50 条 2 項）が適用されないことになる。

第5章　行政不服審査会等

第1節　行政不服審査会

第1款　設置及び組織

> （設置）
> 第67条①　総務省に，行政不服審査会（以下「審査会」という。）を置く。
> ②　審査会は，この法律の規定によりその権限に属させられた事項を処理する。

（本条の趣旨）

本条は，総務省に行政不服審査会を設置すること，および行政不服審査会の所掌事務について定めるものである。

(1)　「総務省に，行政不服審査会（以下「審査会」という。）を置く」（1項）

審理員制度の導入は，審理手続の公正性，透明性を向上させるものであるが，審理員は審査庁の職員から指名されるものであるため，それのみでは，審理手続における公正中立性の確保が十分であるとはいいがたい。そこで，平成20年法案の基礎になった総務省行政不服審査制度検討会最終報告第6章1においては，「現行制度上，法律（条例に基づく処分については，条例を含む。）の定めにより第三者機関が審理に関与している場合を除き，行政の自己反省機能を高め，より客観的かつ公正な判断が得られるよう，国民の権利利益に重大な影響を与えるような一定の案件について，優れた識見を有する委員で構成され，法令解釈に関する行政庁の通達に拘束されずに，違法又は不当について調査審議を行う処分庁又はその上級行政庁以外の第三者機関が，審理に関与することを制度化することとする」とされた。行政不服審査制度検討会報告では，国における行政不服審査会の設置について，(i)客観性・公正性を確保する観点から，府省横断的な機関として設置する方式，(ii)客観性・公正性と専門性の両立を図

第 67 条（設置）

る観点から各府省に府省内横断的機関として設置する方式，(ⅲ)行政簡素化の観点から，各府省の既存の審議会等を活用する方式が検討されたが，(ⅱ)については，行政肥大化につながるとともに，審査請求件数の少ない府省にも設置を義務づけることは効率的でないこと，(ⅲ)については，既存の審議会等が審査請求の審理を行うのに適切か否かが問題であり，既存の審議会等は多様であるため審査請求人の権利保障に差が生じかねないことから，(ⅰ)によることとされた。これを受けて，平成 20 年法案は，府省から独立して，審理員による事実認定を検証しその法令解釈の妥当性を審査する機関として，総務省に行政不服審査会を置くこととした。本法も，この方針を踏襲している。

　行政不服審査会は，国家行政組織法 8 条の規定に基づく審議会等である。同条または内閣府設置法 37 条の規定に基づく審議会等には，「審議会」「委員会」「調査会」「審査会」等の多様な名称が使用されており，各名称の使用方法についての明確なルールがあるわけでは必ずしもない。しかし，不服審査を行う機関については，一般に，「審査会」という名称が用いられている（総務省に置かれている情報公開・個人情報保護審査会，内閣府に置かれている退職手当審査会，厚生労働省に置かれている社会保険審査会，労働保険審査会，援護審査会，環境省に置かれている公害健康被害補償不服審査会等）。そこで，本項でも，「審査会」という名称を使用することとしている。また，本項の規定に基づき設置される審査会は，行政分野を特定することなく，審査請求事件一般について諮問を受けて審議し答申する機関であるので，「行政不服審査会」という名称が付されている。

　行政不服審査会が総務省に置かれることとされたのは，同審査会が行政不服審査法に基づく審査請求事件についての一般的諮問機関であるので，行政不服審査法を所管する総務省に設置することが適切と考えられること，府省横断的な行政運営の管理は内閣の所掌事務とも位置づけうるが，中央省庁等改革基本法別表第 2 備考 1 において，総務省は内閣および内閣総理大臣を補佐し，支援する体制を強化する役割を担うものとして設置することとされていること（宇賀・行政法概説Ⅲ 186 頁参照）による。府省の長が行う処分または不作為について，総務省に置かれる行政不服審査会が審議することが分担管理原則（宇賀・行政法概説Ⅲ 109 頁参照）に反しないかが問題になりうるが，行政不服審査会は諮問機関であり，その答申は諮問庁である審査庁を拘束するものではないので，問題はないと考えられる（総務省に置かれた公害等調整委員会のように，府省横断的

本 論 第5章 行政不服審査会等

な裁決機関が認められている例もある〔宇賀・行政法概説Ⅲ 110頁参照〕）。

　行政機関情報公開法が総務省の所管とされながら、会計検査院の長が諮問庁となる場合を除き、諮問庁は内閣府（立法時。現在は総務省）に置かれる情報公開・個人情報保護審査会（立法時は、情報公開審査会）に諮問することとされていたことに照らし、行政不服審査会も内閣府に設置するという立法政策もありうる。しかし、上記の情報公開・個人情報保護審査会が立法時に内閣府に設置されたのは、情報公開・個人情報保護審査会が、国の行政機関の情報全般を取り扱い、諮問庁に対してインカメラ審理という強力な権限を有する重要な機関であり、内閣府の長としての内閣総理大臣の下に置くことにより、その権威を確保して、新たに導入された情報公開制度を円滑に発展させることが意図されたからであった。他方、行政不服審査法は、1962（昭和37）年に制定されて以来、半世紀を超える運用実績があり、行政不服審査会は内閣府の長としての内閣総理大臣の権威に依拠しなくても適切に機能することが期待できるとして、総務省に設置することとされた。

　行政不服審査会に係る事務の総務省設置法上の位置付けであるが、同法4条11号は、「行政機関の運営に関する企画及び立案並びに調整に関すること」を総務省の所掌事務としている。行政不服審査会が、各府省の機関が行った処分または不作為についての不服審査を行うことは、本法の目的である「行政の適正な運営」（1条1項）の確保に資するものであり、「行政機関の運営」に該当する。また、各府省の審査庁に対する答申を行うことにより、政府全体における統一性の確保に寄与しているので、総務省設置法4条11号の「行政機関の運営に関する……調整」を行っていることになる。なお、同法6条1項は、「総務大臣は、総務省の所掌事務のうち、第4条第11号及び第18号に掲げる事務について必要があると認めるときは、関係行政機関の長に対し勧告をすることができる」と定めている。しかし、個別の審査請求事案に関しては、行政不服審査会は、審査庁から直接に諮問を受け、当該審査庁に直接に答申を行うのであって、また、行政不服審査会には、総務大臣に対する勧告権限は付与されていない。したがって、個別の審査請求事案について、総務大臣が、同法6条1項の規定に基づく勧告を行うことは、想定されていない。しかし、行政不服審査法の施行状況調査結果等を踏まえて、行政不服審査制度一般に関して、総務大臣が勧告権限を行使することはありうる。

第 68 条（組織）

(2) 「審査会は，この法律の規定によりその権限に属させられた事項を処理する」（2 項）

「この法律の規定によりその権限に属させられた事項を処理する」とは，本法の規定に基づく諮問案件について調査審議し，答申を行うことである。平成 20 年法案 60 条 3 項では，そのほか，行政機関情報公開法，独立行政法人等の保有する情報の公開に関する法律，行政機関個人情報保護法，独立行政法人等の保有する個人情報の保護に関する法律の規定によりその権限に属させられた事項を処理することも，行政不服審査会の所掌事務とされていた。その理由は，(i)行政不服審査会と情報公開・個人情報保護審査会は，審査する事案の内容，諮問の根拠規定に相違はあるものの，不服申立事案についての府省横断的な諮問機関である点は共通していること，(ii)行政不服審査会への諮問規定と情報公開・個人情報保護審査会への諮問規定は，一般法と特別法の関係にあること，(iii)行政機関情報公開法，独立行政法人等情報公開法，行政機関個人情報保護法，独立行政法人等個人情報保護法は総務省が所管する法律であり，行政機関，独立行政法人等の情報公開・個人情報保護制度の所管とこれらの法律に係る不服申立制度の所管を一致させることにより，両者の連携が強化され，これらの法律に係る不服申立制度の運営の効率化が期待されること，(iv)行政組織の合理的再編成（宇賀・行政法概説Ⅲ 184 頁以下参照）の観点から，行政不服審査会の新設に伴い，情報公開・個人情報保護審査会の行政不服審査会への統合（政令による情報公開・個人情報保護分科会の設置が予定されていた）により，審議会等の数の増加を避けることが望ましいと考えられたことによる。

しかし，情報公開・個人情報保護審査会の行政不服審査会への統合に対しては，前者の専門的な調査審議機能が損なわれ，情報公開等に係る政策が後退することへの懸念が示されたこと，前者はインカメラ審理等の特別の調査権限を有し，後者の調査審議とはそのあり方に差異があることを考慮し，本法では，前者の後者への統合は行わない方針に転換した。

（組織）
第 68 条① 審査会は，委員 9 人をもって組織する。
② 委員は，非常勤とする。ただし，そのうち 3 人以内は，常勤とすること

> ができる。

(本条の趣旨)
本条は，行政不服審査会の委員の人数および常勤委員の人数について定めるものである。

(1) 「審査会は，委員9人をもって組織する」(1項)

情報公開・個人情報保護審査会は，年間約900件の答申を出しているが，3名の委員からなる部会が5つ設置されており（したがって，委員の総数は15名），1部会当たり，年間約180件の答申を出していることになる。総務省の試算によると，行政不服審査会への諮問件数は，年間約200件と見積もられている。行政不服審査会には，3名の委員をもって構成する合議体が設置され，基本的には，この3名からなる合議体が，審査請求に係る事件について調査審議することとされているが（本法72条1項），3名の委員からなる部会で調査審議することとした場合，1部会当たりの答申数は，情報公開・個人情報保護審査会よりも，かなり少なくなると想定されている。その理由は，情報公開・個人情報保護審査会は，行政機関および独立行政法人等の情報公開・個人情報保護事案のみを取り扱い，行政文書・法人文書の開示請求，保有個人情報の開示請求，訂正請求，利用停止請求は，請求の理由を問わないものであるので，個別の事案における請求理由を探索する必要はないこと，行政文書・法人文書・保有個人情報の不開示情報該当性についての判断は，請求者の属性を問わず，一般的なかたちで行うことができることが少なくないことの点で特殊性を有するのに対し，行政不服審査会は，多様な法律に基づく事件を取り扱うので，各個別法の目的，内容，関連法規の解釈等について委員が十分に理解するための時間を要し，また，各審査請求事件の個別具体的事情を踏まえて判断しなければならないことが多く，定型的な判断ができる場合は稀であると思われるからである。行政不服審査会には，3部会が必要であると考えられ，1部会が3名で構成されるため，全体で9人の委員をもって組織することとされた。

なお，平成20年法案では，会長と委員を別個に規定し（61条1項等），会長は，両議院の同意を得て内閣総理大臣が任命することとされていた（62条1

項)。審議会等の会長等について委員とは別に規定する例は、特に高度の独立性が要求される審議会等であって、委員の任命が国会同意人事になっている場合には稀でない（公認会計士・監査審査会、再就職等監視委員会、社会保険審査会、証券取引等監視委員会、中央更生保護審査会等）。これは、かかる審議会等の場合、会務を総理し審査会等を代表する会長の選任について審議会等の委員の互選に委ねず、国会の民主的統制を及ぼすためである。平成20年法案においては、情報公開・個人情報保護審査会を行政不服審査会に統合することとしていたため、行政不服審査会は情報公開・個人情報保護事件に加え、多様な審査請求事案を取り扱うことになることに照らし、会長について国会の民主的統制を及ぼす観点から、委員の任命だけでなく会長の任命についても国会同意人事とすることとし、そのため、会長と委員を別個に規定していた。しかし、本法では、情報公開・個人情報保護審査会は行政不服審査会に統合されないことになり、情報公開・個人情報保護審査会会長が互選とされていること（情報公開・個人情報保護審査会設置法5条1項）を踏まえ、行政不服審査の会長も委員の互選に委ねることとされた（本法70条1項）。

(2)　「委員は、非常勤とする。ただし、そのうち3人以内は、常勤とすることができる」（2項）

　行政不服審査会の各部会は、年間60～70件の答申を行うことが想定されており、その業務量はかなりのものになると想定される。そこで、各部会の部会長は、常勤とすることができるように、委員のうち3人以内は常勤とすることができるとされている。

（委員）
第69条①　委員は、審査会の権限に属する事項に関し公正な判断をすることができ、かつ、法律又は行政に関して優れた識見を有する者のうちから、両議院の同意を得て、総務大臣が任命する。
②　委員の任期が満了し、又は欠員を生じた場合において、国会の閉会又は衆議院の解散のために両議院の同意を得ることができないときは、総務大臣は、前項の規定にかかわらず、同項に定める資格を有する者のうちから、

委員を任命することができる。
③　前項の場合においては，任命後最初の国会で両議院の事後の承認を得なければならない。この場合において，両議院の事後の承認が得られないときは，総務大臣は，直ちにその委員を罷免しなければならない。
④　委員の任期は，3年とする。ただし，補欠の委員の任期は，前任者の残任期間とする。
⑤　委員は，再任されることができる。
⑥　委員の任期が満了したときは，当該委員は，後任者が任命されるまで引き続きその職務を行うものとする。
⑦　総務大臣は，委員が心身の故障のために職務の執行ができないと認める場合又は委員に職務上の義務違反その他委員たるに適しない非行があると認める場合には，両議院の同意を得て，その委員を罷免することができる。
⑧　委員は，職務上知ることができた秘密を漏らしてはならない。その職を退いた後も同様とする。
⑨　委員は，在任中，政党その他の政治的団体の役員となり，又は積極的に政治運動をしてはならない。
⑩　常勤の委員は，在任中，総務大臣の許可がある場合を除き，報酬を得て他の職務に従事し，又は営利事業を営み，その他金銭上の利益を目的とする業務を行ってはならない。
⑪　委員の給与は，別に法律で定める。

（本条の趣旨）
　本条は，行政不服審査会の委員の任命，任期，罷免，秘密保持義務，政治活動の制限，給与，常勤委員の他の職務への従事制限について定めるものである。

(1)　「委員は，審査会の権限に属する事項に関し公正な判断をすることができ」（1項）
　行政不服審査会は，第三者機関として，各府省に置かれる審理員による事実認定を検証し，その法令解釈の妥当性を審査する諮問機関であるため，その委員は，諮問された審査請求案件について公正な判断をすることができる者でなければならない。

第 69 条（委員）

(2) 「かつ，法律又は行政に関して優れた識見を有する者のうちから」（1項）

審査請求事案の審査は，審査請求に係る処分または不作為が違法または不当かを審査するものであるので，法律の専門家が委員に加わることが望ましい。また，行政実務に精通した者が委員に加わることも望ましい。そこで，「法律又は行政に関して優れた識見を有する者」のうちから委員を任命することとされている。

(3) 「両議院の同意を得て，総務大臣が任命する」（1項）

任命権者からの高度の独立性が要求される委員については，国会同意人事として，国会が民主的統制を及ぼすことにより，任命権者の意向のみで任命することができないようにする仕組みがとられることが少なくない。行政不服審査会も，審査庁からの高度の独立性が要請されるので，委員の任命は国会同意人事とされている。

(4) 「委員の任期が満了し，又は欠員を生じた場合において，国会の閉会又は衆議院の解散のために両議院の同意を得ることができないときは，総務大臣は，前項の規定にかかわらず，同項に定める資格を有する者のうちから，委員を任命することができる」（2項）

行政不服審査会の委員は国会同意人事とされているため，委員の任期が満了し，または欠員を生じた場合において，国会の閉会または衆議院の解散のために両議院の同意を得ることができないときに，欠員が生じ，職務の遂行が停滞する懸念がある。そこで，そのようなときは，総務大臣は，例外として，両議院の事前の同意なしに，本条1項に定める有資格者のうちから，委員を任命することができることとされている。

(5) 「前項の場合においては，任命後最初の国会で両議院の事後の承認を得なければならない。この場合において，両議院の事後の承認が得られないときは，総務大臣は，直ちにその委員を罷免しなければならない」（3項）

事前に両議院の同意を得るという原則についてのやむをえない例外が，本条

2項で定められているが，かかる場合には，可及的速やかに，両議院の事後承認を得るべきであるので，本項は，任命後最初の国会で両議院の事後の承認を得ることを総務大臣に義務づけている。この事後承認が得られない場合には，暫定的に任命された委員の職務を継続させるべきではないので，直ちにその委員を罷免することを総務大臣に義務づけている。

⑹ 「委員の任期は，3年とする。ただし，補欠の委員の任期は，前任者の残任期間とする」（4項）

　1999（平成11）年4月27日に閣議決定された「審議会等の整理合理化に関する基本的計画」（以下「審議会等整理合理化計画」という）においては，審議会等の委員の任期は，原則として2年以内とされている。しかし，委員の任命が国会同意人事とされている審議会等の場合，任命権者からの独立性を高めることが望ましい。そこで，委員の身分を一般の審議会等よりも安定させるために任期を3年とする例が少なくない（公認会計士・監査審査会，再就職等監視委員会，社会保険審査会，証券取引等監視委員会，中央更生保護審査会等）。行政不服審査会についても，同様の趣旨から，委員の任期を3年としている。

⑺ 「委員は，再任されることができる」（5項）

　適任の後任者を適時に任命することが困難な場合がありうるし，また，委員として蓄積した知見を活用するという観点からも，委員の再任を認めることとした。通算期間の制限は定められていない。

⑻ 「委員の任期が満了したときは，当該委員は，後任者が任命されるまで引き続きその職務を行うものとする」（6項）

　委員の任期が満了した時点と後任者の任命の時点との間にタイムラグが生ずることがありうるので，それによる行政不服審査会の職務の停滞を防止するため，任期が満了した委員は，後任者が任命されるまでは，引き続きその職務を行うものとされている。

⑼ 「総務大臣は，委員が心身の故障のために職務の執行ができないと認める場合又は委員に職務上の義務違反その他委員たるに適しない非行が

第 69 条（委員）

あると認める場合には，両議院の同意を得て，その委員を罷免することができる」(7 項)

　行政不服審査会の委員の身分保障は重要であり，恣意的な罷免は禁じなければならない。しかし，委員が心身の故障のために職務の執行ができないと認める場合には，かかる委員を罷免しなければ，行政不服審査会の職務の遂行が停滞するおそれがある。また，委員に職務上の義務違反その他委員たるに適しない非行があると認める場合にかかる委員を罷免しなければ，行政不服審査会の職務が適正に行われないおそれがあるし，国民の行政不服審査会への信頼が失われる懸念もある。そこで，かかる場合には，総務大臣は，その委員を罷免することができることとされている。ただし，任命が国会同意人事であるので，罷免についても両議院の同意を得ることが要件とされており，恣意的な罷免が行われないように，国会がチェックすることができるようになっている。

(10)「委員は，職務上知ることができた秘密を漏らしてはならない。その職を退いた後も同様とする」(8 項)

　行政不服審査会の委員は，国会同意人事であるため，特別職の国家公務員になる（国家公務員法 2 条 3 項 9 号）。そのため，一般職の国家公務員を対象とした同法の規定の適用を受けないことになり（同条 5 項），同法の秘密保持義務に係る規定（100 条 1 項）の適用を受けない。行政不服審査会の委員は，調査審議の過程で，個人のプライバシーや法人の営業秘密等の情報を知ることがありうるので，本項で秘密保持義務を課し，本法 87 条でその違反に対して罰則を科している。

(11)「委員は，在任中，政党その他の政治的団体の役員となり，又は積極的に政治運動をしてはならない」(9 項)

　国家公務員法 102 条は，一般職の国家公務員の政治的行為を禁止しているが，行政不服審査会の委員は特別職の公務員で，この規定の適用を受けない。しかし，委員の政治的中立性の確保が重要であるため，本項で政治的行為を禁止している。

(12)「常勤の委員は，在任中，総務大臣の許可がある場合を除き，報酬を

得て他の職務に従事し，又は営利事業を営み，その他金銭上の利益を目的とする業務を行ってはならない」（10項）

常勤の職員は，職務に専念すべきであるが，兼業等を規制する国家公務員法の規定（103条，104条）が適用されないため，本項で他の職務への従事制限について定めている。

(13)「委員の給与は，別に法律で定める」（11項）

行政不服審査会の委員は特別職であるため，その給与は，特別職の職員の給与に関する法律で定められることになる。

> （会長）
> 第70条 審査会に，会長を置き，委員の互選により選任する。
> ② 会長は，会務を総理し，審査会を代表する。
> ③ 会長に事故があるときは，あらかじめその指名する委員が，その職務を代理する。

（本条の趣旨）

本条は，行政不服審査会の会長の選任，職務，代理について定めるものである。

(1)「審査会に，会長を置き，委員の互選により選任する」（1項）

審議会等の会長等は，合議体の自律性を重視し，国会同意人事とされている場合を除いて委員の互選により定めることが原則とされている（審議会等整理合理化計画別紙2〔審議会等の組織に関する指針〕4）。関税不服審査会（関税等不服審査会令4条1項），情報公開・個人情報保護審査会（情報公開・個人情報保護審査会設置法5条1項），税制調査会（税制調査会令4条1項），地方財政審議会（総務省設置法11条1項），紛争調整委員会（個別労働関係紛争の解決の促進に関する法律7条3項）等も，会長は委員の互選によることとされている。行政不服審査会の会長についても，原則どおり，委員の互選により選任することとされている。

(2) 「会長は，会務を総理し」（2項）

「会務」とは，事務局を包含した行政不服審査会の所掌事務全体を意味する。それを「総理」するとは，総合し治めることを意味する。

(3) 「審査会を代表する」（2項）

審査会を代表するとは，行政不服審査会の議決に従い，対外的に行政不服審査会を代表するという意味であり，会長が単独で行政不服審査会の権限を代理して行使することを認める趣旨ではない。権限行使の主体たる行政庁はあくまで合議制の行政不服審査会であり，会長が行政庁になるわけではない。

(4) 「会長に事故があるときは，あらかじめその指名する委員が，その職務を代理する」（3項）

「事故があるとき」とは，病気，怪我に限らず，海外出張等により，在職しているが事務を行うことができないときを意味する。会長が死亡，辞職，罷免等により欠員になったときは「欠けたとき」であり，「事故があるとき」とは異なる。本項が「事故があるとき」についてのみ定め，「欠けたとき」について定めていないのは，会長が欠けたときは，委員の互選により，新たな会長を選任することになるが，あらかじめ職務を代理する者を選任しておくほどの緊急性はないと考えられたことによる。会長代理の指名は，会長が行う。事故が生ずるたびにアドホックに指名を行うのではなく，あらかじめ指名しておかなければならない。

（専門委員）
第71条① 審査会に，専門の事項を調査させるため，専門委員を置くことができる。
② 専門委員は，学識経験のある者のうちから，総務大臣が任命する。
③ 専門委員は，その者の任命に係る当該専門の事項に関する調査が終了したときは，解任されるものとする。
④ 専門委員は，非常勤とする。

本論 第5章 行政不服審査会等

（本条の趣旨）
　本条は，行政不服審査会に専門委員を置くことができること，専門委員の任命，解任および専門委員を非常勤とすることを定めるものである。

(1)　「審査会に，専門の事項を調査させるため，専門委員を置くことができる」（1項）
　行政不服審査会の委員には，法律または行政に関する有識者が任命されているとはいえ，すべての諮問案件についての専門分野を少数の委員でカバーすることは困難であると思われ，また，事務量からいっても，限られた人数の委員では過剰負担になる場合がある。そこで，必要に応じ，専門的知識を有する者を調査審議に活用するために，専門委員を置くことができるようにしている（専門委員を置くことを認める他の審議会等の例について，宇賀・行政法概説Ⅲ 224 頁以下参照）。

(2)　「専門委員は，学識経験のある者のうちから，総務大臣が任命する」（2項）
　府省の外局である委員会，諮問機関である審議会等の中には，専門委員の数の上限を定めている例がある。公害等調整委員会の場合は 30 人以内，中央社会保険医療協議会，地方社会保険医療協議会，都道府県医療審議会はそれぞれ 10 人以内とされている。これに対し，本項は，専門委員の数の上限について定めず，予算の範囲内で総務大臣の裁量で専門委員を任命することができるようにしている。部会または総会は，審査請求に係る事件の事実関係もしくは争点を明瞭にし，または調査審議の円滑な遂行を図るために必要と認めるときは，専門委員を調査審議に関与させることができ（行政不服審査会運営規則 9 条 1 項，22 条），調査審議に関与させる専門委員は，当該審査請求に係る事件を取り扱う部会の部会長の申出等に基づき，本項の規定により任命された者の中から会長が指名する（行政不服審査会運営規則 9 条 2 項，22 条）。この指名はいつでも取り消すことができ（同 9 条 3 項，22 条），部会または総会は，相当と認めるときは，専門委員の関与を取り消すことができる（同条 4 項，22 条）。

(3)　「専門委員は，その者の任命に係る当該専門の事項に関する調査が終

了したときは,解任されるものとする」(3項)

　専門委員は,行政不服審査会が調査審議を行うに当たり,専門的知識を有する者を臨機に活用するためのものであるから,任期は定められておらず,その者の任命に係る当該専門の事項に関する調査が終了したときは,解任されるものとしている。

(4)　「専門委員は,非常勤とする」(4項)

　審議会等整理合理化計画別紙2［審議会等の組織に関する指針］2においては,委員は非常勤であることが原則であり,審議会等の性格,機能,所掌事務の経常性,事務量等からみて,ほぼ常時活動を要請されるものであり,かつ,委員としての勤務態様上特段の必要がある場合には,常勤とすることができるとされている。専門委員については,臨機に任命され,その者の任命に係る当該専門の事項に関する調査が終了したときは解任されるのであるから,常勤委員の要件を満たさず,原則どおり非常勤とされている。

> (合議体)
> 第72条①　審査会は,委員のうちから,審査会が指名する者3人をもって構成する合議体で,審査請求に係る事件について調査審議する。
> ②　前項の規定にかかわらず,審査会が定める場合においては,委員の全員をもって構成する合議体で,審査請求に係る事件について調査審議する。

(本条の趣旨)

　本条は,行政不服審査会における審査請求に係る事件についての調査審議は,原則として,3人の委員からなる合議体で行うこと,行政不服審査会が定める場合には,委員全員からなる合議体で調査審議することを定めるものである。

(1)　「審査会は,委員のうちから,審査会が指名する者3人をもって構成する合議体で,審査請求に係る事件について調査審議する」(1項)

　行政不服審査会には,年間約200件の審査請求事案が諮問されるものと見積もられているので,本法の目的の1つである迅速な解決を実現するためには,

行政不服審査会の調査審議の効率化を図る必要がある。そこで，部会制を採用し，個別の事案の調査審議は，原則として，委員のうちから，行政不服審査会が指名する者3人をもって構成する合議体で行うことを原則としている。部会の議決が行政不服審査会の議決となるので，部会の議決の後，行政不服審査会全体で改めて審議する必要はない。

(2) 「前項の規定にかかわらず，審査会が定める場合においては，委員の全員をもって構成する合議体で，審査請求に係る事件について調査審議する」(2項)

　3人の委員からなる部会制は，内閣府（当時。現在は総務省）の情報公開・個人情報保護審査会を参考にしたものであるが，情報公開・個人情報保護審査会運営規則2条3項では，会長は，部会に係属している不服申立事件について，当該部会の意見が前に審査会のした答申に反する場合その他，総会で調査審議することが適当と認める場合には，各部会の部会長の意見を聴いて，当該不服申立事件を総会に取り扱わせることができると定めている。本項は，行政不服審査会について，審査会が定める場合には，委員全員による総会で調査審議することとした。いかなる場合に総会で調査審議するかについては，本条では具体的には定められておらず，行政不服審査会の自律的な判断に委ねられている。

　本法施行令25条は，同令に定めるもののほか，行政不服審査会の調査審議の手続に関し必要な事項は，会長が同審査会に諮って定めることとしており，これを受けて制定された行政不服審査会運営規則8条において，部会長は，当該部会に係属している審査請求に係る事件について，当該部会の意見が過去に行政不服審査会のした答申に反することとなる場合その他総会で調査審議することが適当と思料する場合には，直ちに会長にその旨を報告しなければならず(3項)，会長は，部会に係属している審査請求に係る事件について，当該部会の意見が過去に行政不服審査会のした答申に反する場合その他総会で調査審議することが適当と思料する場合には，各部会の部会長の意見を聴いて，当該審査請求に係る事件を総会に取り扱わせることができるとしている(4項)。

　部会は，これを構成する全ての委員の，総会は，過半数の委員の出席がなければ，会議を開き，議決することができない（本法施行令20条1項）。会長は委員から互選されるので，同項にいう「委員」には会長も含まれる。総会の定足

第72条（合議体）

数は委員の過半数であるので，会長の出席は要件ではない。部会の議事は，その合議体を構成する委員の過半数をもって決する（同条2項）。情報公開・個人情報保護審査会，労働保険審査会，社会保険審査会も，3人からなる部会については，議決要件は委員の過半数としている。総会の議事は，出席した委員の過半数をもって決し，可否同数のときは，会長の決するところによる（同条3項）。委員または専門委員は，自己の利害に関係する議事に参与することができない（同条4項）。専門委員は，専門事項を調査するために置かれるものであり（本法71条1項），議決に参加することはできないが，利害関係者が調査を行うことも公正性を損なうので，専門委員についても，利害関係を有することを除斥事由としている。

　本法施行令に定めるもののほか，審査会の調査審議の手続に関し必要な事項は，会長が審査会に諮って定めることとされている（本法施行令25条）。これを受けて，行政不服審査会運営規則が定められており，行政不服審査会に3部会を置き（1条1項），各部会に属すべき委員は会長が指名すること（同条2項），各部会に部会長を置き，当該部会に属する委員のうちから会長が指名すること（同条3項），部会長は当該部会の事務を掌理することとされている（同条4項）。総会または部会の会議は，総会にあっては会長が，部会にあっては部会長が招集し（2条1項），会長または部会長は，総会または部会の会議を招集しようとするときは，あらかじめ，期日および議案をその属する委員および指名を受けた専門委員に通知しなければならず（同条2項），会長または部会長は，総会または部会の議長となり，議事を整理する（同条3項）。審査請求に係る事件を調査審議する委員または指名する専門委員については，基本的に審理員と同様の除斥事由が定められている（審理員の指名時点においては，参加人が存在しないが，行政不服審査会における審議の時点では参加人が存在しうるので，後者においては，①参加人，②参加人の配偶者，4親等内の親族または同居の親族，③参加人の代理人，④前記②または③であった者，⑤参加人の後見人，後見監督人，保佐人，保佐監督人，補助人または補助監督人が除斥事由に追加されている点も異なる）（3条1項）。部会長は，審査請求に係る事件を調査審議する委員または指名された専門委員が除斥事由に該当すると思料する場合には，直ちに，会長にその旨を報告しなければならず（同条2項），会長は，部会で調査審議する審査請求に係る事件につき当該部会に属する委員が除斥事由のいずれかに該当する場合には，当該審査請求に係

る事件を他の部に取り扱わせ,または当該委員に代えて他の委員を当該審査請求に係る事件の調査審議に参加させなければならない(同条3項)。会長は,指名した専門委員が除斥事由に該当すると認める場合には,当該専門委員の指名を取り消さなければならない(同条4項)。審査請求に係る事件を調査審議する委員または指名された専門委員は,自らについて,除斥事由に準ずる事情がある場合,審査請求人または利害関係人との間に取引関係または委任契約関係がある場合その他の審査請求に係る事件の調査審議の公正性に疑いを生じさせるおそれのある事情があると思料する場合には,部会長(総会において審査請求に係る事件を取り扱う場合は,会長)に対し,その旨を申し出なければならない(4条1項)。この申し出を受けた部会長は,特に必要がないと認める場合を除き,直ちに,会長に当該申出の内容を報告しなければならない(同条2項)。上記の申出または報告を受けた場合において,審査請求に係る事件の調査審議の公正性に疑いを生じさせるおそれがあると認めるときは,当該申出または報告に係る委員または専門委員につき,除斥事由に該当すると認める場合に準じた措置をとらなければならない(同条4項)。

なお,行政不服審査会は,本法施行令25条の規定に基づき,調査審議の手続に関し必要な事項または行政不服審査会の運営に関し必要な事項を協議するため,総会の会議(運営会議)を開催する(同31条)。

> (事務局)
> 第73条① 審査会の事務を処理させるため,審査会に事務局を置く。
> ② 事務局に,事務局長のほか,所要の職員を置く。
> ③ 事務局長は,会長の命を受けて,局務を掌理する。

(本条の趣旨)
本条は,行政不服審査会に独立の事務局を設置すること,事務局の職員,事務局長の職務について定めるものである。

(1) 「審査会の事務を処理させるため,審査会に事務局を置く」(1項)
審議会等の庶務については,所管府省内の部局において行うことが原則であ

り，特段の必要がある場合を除き，独自の事務局を設置しないこととされている（審議会等整理合理化計画別紙2［審議会等の組織に関する指針］6)。しかし，行政不服審査会は，府省横断的な不服審査機関であり，諮問庁である各府省の審査庁から独立性を有する必要がある。また，委員が調査審議するために必要な資料の収集・整理，審査関係人との連絡調整等，委員による調査審議を補佐する庶務の事務量は相当多くなると予想される。そこで，行政不服審査会には，固有の事務局を設置することとされている（固有の事務局を有する審議会等の他の例については，宇賀・行政法概説Ⅲ216頁参照）。

(2) 「事務局に，事務局長のほか，所要の職員を置く」（2項）

事務局の体制については，事務局長のほか，所要の職員を置くことしか定められていないが，政令で，事務局長の選任，事務局内の課の設置等について定められている。すなわち，事務局長は，関係のある他の職を占める者をもって充てられるものとされ（本法施行令24条1項），事務局に課を置くこと（同条2項），その他，事務局の内部組織の細目は，総務省令で定めること（同条3項）とされている。

本法施行令24条3項の委任を受けた総務省令である行政不服審査会事務局組織規則においては，行政不服審査会事務局に，総務課および審査官1人を置くこと（1条），総務課は，(i)会長の官印および行政不服審査会印の保管に関すること，(ii)局務の総合調整に関すること，(iii)行政不服審査会の人事に関すること，(iv)行政不服審査会の所掌に係る会計および会計の監査に関すること，(v)行政不服審査会所属の物品の管理に関すること，(vi)公文書類の接受，発送，編集および保存に関すること，(vii)行政不服審査会の保有する情報の公開に関すること，(viii)行政不服審査会の保有する個人情報の保護に関すること，(ix)広報に関すること，(x)審査請求に係る事件についての調査審議に関すること（審査官の所掌に属するものを除く），(xi)以上に掲げるもののほか，局務で審査官の所掌に属しないものに関すること，をつかさどる（2条）。審査官は，命を受けて，審査請求に係る事件についての調査審議に関する事務を分掌する（3条）。

(3) 「事務局長は，会長の命を受けて，局務を掌理する」（3項）

「掌理する」とは，事務を直接に掌握して治めることを意味し，「掌理」は，

統理，統括，総理に比して，治める事務の範囲が小規模の場合に用いられる。本法70条2項で，行政不服審査会の会長が，事務局を包含した行政不服審査会の所掌事務全体である「会務」を「総理」すると規定されているのに対し，事務局長は，事務局のみを対象とした「局務」を職務の対象とすることになるので，「総理」よりも狭い概念である「掌理」という文言が使われている。

第2款 審査会の調査審議の手続

> **（審査会の調査権限）**
> **第74条** 審査会は，必要があると認める場合には，審査請求に係る事件に関し，審査請求人，参加人又は第43条第1項の規定により審査会に諮問をした審査庁（以下この款において「審査関係人」という。）にその主張を記載した書面（以下この款において「主張書面」という。）又は資料の提出を求めること，適当と認める者にその知っている事実の陳述又は鑑定を求めることその他必要な調査をすることができる。

（本条の趣旨）
本条は，行政不服審査会の調査権限について定めるものである。

(1) 「審査会は，必要があると認める場合には，審査請求に係る事件に関し……必要な調査をすることができる」

行政不服審査会に諮問される案件については，すでに審理員による審理が行われており，簡易迅速（本法1条1項）な手続により行政救済と行政統制を確保する観点から，行政不服審査会の基本的役割は，審査庁からの諮問書に添付される審理員意見書および事件記録の写し（本法43条2項），裁決についての審査庁の基本的考え方等を審査資料として，審理員による事実認定，法解釈に誤りがないかを審査することになる。しかし，行政不服審査会が調査審議を進めていく過程において，審理員による審理が十分ではないと考えることがありうる。そこで，かかる場合には，行政不服審査会が独自に調査を行うことが認められている。

部会長または会長は，部会または総会における調査審議の充実および効率的

第 74 条（審査会の調査権限）

な遂行のため，必要があると認めるときは，部会または総会の会議の開催に先立ち，審査庁に対し，諮問説明書の補充もしくは資料の提出を求め，または口頭での説明を求め，その説明を聴取し，（行政不服審査会運営規則 11 条 1 項 1 号，22 条），審査関係人に対し，口頭意見陳述の申立てを行う意思の有無を確認することができる（同 11 条 1 項 2 号，22 条）。部会長または会長は，部会または総会の会議を招集しようとするときは，あらかじめ各委員および指名を受けた専門委員に対し，諮問書の写し，審理員意見書および諮問説明書の写し，その他調査審議に必要な資料を配布する（同 11 条 4 項，22 条）。

　部会または総会は，必要があると認めるときは，審査関係人に対し，口頭での説明を求め，その説明を聴取する（同 13 条 1 項，22 条）。説明の聴取は，必要があると認めるときは，行政不服審査会の所在地以外の地で行うことができる（同 13 条 3 項，22 条）。出席する者の人数は，(i)審査請求人およびその補佐人，(ii)参加人およびその補佐人，(iii)審査庁の職員の各区分ごとに，それぞれ 5 人以内とされているが，部会が必要があると認めるときは，この限りでない（同 13 条 4 項，22 条）。また，部会または総会は，適当と認める者に事実もしくは意見の陳述を求め，または鑑定を求める場合には，当該適当と認める者にその旨を求め（同 14 条 1 項，22 条），求めに応じ鑑定を行った者（以下「鑑定人」という）に対し，書面または口頭により，その鑑定の結果の報告を求め（同 14 条 2 項，22 条），求めを受けて陳述を行った者（以下「参考人」という）に対しては所定の旅費を，鑑定人に対しては，所定の旅費および鑑定料を，それぞれ支給する。ただし，当該参考人または鑑定人が，旅費または鑑定料の受給を放棄した場合は，この限りでない（同 14 条 3 項，22 条）。

　行政不服審査会の調査審議の手続は非公開が原則であるが，口頭意見陳述，口頭での説明，参考人の意見陳述については，部会または総会は，公開することを相当と認めるときは，当該手続を公開することができる（同 28 条）。部会または総会の会議を開催したときは，開催日時および場所，出席した委員および専門委員の氏名，議事の項目その他必要な事項を記載した開催記録を作成しなければならない（同 29 条 1 項）。この開催記録は，インターネットを利用して公表される（同条 2 項）。

(2)　「審査請求人，参加人又は第 43 条第 1 項の規定により審査会に諮問を

本論 第5章 行政不服審査会等

した審査庁（以下この款において「審査関係人」という。）に」

　行政不服審査会による調査審議の直接の相手方を示している。審理員意見書において，審査請求を全部認容すべきとされているときには，反対意見書が提出されている場合およびその旨の反対意見が述べられている場合を除き，審査庁が審理員意見書に従い，審査請求を全部認容する裁決を行う意向であるならば，行政不服審査会等への諮問は行われないことになる（本法43条1項7号・8号）。したがって，かかる場合に行政不服審査会等に諮問が行われたということは，諮問時点では，審査庁は全部認容裁決をしない意向であり，その基本的考え方は，諮問書に添付して示される（行政不服審査会運営規則6条1項2号参照）。行政不服審査会は，審査庁のかかる基本的考え方が妥当かを，審理員意見書，事件記録を精査することにより審査することになる。そのため，行政不服審査会の調査審議においては，審査関係人は，審査請求人，参加人および審査庁になり，この審査関係人は調査審議の直接の対象になる。審査請求の審理員による審理手続においては，審査請求人，参加人および処分庁等が審理関係人であるのに対し，行政不服審査会では処分庁等は審査関係人に含まれていない。もっとも，行政不服審査会が処分庁等に資料の作成・提出を求めることが必要と考える場合はありうる。その場合には，「その他必要な調査」として，審査庁を通じて処分庁等に依頼することになる。

(3)　「その主張を記載した書面（以下この款において「主張書面」という。）又は資料の提出を求めること，適当と認める者にその知っている事実の陳述又は鑑定を求めることその他必要な調査」

　審理員による審理手続において，弁明書（本法29条1項・2項），反論書（本法30条1項），意見書（同条2項），証拠書類もしくは証拠物（本法32条1項）または書類その他の物件（同条2項，本法33条）は審理関係人等から提出されており，審理関係人の考え方は明確になっていると考えられる。そして，行政不服審査会等への諮問は事件記録の写しを添えてしなければならない（本法43条2項）。ここでいう事件記録は，審査請求書，弁明書その他審査請求に係る事件に関する書類その他の物件のうち政令で定めるものであり（本法41条3項），審査請求録取書，行政手続法24条1項の聴聞調書および同条3項の報告書ならびに同法29条1項の弁明書，反論書，意見書，口頭弁論陳述書，証拠書類

等，書類その他の物件，参考人の陳述書，鑑定書，審理員が職権で作成した検証調書，審理員による審理関係人への質問に係る記録，審理手続の申立てに関する意見聴取記録，個別法の規定により審理員が審査請求人から行った意見聴取記録は，政令で定められている（本法施行令15条1項）。また，審査庁の基本的考え方は，諮問書の添付書類に記載されることになる（行政不服審査会運営規則6条1項2号）。

　本項でいう主張書面または資料とは，以上のような書類その他の物件をいうのではなく，それらに付加するものが念頭に置かれている。「適当と認める者にその知っている事実の陳述又は鑑定を求めること」とは，参考人に事実の陳述を求めること，鑑定人の鑑定を求めることである。「その他必要な調査」としては，関係行政機関に資料の作成・提出，説明，意見陳述を求めること等が考えられる。

　行政不服審査会は，必要があると認める場合には，数個の事件に係る調査審議の手続を併合し，または併合された数個の事件に係る調査審議の手続を分離することができる（本法施行令21条1項）。調査審議の手続の併合により，行政不服審査会に提出された主張書面および資料を共通の審議資料とすることができる等，調査審議の効率化を図ることができる。調査審議の手続が併合されても，複数の審査請求が単一の審査請求になるわけではないが，調査審議の手続を併合した複数の審査請求に係る答申を同一の答申書で行うことは可能である。調査審議の手続の分離は，調査審議の手続の進行に伴い，事件ごとに争点に差異が生じ，併合して調査審議を行うことがかえって非効率になってしまう場合，併合して調査審議していた事件の一部について調査審議を終了した場合等に行われることが考えられる。行政不服審査法は，事件に係る調査審議の手続を併合し，または分離したときは，審査関係人にその旨を通知しなければならない（同条2項）。

（意見の陳述）
第75条① 審査会は，審査関係人の申立てがあった場合には，当該審査関係人に口頭で意見を述べる機会を与えなければならない。ただし，審査会が，その必要がないと認める場合には，この限りでない。

> ② 前項本文の場合において、審査請求人又は参加人は、審査会の許可を得て、補佐人とともに出頭することができる。

（本条の趣旨）

　本条は、審査関係人に原則として口頭意見陳述の機会が保障されること、審査請求人または参加人は、口頭意見陳述に当たり、行政不服審査会の許可を得て補佐人とともに出頭できることを定めるものである。

(1)　「審査会は、審査関係人の申立てがあった場合には、当該審査関係人に口頭で意見を述べる機会を与えなければならない」（1項本文）

　審理員による審理手続においては、審査請求人、参加人に、口頭意見陳述の申立権が保障されている（本法31条1項）。本項は、行政不服審査会においても審査関係人に口頭意見陳述の申立権が与えるものである。これは審理員による審理手続における口頭意見陳述の申立権とは別個の権利であるので、審理員による審理手続で口頭意見陳述を行っていたとしても、行政不服審査会における口頭意見陳述が制限されるわけではない。審理員による審理手続における口頭意見陳述の申立ては、審査請求人または参加人に限り認められ、処分庁等による申立ては認められていないが、行政不服審査会における口頭意見陳述の申立ては、審査関係人が行うことができるので、審査庁も行うことが可能である。なお、行政不服審査会における口頭意見陳述は、審理員による審理手続における口頭意見陳述とは異なり、全ての審査関係人を招集して行われるものではなく、審査請求人、参加人に審査庁に対する質問権を保障するものでもない。

　部会または総会は、必要があると認めるときは、審査関係人に対し、書面により、口頭意見陳述を行う意思の有無を確認する（行政不服審査会運営規則15条1項、22条）。口頭意見陳述の申立て（補佐人の同伴の許可に係る申立てを含む）は、口頭意見陳述申立書により行う（同15条2項、22条）。部会または総会は、口頭意見陳述の申立てがされた場合には、当該口頭意見陳述を行うか否か（補佐人の同伴の許可を行うか否かを含む）を決定し、当該申立てを行った審査関係人に通知する（同15条3項、22条）。口頭意見陳述は、必要があると認めるときは、行政不服審査会の所在地以外の地で行うことができる（同15条4項、22

条)。口頭意見陳述に出席する者の人数は，(i)審査請求人およびその補佐人，(ii)参加人およびその補佐人，(iii)審査庁の職員の各区分ごとに，それぞれ5人以内とされている。ただし，部会または総会が必要があると認めるときは，この限りでない（同15条5項，22条）。なお，行政不服審査会における口頭意見陳述についても，テレビ会議システムの使用が認められている（本法施行令23条）。

(2) 「ただし，審査会が，その必要がないと認める場合には，この限りでない」（1項ただし書）

　行政不服審査会が審査請求人の主張を全面的に認容する意向であって，参加人が全部認容に反対の意思を示していない場合には，審査請求人の口頭意見陳述を聴かなくても，審査請求人の不利益にならないし，むしろ，早期に答申（本法79条参照）をすることが審査請求人の利益につながるので，口頭意見陳述の機会を付与しないでよい。また，すでに同種の事案において，過去に行政不服審査会が答申を出して先例として確立しており，当該答申の射程が及ぶ事案であると認められる場合には，行政不服審査会の調査審議の効率性も考慮して，口頭意見陳述の機会を付与しないことができると解される。

(3) 「前項本文の場合において，審査請求人又は参加人は，審査会の許可を得て，補佐人とともに出頭することができる」（2項）

　補佐人とは，自然科学，社会科学，人文科学の専門的知識により，審査請求人または参加人を援助する第三者である。補佐人とともに出頭することについては，行政不服審査会による許可が必要であり，行政不服審査会は許可をする場合においても，その人数を合理的な範囲に制限することができる。補佐人とともに出頭することができるのは，審査請求人または参加人に限られる。審査庁は，審査関係人として口頭意見陳述の申立てをすることはできるが，補佐人とともに出頭することはできない。審査庁は，その補助機関の適任な職員に口頭意見陳述を行わせることができ，補佐人とともに出頭する必要性は認められないからである。

> （主張書面等の提出）
> 第76条　審査関係人は，審査会に対し，主張書面又は資料を提出することができる。この場合において，審査会が，主張書面又は資料を提出すべき相当の期間を定めたときは，その期間内にこれを提出しなければならない。

（本条の趣旨）

本条は，審査関係人が主張書面または資料を行政不服審査会に提出することができることを定めるものである。

⑴　「審査関係人は，審査会に対し，主張書面又は資料を提出することができる」（1項前段）

審査関係人に主張書面または資料の行政不服審査会への提出権があることを明確にしている。かかる提出権を認めることは，審査請求人，参加人の権利利益の保護に資するのみならず，行政不服審査会にとっても，判断資料を豊富にし，適正な審査に資することになる。審査関係人は，主張書面等を提出する場合には，ファクシミリや電子情報処理組織を利用して提出することができる（行政不服審査会運営規則32条，33条）。部会または総会は，審査関係人からファクシミリや電子情報処理組織を利用して主張書面等が提出された場合において，必要があると認めるときは，当該審査関係人に対し，提出された書面の原本の提出を求める（同34条）。

⑵　「この場合において，審査会が，主張書面又は資料を提出すべき相当の期間を定めたときは，その期間内にこれを提出しなければならない」（1項後段）

主張書面または資料の提出については，原則として時期の制限はないが，審査がほぼ終了した段階で重要な主張書面または資料が提出されたため，最初から調査審議をやり直さなければならないような事態は避ける必要がある。そこで，行政不服審査会の判断で，主張書面または資料を提出すべき相当の期間を定めることができることとされている。具体的には，部会長または会長は，部会または総会における調査審議の効率的な遂行に資するため，部会または総会

の会議の開催に先立ち，主張書面または資料を提出すべき相当の期間を定めることができ（行政不服審査会運営規則10条1項，22条），部会または総会は，必要があると認めるときは，部会または総会の会議の後に，主張書面または資料を提出すべき相当の期間を定める（同10条2項・22条）。主張書面または資料を提出すべき相当の期間を定めたときは，部会長または会長は，審査関係人に通知する（同10条3項，22条）。「相当の期間」とは，主張書面または資料の提出のために社会通念上必要と認められる期間でなければならない。もし，行政不服審査会が定めた主張書面または資料の提出期間が短すぎたために，審査請求人が主張書面または資料の提出ができず，棄却裁決がされた場合には，そのことが裁決固有の瑕疵になりうる。

> **（委員による調査手続）**
> **第77条** 審査会は，必要があると認める場合には，その指名する委員に，第74条の規定による調査をさせ，又は第75条第1項本文の規定による審査関係人の意見の陳述を聴かせることができる。

（本条の趣旨）

本条は，行政不服審査会の指名する委員に必要な調査をさせ，または審査関係人の口頭意見陳述を聴かせることができることを定めるものである。

(1) 「審査会は，必要があると認める場合には，その指名する委員に……できる」

行政不服審査会における調査審議を全て合議体の会議において行うことは効率的ではなく，「簡易迅速」（本法1条1項）な行政救済と行政統制の確保を図る本法の趣旨にそぐわない。そこで，その指名する委員に必要な調査を行わせたうえで，その調査結果に基づいて合議体で調査審議することができるようにすることが望ましい。また，行政不服審査会は，東京に置かれることになるので，指名委員による調査手続を認めることにより，指名する委員が地方に出張して調査をすることが可能になる場合があり，地方在住者の便宜にも資することになる。本条は，このような理由から，行政不服審査会がその指名する委員

に調査手続を行わせることができることを規定するものであるが，指名委員による調査を実施するか否かは，行政不服審査会の裁量に委ねられている。

(2) 「第74条の規定による調査をさせ」

審査関係人に主張書面または資料の提出を求めること，適当と認める者にその知っている事実の陳述または鑑定を求めることその他必要な調査をさせることである。

(3) 「又は第75条第1項本文の規定による審査関係人の意見の陳述を聴かせる」

審査関係人の口頭意見陳述を聴取することである。

（提出資料の閲覧等）

第78条① 審査関係人は，審査会に対し，審査会に提出された主張書面若しくは資料の閲覧（電磁的記録にあっては，記録された事項を審査会が定める方法により表示したものの閲覧）又は当該主張書面若しくは当該資料の写し若しくは当該電磁的記録に記録された事項を記載した書面の交付を求めることができる。この場合において，審査会は，第三者の利益を害するおそれがあると認めるとき，その他正当な理由があるときでなければ，その閲覧又は交付を拒むことができない。

② 審査会は，前項の規定による閲覧をさせ，又は同項の規定による交付をしようとするときは，当該閲覧又は交付に係る主張書面又は資料の提出人の意見を聴かなければならない。ただし，審査会が，その必要がないと認めるときは，この限りでない。

③ 審査会は，第1項の規定による閲覧について，日時及び場所を指定することができる。

④ 第1項の規定による交付を受ける審査請求人又は参加人は，政令で定めるところにより，実費の範囲内において政令で定める額の手数料を納めなければならない。

⑤ 審査会は，経済的困難その他特別の理由があると認めるときは，政令で定めるところにより，前項の手数料を減額し，又は免除することができる。

第 78 条（提出資料の閲覧等）

（本条の趣旨）
　本条は，審査関係人が行政不服審査会に提出された主張書面もしくは資料の閲覧または当該主張書面もしくは当該資料の写しの交付を求めることができること，閲覧または写しの交付を拒否できる事由，閲覧または写しの交付に係る主張書面または資料の提出人の意見聴取，写しの交付の手数料について定めるもので，本法 38 条の審査請求人等による提出書類等の閲覧等に関する規定と平仄を合わせている。

(1)　「審査関係人は，審査会に対し……閲覧……又は写し若しくは当該電磁的記録に記録された事項を記載した書面の交付を求めることができる」（1 項前段）
　本項は，行政不服審査会に提出された主張書面もしくは資料の閲覧または当該主張書面もしくは当該資料の写しもしくは当該電磁的記録に記録された事項を記載した書面の交付を求めることを審査関係人に認めることにより，審査関係人が十分な主張立証を行えるようにすることを目的とする。平成 20 年法案と比較して，電磁的記録の取扱いを明確にしている点，写しの交付請求権も認めている点が異なる。審査庁も審査関係人に含まれるから（本法 74 条），提出資料の閲覧または写しの交付等を求めることができる。本条の権利を行使する時期については法定されていないが，行政不服審査会の調査審議手続における審査関係人の主張立証の便宜を図るためのものであるから，答申が行われた後は，閲覧等を求めることはできない。
　写し等の交付を求める手続，交付の方法については，審理員による審理手続における写し等の交付に係る規定が準用されている（本法施行令 23 条による同令 10 条，11 条の規定の準用）。なお，本法施行令 23 条は，本法第 5 章（行政不服審査会等）第 1 節（行政不服審査会）第 3 款（雑則）80 条（政令への委任）の規定に基づき審査会に関し必要な事項を定めたものであり，本法 81 条 3 項は，本法 5 章第 1 節第 2 款（審査会の調査審議の手続）の規定を地方公共団体の行政不服審査会等に準用しているが，本法 80 条は準用していないので，本法施行令 23 条の規定は，地方公共団体の行政不服審査会等には準用されないことに留意が必要である。

(2) 「審査会に提出された主張書面若しくは資料」(1項前段)

「審査会に提出された主張書面若しくは資料」とは，(i)本法74条の規定に基づき，行政不服審査会が審査関係人に提出を求め，これを受けて審査関係人から提出された主張書面または資料，(ii)本法76条の規定に基づき，審査関係人が自主的に行政不服審査会に提出した主張書面または資料の双方を含む。

(3) 「(電磁的記録にあっては，記録された事項を審査会が定める方法により表示したものの閲覧)」(1項前段)

「電磁的記録」とは，電子的方式，磁気的方式その他人の知覚によっては認識することができない方式で作られる記録であって，電子計算機による情報処理の用に供されるものをいう(本法38条1項前段)。「記録された事項を審査会が定める方法により表示したものの閲覧」の方法については行政不服審査会が定めることになる。具体的には，日時を指定して，審査会事務局(執務室)において，当該電磁的記録を審査会の専用機器により再生もしくは映写したものまたは用紙に出力したものにより実施することとされている(行政不服審査会運営規則16条5項)。

(4) 「この場合において，審査会は，第三者の利益を害するおそれがあると認めるとき，その他正当な理由があるときでなければ，その閲覧又は交付を拒むことができない」(1項後段)

「第三者の利益を害するおそれがあると認めるとき」とは，第三者のプライバシーを侵害するおそれがあるときや，第三者の営業秘密を漏洩するおそれがあるとき等である。「その他正当な理由があるとき」とは，監査の手法等が明らかになり当該事務の適正な遂行に支障を及ぼすおそれがあるとき等であり，基本的には，行政機関個人情報保護法14条の不開示情報に該当する場合である。

(5) 「審査会は，前項の規定による閲覧をさせ，又は同項の規定による交付をしようとするときは，当該閲覧又は交付に係る主張書面又は資料の提出人の意見を聴かなければならない」(2項本文)

審査関係人から閲覧または写しの交付等の請求があった場合，第三者の権利

利益を害することがないように，当該閲覧または写しの交付等に係る提出書類等の提出人の意見を聴くことを行政不服審査会に義務づけて，その判断の慎重を期すこととしている。平成20年法案にはなかった規定である。

情報公開・個人情報保護審査会設置法施行令4条本文は，「審査会は，審査会に提出された意見書又は資料について，法第9条第4項の規定に基づき鑑定を求め，又は法第13条第1項の規定に基づき閲覧をさせようとするときは，当該意見書又は資料を提出した不服申立人，参加人又は諮問庁の意見を聴かなければならない」と定めている。本項は，閲覧のみならず写しの交付等の請求権も認めていることにも照らし，政令ではなく法律自身で，提出書類等の提出人の意見を聴取する義務を定めている。もっとも，本項による意見聴取は，参考意見としての聴取であり，提出者に拒否権を与えるものではない。

部会または総会は，審査関係人に対し，主張書面等の提出を求める旨の決定をしたときは，当該審査関係人にその旨を通知するが（行政不服審査会運営規則12条1項，22条），この通知を行う場合には，当該主張書面等に係る他の審査関係人からの閲覧または交付の求めがあった場合の当該閲覧または交付についての意見を，あらかじめ聴くこととされている（同12条2項，22条）。また，部会または総会は，審査関係人から主張書面等閲覧請求書が提出された場合には，当該求めに係る主張書面等に係る閲覧または交付についての意見をすでに聴取している場合を除き，当該主張書面等の提出人に，当該閲覧または交付についての意見を聴取する（同16条2項，22条）。部会または総会は，主張書面等閲覧請求書による求めに係る主張書面等について，その提出人の当該閲覧または交付についての意見も踏まえて，閲覧をさせ，または交付をするか否かを決定し，当該求めを行った審査関係人に通知する（同16条3項，22条）。部会または総会は，主張書面等の提出人から当該主張書面等の閲覧または交付に反対する旨の意見が提出されている場合において，当該主張書面等の閲覧または交付に反対する旨の意見が提出されている場合において，当該主張書面等について閲覧をさせ，または交付をするときは，当該提出人にその旨を通知する（同16条4項，22条）。

(6) 「ただし，**審査会が，その必要がないと認めるときは，この限りでない**」（2項ただし書）

提出者の意見を聴くまでもなく閲覧等の請求に対する判断を行政不服審査会が行うことが可能な場合には，意見を聴く必要はない。

(7) 「審査会は，第1項の規定による閲覧について，日時及び場所を指定することができる」（3項）

この指定については行政不服審査会の裁量に委ねられているが，閲覧請求者の便宜に配慮して日時および場所を指定すべきであり，社会通念上不合理な指定を行った場合，裁量権の逸脱・濫用になりうる。

(8) 「第1項の規定による交付を受ける審査請求人又は参加人は……手数料を納めなければならない」（4項）

本項は，本条1項の規定に基づき，審査会に提出された主張書面もしくは資料の写しまたは当該電磁的記録に記録された事項を記載した書面の交付を受ける審査請求人または参加人の手数料納付義務に関する規定である。

行政機関情報公開法16条1項，独立行政法人等の保有する情報の公開に関する法律17条1項は閲覧についても手数料を徴収することとしているのに対し，本項は閲覧については手数料を徴収しないこととしている。

情報公開法制の場合，国民主権の理念に基づき政府または独立行政法人等が説明責務を全うすることを目的としているため，何人にも，目的・理由を問わず開示請求が認められる客観的情報開示請求制度が採用されているが，一部の者がそれを利用することにより生ずる行政コストを全て租税等の一般財源で負担すべきではなく，受益者にも一部とはいえ負担を求めるべきとするのが社会通念と考えられる。これに対し，本条1項が定める閲覧請求権は，(i)本法74条の規定に基づき，行政不服審査会が審査関係人に提出を求め，これを受けて審査関係人から提出された主張書面または資料，(ii)本法76条の規定に基づき，審査関係人が自主的に行政不服審査会に提出した主張書面または資料にアクセスし，その内容を知ることが，審査請求人または参加人が行政不服審査会における調査審議において主張立証を行うために必要不可欠であり，また，それにより情報の非対称性を是正しなければ行政不服審査会における公正な調査審議は達成できないために認められている。同趣旨で認められた旧行政不服審査法33条2項の物件閲覧請求権，行政手続法18条1項の文書等閲覧請求権は，防

御権のための手続的保障としての主観的情報開示請求制度（客観的情報開示請求制度，主観的情報開示請求制度については，宇賀・新・情報公開法の逐条解説〔第7版〕2頁）である閲覧の性質に照らし，手数料を徴収していない。以上にかんがみ，本項においては，閲覧の手数料は徴収しないこととしている。

　他方，写し等の交付については，主観的情報開示請求制度であっても，閲覧の場合と異なり，行政不服審査会に発生する行政コストを全て一般財源で賄うことが社会通念上，支持されているとは考えられず，客観的情報開示請求制度である情報公開法制においてすら，写し等の交付については手数料を徴収していることとの均衡を図る必要がある。また，行政機関個人情報保護法26条1項，独立行政法人等の保有する個人情報の保護に関する法律26条1項の規定による自己情報の開示請求の場合であっても手数料負担が発生するのであるから，本項の規定に基づく写しの交付に対する手数料を徴収しないこととすれば，無料で自己情報の開示請求をする手段として，審査請求が行われるおそれも皆無とはいえない。そこで，本項は写しの交付等については手数料を徴収することとしている。審査手続の利用者に手数料の納付を義務づける他の例として，建設業法25条の24（中央建設工事紛争審査会への紛争処理に係る申請手数料）がある。

(9)　「政令で定めるところにより」（4項）

　手数料の納付方法については，本法施行令23条により同令12条2項の規定が準用されているため，収入印紙による納付が原則となる。ただし，同項1号の規定は，特別会計によって運営される部局または機関の納付方法についての規定であり，行政不服審査会はそれに該当しないので，準用されていない（審査会等から受けるサービスに対する手数料の納付について定める政令の例として，建設業法施行令26条参照）。なお，本項の規定は，行政不服審査のための第三者機関として地方公共団体に置かれる執行機関の附属機関（本法81条1項・2項）について準用される（同条3項）。行政不服審査のための第三者機関として地方公共団体に置かれる執行機関の附属機関が不服審査を行う場合には，写しの交付等に係る手数料の納付に必要な事項は条例で定められる（同項参照）。

(10)　「実費の範囲内において政令で定める額」（4項）

「実費」とは，写し等の作成のための人件費，消耗品費，光熱費，郵送料等である。「実費」を超える額の手数料を徴収することにより行政不服審査会の所属する国が利益を得ることは適切ではない。「実費の範囲内において」とされているので，政策的配慮により，実費よりも低い額とすることは可能である。なお，行政機関情報公開法16条2項，行政機関個人情報保護法26条2項は，「前項の手数料の額を定めるに当たっては，できる限り利用しやすい額とするよう配慮しなければならない」と定めている。これは，手数料額が制度の利用を妨げることのないように配慮し，開示請求制度の活用を促すという政策的配慮によるものである。これに対し，本条1項の写し等の交付請求の場合，手数料の額を実費の範囲内とすることにより，手数料額が写しの交付等の請求を制約しないように規定することに加えて，かかる請求の活用を促す観点から利用しやすい額とするように配慮する義務まで規定する必要はないと考えられる。そこで，行政機関情報公開法16条2項，行政機関個人情報保護法26条2項に相当する規定は置かれていない。政令で定める額は，本法施行令23条により準用される同令12条1項の規定に定めるところによる。

⑾ 「審査会は，経済的困難その他特別の理由があると認めるときは，政令で定めるところにより，前項の手数料を減額し，又は免除することができる」（5項）

行政機関情報公開法16条3項は，「行政機関の長は，経済的困難その他特別の理由があると認めるときは，政令で定めるところにより，第1項の手数料を減額し，又は免除することができる」と規定し，これを受けて，行政機関情報公開法施行令14条において，手数料の減免の詳細について定められている。本項においても，経済的困難その他特別の理由があると認めるときに手数料の減免ができることとしている。具体的には，本法施行令23条により準用される同令13条の定めるところによる。

（答申書の送付等）
第79条　審査会は，諮問に対する答申をしたときは，答申書の写しを審査請求人及び参加人に送付するとともに，答申の内容を公表するものとする。

第 79 条（答申書の送付等）

（本条の趣旨）
　本条は，行政不服審査会が答申をしたときに，答申書の写しの審査請求人および参加人への送付と答申の内容の公表を行政不服審査会に義務づけるものである。

(1) 「審査会は，諮問に対する答申をしたときは，答申書の写しを審査請求人及び参加人に送付するとともに」
　答申は，諮問を受けた審査請求に係る事件の最終の調査審議を行った部会または総会が行う（行政不服審査会運営規則 25 条 1 項）。答申は，審査庁に対し，答申書を交付することにより行う（同条 2 項）。答申書の交付は，手交または郵送により行うが，手交による場合においては，受領証と引換えに行う（同 26 条 1 項）。答申書には，審査会の結論，判断の理由および答申を行った部会または総会の名称および委員の氏名を記載しなければならない（同 25 条 3 項）。部会または総会は，諮問事項の一部を分離することができる場合において，当該部分を分離して判断を示すことが調査審議手続の適正かつ効率的な運用に資するものと認めるときは，最終の答申をする前に，当該部分につき答申をすることができる（同条 4 項）。
　行政不服審査会の答申の内容が審査請求人および参加人に確実に伝達されることを担保するために，これらの者に答申書の写しを送付することを行政不服審査会に義務づけている。審査請求人および参加人への答申書の写しの送付は，郵送により行うが，受領証と引換えに答申書の写しを手交することを妨げない（26 条 2 項）。審査関係人のうち審査庁は諮問庁であり，答申書が提出されることになるので，本条では答申書の写しの審査庁への送付を義務づけていない。答申書の写しの送付時期については法定されていないが，裁決に不服があり訴訟を提起したり，再審査請求が認められている場合に再審査請求をするかを判断する際の重要な資料となるのであるから，遅滞なく送付が行われる必要がある。
　部会または総会は，答申書に誤記その他表現上の明白な誤りがある場合には，部会長または会長にその職権により当該答申書の更正を行わせる（同 27 条 1 項）。更正をしたときは，その内容を審査庁に通知し（同条 2 項），通知書面の写しを審査請求人および参加人に送付する（同条 2 項）。

(2) 「答申の内容を公表するものとする」

　行政不服審査会の説明責任を確保する観点から，答申の内容の公表を行政不服審査会に義務づけている。公表の対象は「答申の内容」であって，答申書自体ではない。その理由は，答申書には，審査請求人，参加人の氏名，住所等，公表することがプライバシー侵害につながるもの等，行政機関個人情報保護法14条の不開示情報に該当するものが含まれているからである。答申の内容は，速やかに，インターネットを利用して公表することとされている（行政不服審査会運営規則30条）。情報公開・個人情報保護審査会運営規則28条では，答申の内容を記載した書面を報道機関に配布するとともに，その内容をインターネットを利用して公表することとされている。

　答申の内容が公表されることは，実際上の効果として，諮問庁がその答申に従わないことを困難とし，答申が尊重されることを担保する意味をもつと考えられる。答申にはかなり詳細な理由が付されるのが通常と想定されるので，諮問庁が答申に従わない場合，公表された答申の理由を上回る説得力をもった理由を提示しなければ，諮問庁は強い批判にさらされることになると予想されるからである。なお，審査庁が裁決に付す理由は，行政不服審査会の答申書と異なる内容である場合には，異なることとなった理由を含まなければならないが（本法50条1項4号），十分な理由が説明されていなければ，裁決固有の瑕疵となりうる。

第3款　雑　則

> **（政令への委任）**
> **第80条**　この法律に定めるもののほか，審査会に関し必要な事項は，政令で定める。

（本条の趣旨）
　本条は，行政不服審査会に関し，本法に定めるもののほか，必要な事項を政令で定めることを規定するものである。
　行政不服審査会から提出資料の写しの交付等を受ける場合の手数料について政令で定めることは，本法78条4項・5項で明記されているが，それ以外に

も，行政不服審査会に関し重要な事項で本法で定められていないものがあり，それらについては，政令に委任されている。具体的には，部会および総会の定足数および議決方法（本法施行令20条），調査審議の手続の併合または分離（同21条），映像等の送受信による通話の方法による意見の陳述等（同22条），提出資料の交付（同23条），審査会の事務局長等（同24条），審査会の調査審議の手続（同25条）について本法施行令で定められている。

第2節　地方公共団体に置かれる機関

> 第81条① 地方公共団体に，執行機関の附属機関として，この法律の規定によりその権限に属させられた事項を処理するための機関を置く。
> ② 前項の規定にかかわらず，地方公共団体は，当該地方公共団体における不服申立ての状況等に鑑み同項の機関を置くことが不適当又は困難であるときは，条例で定めるところにより，事件ごとに，執行機関の附属機関として，この法律の規定によりその権限に属させられた事項を処理するための機関を置くこととすることができる。
> ③ 前節第2款の規定は，前二項の機関について準用する。この場合において，第78条第4項及び第5項中「政令」とあるのは，「条例」と読み替えるものとする。
> ④ 前三項に定めるもののほか，第1項又は第2項の機関の組織及び運営に関し必要な事項は，当該機関を置く地方公共団体の条例（地方自治法第252条の7第1項の規定により共同設置する機関にあっては，同項の規約）で定める。

（本条の趣旨）

本条は，地方公共団体の執行機関の附属機関として，国の行政不服審査会に対応する機関を設置することを定めるものである。

(1)　「地方公共団体」（1項）

本条の「地方公共団体」は，都道府県，市町村および特別区ならびに地方公共団体の組合のみを意味する（本法38条6項）。

(2) 「執行機関の附属機関」(1項)

　執行機関とは，地方公共団体の長および法律の定めるところにより置かれる委員会または委員である（地方自治法138条の4第1項）。執行機関の附属機関とは，法律または条例の定めるところにより執行機関に置かれる自治紛争処理委員，審査会，審議会，調査会その他の調停，審査，諮問または調査のための機関である（同条3項本文）。

(3) 「この法律の規定によりその権限に属させられた事項を処理するための機関を置く」(1項)

　本法は，国の機関が行う処分に限らず，適用除外にされるものを除き，全ての処分を対象としており（ただし，本法の規定が適用される場合であっても，部分的に特別法が優先される場合もある），地方公共団体の機関が行う処分についても，その根拠が法律にあるか条例にあるかを問わず，本法の規定が原則として適用される，いわゆる一律適用型である（これに対し，行政手続法が処分について根拠法規区分主義を採っていることについて，宇賀・行政手続三法の解説75頁以下参照）。本法は，行政不服審査制度は国民の権利利益の救済のための制度であるから，国民がどの地方公共団体に居住していても，本法が定める手続保障を享受することができるようにすべきという考え方を基礎にしている。そのため，行政不服審査会に相当する機関を地方公共団体も設けることを義務づけている。他方，地方分権の観点から，地方公共団体に審議会等の附属機関の設置を法令で義務づける場合にも，審議会等の統合などにより総合的な政策決定を可能にするように，法令における組織・名称を具体的に特定せず，「〇〇に関する審議会」とすることを原則とする方針が，地方分権推進計画第3（必置規制の見直しと国の地方出先機関の在り方）1(1)ウ(ア)で定められている（地方公共団体に対する必置規制緩和の観点から定められた地方分権推進計画の他の内容について詳しくは，宇賀・地方自治法概説148頁以下参照）。そこで，本項の規定に基づき置かれる執行機関の附属機関についても，名称を具体的に特定せず，「この法律の規定によりその権限に属させられた事項を処理するための機関」を置くと定めている（同様の例として，環境基本法43条，土地収用法34条の7第1項，公益社団法人及び公益財団法人の認定等に関する法律50条1項参照）。

(4)「前項の規定にかかわらず，地方公共団体は，当該地方公共団体における不服申立ての状況等に鑑み同項の機関を置くことが不適当又は困難であるときは……事件ごとに，執行機関の附属機関として，この法律の規定によりその権限に属させられた事項を処理するための機関を置くこととすることができる」(2項)

　本項に相当する規定は平成 20 年法案にはなく，本法で新たに設けられた規定である。本条 1 項では，執行機関の附属機関を常設することを義務づけているが，地方公共団体の規模には大きな差異があり，過去の不服申立件数にも，地方公共団体により顕著な差異が認められる。総務省が平成 23 年度について行った施行状況調査の結果によれば，行政不服審査法に基づく不服申立件数が，岡山市のように 3645 件に及ぶものがあるほか，名古屋市，大阪市，宇都宮市は 200 件台，さいたま市，横浜市，福岡市は 100 件台である一方，総務省が平成 21 年度について行った調査によれば，町村の 9 割以上は，行政不服審査法に基づく不服申立件数が皆無であった。

　地方公共団体における行政不服審査法に基づく不服申立ては，情報公開条例に関するものが最も多いが，これについては，同条例に基づく審査会がすでに設置されているのが一般的である。したがって，地方公共団体が単独で行政不服審査一般のための附属機関を常設することは，費用対効果の観点から合理性が認められない場合も少なくないと考えられる。「当該地方公共団体における不服申立ての状況等に鑑み同項の機関を置くことが不適当……であるとき」とは，このような場合を念頭に置いている。また，単独では，適任の委員を委嘱することが困難な地方公共団体も稀でないと思われる。「当該地方公共団体における不服申立ての状況等に鑑み同項の機関を置くことが……困難であるとき」とは，このような場合を念頭に置いている（共同設置できることが明文で定められている例として，市町村交通安全対策会議〔交通安全対策基本法 18 条 2 項〕がある。なお，市町村防災会議については，共同設置もできるが〔災害対策基本法 16 条 2 項〕，委員の適任者が得難い場合や，運営に経費がかかり防災計画の作成にそれほど貢献しない場合には，設置しない選択も認めている〔同条 3 項〕）。

　かかる問題に対処するために，地方自治法の広域連携の仕組みを活用することが考えられる。すなわち，(i)機関等の共同設置（同法 252 条の 7 第 1 項），(ii)事務の委託（同法 252 条の 14 第 1 項），(iii)地方公共団体の組合（一部事務組合，広

本論 第5章 行政不服審査会等

域連合)，(iv)事務の代替執行（同法252条の16の2第1項）の活用が考えられる（地方自治法252条の2の2で定められている協議会は，同法138条の4第3項の附属機関を設置することができない）。これらの選択肢による場合には，本条1項の常設の機関として位置づけうる。本項は，これらの広域連携による選択肢によることも不適当または困難な場合がありうることにかんがみ，事件ごとに，臨時の附属機関を設ける新たな選択肢を地方公共団体に付与するものである。なお，臨時の附属機関を共同設置したり，地方公共団体の組合を設立して設置することは，法制度上は可能である。しかし，臨時の附属機関の共同設置は，事件の係属時期の一致が前提となり，事件の係属のたびに規約を定めなければならず（地方公共団体の組合の場合には，さらに，総務大臣または都道府県知事の許可が必要である〔地方自治法284条2項〕），実際にかかる選択がされることは想定し難い。

(5) 「条例で定めるところにより」（2項）

　行政不服審査のための附属機関を事件ごとにアドホックに設置する例外的な措置が安易に用いられないように，この方式を用いる場合には，条例でかかる方式を採用する旨を定めることとしている。条例を定めるためには，一般に長と議会の双方が賛同しなければならない。なお，事件が係属するたびに臨時の附属機関を設置する方式をとる旨の条例を定めた地方公共団体が，具体的な事件が発生した際に，当該事件の不服審査に係る事務を他の地方公共団体に委託することは，法制度上禁じられるわけではない。事務の委託が行われた場合には，原則として受託先の地方公共団体の条例の定めが適用されることになる。しかし，事務の委託の場合，委託先の選定・協議が円滑に進まなかったり，議会が閉会中で議決が迅速に得られなかったりして，審理員による審理手続の終了までに委託ができず審査手続が遅延し，審査請求人の救済も遅延するおそれがある。したがって，事件ごとにアドホックに行政不服審査のための附属機関を設置する条例を制定している地方公共団体が，発生した事件の処理を他の地方公共団体に委託する場合には，委託先の選定・協議，議会の議決を事前に行い規約を締結しておくことが望ましいと考えられる。

(6) 「前節第2款の規定は，前二項の機関について準用する」（3項前段）

　「前節第2款の規定」とは，行政不服審査会の調査審議の手続に関する規定

である。本法が定める行政不服審査における手続保障の水準は，国，地方公共団体を通じて確保されるべきであるという観点から，行政不服審査会の調査審議の手続に関する規定が，本条1項または2項の地方公共団体の附属機関における調査審議の手続にも準用されている。

(7)　「この場合において，第78条第4項及び第5項中「政令」とあるのは，「条例」と読み替えるものとする」（3項後段）

「第78条第4項及び第5項」は手数料に関する規定であり，行政不服審査会は国の機関であるから，手数料は政令で定めることとされているが，地方公共団体の手数料に関する事項は条例で定めなければならないので（地方自治法228条1項），「政令」を「条例」と読み替えている。

(8)　「前三項に定めるもののほか，第1項又は第2項の機関の組織及び運営に関し必要な事項は，当該機関を置く地方公共団体の条例……で定める」（4項）

事務の委託の場合には原則として受託した地方公共団体が，地方公共団体の組合の場合には当該附属機関を置く地方公共団体の組合が，本条2項の臨時の附属機関の場合には当該附属機関を置く地方公共団体が，当該附属機関の組織および運営に関し必要な事項を条例で定めることになる。臨時の諮問機関方式をとる地方公共団体の場合，事件が係属したときに迅速な対応をしなければならない。そのためには，公害紛争処理法が定める公害審査委員候補者名簿の制度を参考にして，あらかじめ，行政不服審査に係る附属機関の委員候補者名簿を作成しておくことが有益と思われる。同法では，都道府県は，条例で定めるところにより，都道府県公害審査会を置くことができると定めているが（13条），同審査会を置かない都道府県においては，都道府県知事は，毎年，公害審査委員候補者9人以上15人以内を委嘱し，公害審査委員候補者名簿を作成することを義務づけられている（18条1項）。都道府県審査会等によるあっせんは，3人以内のあっせん委員が行うが（28条1項），あっせん委員は，都道府県公害審査会を置かない都道府県にあっては，公害審査委員候補者名簿に記載されている者のうちから，事件ごとに，都道府県知事が指名することとされている（同条2項）。なお，地方自治法174条2項の規定に基づき，地方公共団体

の長が専門委員を選任し，同条3項の規定に基づき，当該専門委員が行政不服審査会等の専門事項の調査に当たることを長が概括的に委託し，具体的な調査を行政不服審査会等が指示する旨を条例で規定することにより，地方公共団体に置かれる行政不服審査会等に専門委員を置くことが可能とする説について，小早川光郎＝高橋滋編著・条解行政不服審査法（弘文堂，2016年）382頁（斎藤誠執筆）参照。

(9) 「（地方自治法第252条の7第1項の規定により共同設置する機関にあっては，同項の規約）」（4項）

機関の共同設置の場合は，(i)共同設置する機関の名称（地方自治法252条の8第1号），(ii)共同設置する機関を設ける普通地方公共団体（同条2号），(iii)共同設置する機関の執務場所（同条3号），(iv)共同設置する機関を組織する委員その他の構成員の選任の方法およびその身分取扱い（同条4号），(v)以上に掲げるものを除くほか，共同設置する機関と関係普通地方公共団体との関係その他共同設置する機関に関し必要な事項（同条5号）について，共同設置に関する規約に定めなければならないとされている。このように，機関の共同設置の方式による場合には，共同設置する機関についての組織および運営に関し条例で定めなければならない事項があるわけではなく，この方式を選択する地方公共団体の手続的な負担を増加させることを避けるため，本項は規約により定める方法も認めている。

第6章 補　則

> （不服申立てをすべき行政庁等の教示）
> **第82条**① 　行政庁は，審査請求若しくは再調査の請求又は他の法令に基づく不服申立て（以下この条において「不服申立て」と総称する。）をすることができる処分をする場合には，処分の相手方に対し，当該処分につき不服申立てをすることができる旨並びに不服申立てをすべき行政庁及び不服申立てをすることができる期間を書面で教示しなければならない。ただし，当該処分を口頭でする場合は，この限りでない。
> ② 　行政庁は，利害関係人から，当該処分が不服申立てをすることができる処分であるかどうか並びに当該処分が不服申立てをすることができるものである場合における不服申立てをすべき行政庁及び不服申立てをすることができる期間につき教示を求められたときは，当該事項を教示しなければならない。
> ③ 　前項の場合において，教示を求めた者が書面による教示を求めたときは，当該教示は，書面でしなければならない。

（本条の趣旨）

　本条は，行政庁が，審査請求もしくは再調査の請求または他の法令に基づく不服申立てをすることができる処分をする場合に職権で行う教示，利害関係人からの求めに応じて行う教示について定めるものである。

(1)　「行政庁は，審査請求若しくは再調査の請求又は他の法令に基づく不服申立て（以下この条において「不服申立て」と総称する。）をすることができる処分をする場合には」（1項本文）

　本項は，審査請求（本法2条，3条），再調査の請求（本法5条）のみならず，他の法令に基づく不服申立ても対象とした一般的教示制度について定めている。本項は，処分をする場合の教示について定めるものであり，再審査請求（本法6条）ができる処分について裁決をする場合は対象とされていない。再審査請求についての教示は，審査庁が裁決書に記載して行うものとされている（本法

本論 第6章 補　則

50条3項参照)。本条は，旧行政不服審査法57条の一般的教示制度を踏襲するものである。ただし，本法は，「審査庁」を「審査請求がされた行政庁(第14条の規定により引継ぎを受けた行政庁を含む。……)」と定義しているため(本法9条1項本文)，不服申立てがされる前の教示に関する本条の見出しは，旧行政不服審査法57条の見出しと異なり，「審査庁等の教示」とすることはできない。そこで，本法4条の見出しの「審査請求をすべき行政庁」を参考にして，「不服申立てをすべき行政庁等の教示」としている。

(2) 「処分の相手方に対し」(1項本文)

　教示の相手方を「処分の相手方」に限定しているのは，それ以外の利害関係人の範囲およびその所在を調査し確定することが困難であるからである。

(3) 「当該処分につき不服申立てをすることができる旨並びに不服申立てをすべき行政庁及び不服申立てをすることができる期間を」(1項本文)

　処分について不服申立期間を経過してしまうと，その取消し等を求めて不服申立てで争うことができなくなる(抗告訴訟の場合には，取消訴訟の出訴期間が経過しても，処分に無効の瑕疵があれば無効等確認訴訟を提起できるが，不服申立ての場合には，処分に無効の瑕疵があっても，不服申立期間の制約がなくなるわけではない)。そこで，国民の不服申立ての権利を形骸化させないために，(i)不服申立制度の存在，(ii)不服申立てをすべき行政庁，(iii)不服申立期間の職権による教示を行政庁に義務づけている。不服申立書の記載事項等，より詳細な事項について教示すべきという考えもありうるが，本項の規定に基づく教示は，処分の相手方が不服申立てをする意思を有するか否かにかかわらず行われるものであり，仮に不服申立書の記載事項に不備があれば，補正を命ずることにより却下を避けることができるので，教示を義務づけるのは上記の3点に限り，より詳細な事項については，本法84条の情報提供により対応することとされている。旧行政不服審査法については，主観的不服申立期間と客観的不服申立期間のうち，先に経過するもののみを教示すれば足り，一般的には主観的不服申立期間を教示すれば足りるとして運用されてきた。本項についても，同様に解することができると思われる。

第82条（不服申立てをすべき行政庁等の教示）

(4) 「書面で教示しなければならない」（1項本文）

　2004（平成16）年の行政事件訴訟法改正により，同法46条に取消訴訟等の提起に関する事項の教示規定が設けられ，当該教示を書面で行うこととされたのと平仄を合わせて，同法附則で旧行政不服審査法57条が改正され，職権による教示を書面で行うことが義務づけられた。本項もこれを踏襲し，書面で教示を行うこととしている。

(5) 「ただし，当該処分を口頭でする場合は，この限りでない」（1項ただし書）

　重要な処分を口頭で行うことはないという理由で，処分を口頭で行う場合には教示義務を課していない。処分を口頭でする際，任意で教示を行うことはもとより可能であるが，その場合は，本項に基づくものではないので，書面で行う義務はなく，口頭で行うこともできる。

(6) 「行政庁は，利害関係人から，当該処分が不服申立てをすることができる処分であるかどうか並びに当該処分が不服申立てをすることができるものである場合における不服申立てをすべき行政庁及び不服申立てをすることができる期間につき教示を求められたときは，当該事項を教示しなければならない」（2項）

　本条1項の職権による教示は，「処分の相手方」を対象とするので，それ以外の利害関係人に対する教示については，本項の規定に基づき，利害関係人から教示を求められたときに行うことになる。ここでいう利害関係人には，「処分の相手方」であるが，本条1項の規定に基づく教示を受けなかった者も含まれる。本項の規定に基づく教示の求めは，不服申立てをすることができる処分であるかどうかについての教示も対象とするため，口頭の処分も含め，全ての処分が対象である。

(7) 「前項の場合において，教示を求めた者が書面による教示を求めたときは，当該教示は，書面でしなければならない」（3項）

　本条1項の職権による教示と異なり，利害関係人からの求めによる教示について，一律に書面で教示を義務づけることは行政庁に過大な負担を課すことに

本論　第6章　補　則

なる。そこで本項は口頭による教示も可能としているが，書面による教示を求められたときは，書面で教示することを義務づけている。

> （教示をしなかった場合の不服申立て）
> 第83条①　行政庁が前条の規定による教示をしなかった場合には，当該処分について不服がある者は，当該処分庁に不服申立書を提出することができる。
> ②　第19条（第5項第1号及び第2号を除く。）の規定は，前項の不服申立書について準用する。
> ③　第1項の規定により不服申立書の提出があった場合において，当該処分が処分庁以外の行政庁に対し審査請求をすることができる処分であるときは，処分庁は，速やかに，当該不服申立書を当該行政庁に送付しなければならない。当該処分が他の法令に基づき，処分庁以外の行政庁に不服申立てをすることができる処分であるときも，同様とする。
> ④　前項の規定により不服申立書が送付されたときは，初めから当該行政庁に審査請求又は当該法令に基づく不服申立てがされたものとみなす。
> ⑤　第3項の場合を除くほか，第1項の規定により不服申立書が提出されたときは，初めから当該処分庁に審査請求又は当該法令に基づく不服申立てがされたものとみなす。

（本条の趣旨）

本条は，教示義務が懈怠された場合において，処分庁に不服申立書を提出すれば，不服申立人が不利益とならないような仕組みを定めるものである。

(1)　「行政庁が前条の規定による教示をしなかった場合」（1項）

不服申立てをすることができる旨は教示したが，不服申立てをすべき行政庁を教示しなかった場合，不服申立てをすべき行政庁が記載されているが，不明瞭で不適切な記載である場合等を含む。本条は，他の法令に基づく不服申立ても対象とした一般的教示に係る救済規定であるが，「教示をしなかった場合」に対象を限定しており，不服申立て先や不服申立期間を誤って教示した場合は対象としていない。これらの場合の救済は，本法に基づく不服申立てについて

第83条（教示をしなかった場合の不服申立て）

は，本法22条，55条で定められており，他の法令に基づく不服申立てについては，それぞれの個別法令の定めるところに委ねられている。

(2) 「当該処分について不服がある者は，当該処分庁に不服申立書を提出することができる」（1項）

　不服申立てをすべき行政庁について職権による教示がされなかった場合には，処分庁に不服申立書を提出すれば救済される仕組みを設けている。本項でいう「不服申立書」とは，不服申立人が不服申立てのために，行政庁に提出する書面を総称するものであり，本条4項・5項の規定に基づき審査請求または他の法令に基づく不服申立てとみなされることにより，審査請求書または他の法令に基づく不服申立ての書面とみなされることになる。

(3) 「第19条（第5項第1号及び第2号を除く。）の規定は，前項の不服申立書について準用する」（2項）

　本法19条1項の規定が準用されるため，他の法律（条例に基づく処分については条例）に口頭ですることができる旨の定めがある場合は，不服申立書を提出するのではなく口頭で不服申立てを行うことができることになる。不服申立書の記載事項は，同条2項・3項の規定が準用されるため，審査請求書の記載事項に準ずることになる。同条4項の規定が準用されるため，不服申立人が，法人その他の社団もしくは財団である場合，総代を互選した場合または代理人によって不服申立てをする場合には，不服申立書には，その代表者もしくは管理人，総代または代理人の氏名および住所または居所も記載することが必要になる。同条5項3号の規定が準用されるため，処分についての不服申立期間の経過後に不服申立書を提出する場合には，不服申立書に，主観的不服申立期間または客観的不服申立期間の経過にもかかわらず不服申立てが認められるべき「正当な理由」も記載しなければならない。同条5項1号・2号の規定が準用されていないのは，これらの規定が再調査の請求についての決定を経ないで審査請求をする理由の記載に関する規定であり，不服申立てについての教示がない場合における処分庁への不服申立書の提出に準用する余地がないからである。

　本項が準用する本法19条の規定の適用関係の明確化を図るため，本法施行令26条1項に読替え規定が置かれている。具体的には，「審査請求」「審査請

本論 第6章 補　則

求人」「審査請求期間」は「不服申立て」「不服申立人」「不服申立てをすることができる期間」に読み替えられている（初出の「不服申立て」についてのみ，明確化を図る趣旨で，本法82条1項に規定する不服申立てと表記している）。他方，「審査請求書」については，本項において，審査請求に関する規定を不服申立書について準用すると規定しているため，「審査請求書」が「不服申立書」に読み替えられることについては明確と考えられるため，読替規定を設けていない。本条1項は，口頭による不服申立てを認めていないため，本法19条1項の「他の法律（条例に基づく処分については，条例）に口頭ですることができる旨の定めがある場合を除き」の部分は除いたかたちで読み替えられている。本条1項の規定は，他の不服申立てを経ずに不服申立てをする場合の規定であるため，本法19条2項3号の「当該処分について再調査の請求についての決定を経たときは，当該決定」の部分は除いたかたちで読み替えられている。不服申立書は処分に不服のある者が提出するので，不作為についての審査請求について定める本法19条3項の規定は準用されないが，このことを明確にするため，本法19条4項の「第2項各号又は前項各号」を「第2項各号」に読み替えている。本法19条5項3号の「前条第1項ただし書又は第2項ただし書に規定する正当な理由」は「当該期間内に不服申立てをしなかったことについての正当な理由」と読み替えられる。

　本法19条1項は，審査請求書の提出について必要な事項は政令で定めることとしており，この規定が本条2項により不服申立書の提出に準用されているので，本法施行令26条2項で同令4条2項（審査請求書への押印）・3項（代表者等の資格の証明書類の添付）を準用し，「審査請求人」を「不服申立人」に，「審査請求を」を「不服申立てを」に読み替えている。本法施行令4条1項の審査請求書の提出通数に係る規定は準用されていないので，正本のみを提出すれば足りる。

(4)　「第1項の規定により不服申立書の提出があった場合において，当該処分が処分庁以外の行政庁に対し審査請求をすることができる処分であるときは，処分庁は，速やかに，当該不服申立書を当該行政庁に送付しなければならない。当該処分が他の法令に基づき，処分庁以外の行政庁に不服申立てをすることができる処分であるときも，同様とする」（3

第83条（教示をしなかった場合の不服申立て）

項）
　処分庁が職権による教示を懈怠したため処分庁に不服申立書が提出された場合で、処分庁以外の行政庁に対して不服申立てをすべきときは、処分庁の責任において当該不服申立書を不服申立てをすべき行政庁に速やかに送付させることとして、不服申立人の救済を図った。旧行政不服審査法58条3項に対応する規定であるが、旧行政不服審査法における審査請求は全て処分庁以外の行政庁に対するものであったから、「審査請求をすることができる処分であるとき」と規定されていた。本法における審査請求には、処分庁に対するものも含まれるから（4条1号参照）、「処分庁以外の行政庁に対し審査請求をすることができる処分であるとき」と規定されている。

(5)　「前項の規定により不服申立書が送付されたときは、初めから当該行政庁に審査請求又は当該法令に基づく不服申立てがされたものとみなす」（4項）
　「当該行政庁」とは、その処分についての不服申立てにつき裁決等をする権限を有する行政庁を意味し、「当該法令」とは、その処分についての不服申立ての根拠となる法令を意味する。不服申立てについての教示を処分庁が懈怠したことによる不利益を不服申立人に負わせるべきではないので、審査請求をすべき行政庁または他の法令に基づき不服申立てをすべき行政庁に不服申立書が送付されたときに、初めから当該行政庁に審査請求または当該法令に基づく不服申立てがされたものとみなすこととしている。

(6)　「第3項の場合を除くほか、第1項の規定により不服申立書が提出されたときは、初めから当該処分庁に審査請求又は当該法令に基づく不服申立てがされたものとみなす」（5項）
　「第3項の場合を除くほか」とは、処分庁以外の行政庁に対して不服申立てをすべき場合を除くことを意味する。したがって、本項は、処分庁に対する不服申立てとして取り扱われる場合の規定である。処分庁が審査庁となる場合において、処分庁に不服申立書が提出された場合には、初めから当該処分庁に審査請求がされたものとみなされることになる。他の法令において、処分庁に異議の申出等の不服申立てができることとされている場合において、当該処分庁

本論 第6章 補 則

に不服申立書が提出されたときは，初めから当該処分庁に当該法令に基づく不服申立てがされたものとみなされる。

　なお，再調査の請求ができる場合であって不服申立てができる旨の教示が全て懈怠された場合において，処分庁に「不服申立書」が提出されたときは，不服申立人に再調査の請求と審査請求の選択が可能であることを説明し，不服申立人が審査請求を望む場合には，審査庁に「不服申立書」を速やかに送付して，初めから審査請求があったものとみなすことになるが，不服申立人が再調査の請求を望む場合には，「不服申立書」を「再調査の請求書」に補正して，再調査の請求があったものとして扱う運用が望ましい。

> **（情報の提供）**
> **第84条**　審査請求，再調査の請求若しくは再審査請求又は他の法令に基づく不服申立て（以下この条及び次条において「不服申立て」と総称する。）につき裁決，決定その他の処分（同条において「裁決等」という。）をする権限を有する行政庁は，不服申立てをしようとする者又は不服申立てをした者の求めに応じ，不服申立書の記載に関する事項その他の不服申立てに必要な情報の提供に努めなければならない。

（本条の趣旨）
　本条は，行政手続法が定める申請に関する情報提供の規定を参考にして，不服申立てをしようとする者または不服申立てをした者の求めに応じて情報提供をする努力義務を裁決等をする権限を有する行政庁に課すものである。

(1) **「審査請求，再調査の請求若しくは再審査請求又は他の法令に基づく不服申立て（以下この条及び次条において「不服申立て」と総称する。）につき」**

　本法82条1項では，「不服申立て」は，「審査請求若しくは再調査の請求又は他の法令に基づく不服申立て」の総称とされ，再審査請求が含まれていない。同項は，原処分をするときの教示に関する規定であるからである。他方，本項では，「審査請求，再調査の請求若しくは再審査請求又は他の法令に基づく不

服申立て」を不服申立てと総称しており，再審査請求も含んでいる。再審査請求についても，裁決権限を有する行政庁が，本条に基づく情報提供を行う必要性は否定されないからである。このように，本条では，本法82条1項の「不服申立て」とは異なる意味で「不服申立て」という文言が使用されている。

(2) 「裁決，決定その他の処分（同条において「裁決等」という。）をする権限を有する行政庁は」

本法のみならず本法以外の他の法令に基づく場合も含め，不服申立てをしようとする者に対し，不服申立書の記載の程度，審理手続の詳細について情報提供することを考えると，実際に不服申立てがされた場合に審理を行い裁決をする行政庁が，運用の実績も踏まえ，最も適切に情報提供を行うことができると考えられる。また，不服申立てをした者に情報提供を行う場合には，当該不服申立ての審理状況等に応じた情報が求められることが想定されるので，当該不服申立てを現に審理している行政庁が情報提供を行うことが，最も望ましいと考えられる。そこで，裁決，決定その他の処分をする権限を有する行政庁に，情報提供の努力義務を課している。

(3) 「不服申立てをしようとする者又は不服申立てをした者の求めに応じ」

不服申立てをする前に不作為について不服申立てをすることができるかや，不服申立てをすべき行政庁に関する情報の提供を求めたり，不服申立てをした者が反論書の提出の手続に関する情報提供を求めたりすることが考えられるので，本条は，不服申立前に不服申立てをしようとする者の求めに応じた情報提供と，不服申立後に不服申立てをした者の求めに応じた情報提供の双方について定めている。本条は，求めがあった場合にそれに応じて行う受動的な情報提供について規定するが，求めがなくても，裁決等をする権限を有する行政庁は，ウェブサイトで当該不服申立てにおける審理手続の基本的な流れ等について，能動的に情報提供を行うことも検討すべきと思われる。

(4) 「不服申立書の記載に関する事項その他の不服申立てに必要な情報」

「その他の不服申立てに必要な情報」としては，以下のようなものが考えられる。不服申立てをしようとする者に対しては，不服申立書における不服申立

ての趣旨・理由の記載の程度，不服申立人の手続的権利（執行停止の申立て，反論書・証拠書類等の提出，口頭意見陳述の申立て，参考人の陳述・鑑定・検証の申立て，審理関係人への質問，物件の閲覧・写しの交付請求）等が想定される。不服申立てをした者に対しては，不服申立人の手続的権利行使のための具体的手続・方式，不服申立ての取下げの具体的手続・方式，行政不服審査会等への諮問から答申までに要する期間の見通し，行政不服審査会等の答申がされてから裁決までの期間の見通し等が想定される。

(5) 「提供に努めなければならない」

　行政手続法9条2項は，「行政庁は，申請をしようとする者又は申請者の求めに応じ，申請書の記載及び添付書類に関する事項その他の申請に必要な情報の提供に努めなければならない」と定めている。本法その他の法令に基づく不服申立ても，不服申立権を行使して裁決等の応答を求める点で，申請と共通する面を有するので，この規定を参考にして，不服申立てが円滑に行われるようにするために必要な情報提供の努力義務について定められた。たとえば，不作為についての不服申立ては，本法82条の教示制度の対象外であるため，これについて情報を提供することは，申請を行った者の権利保護に資する。また，処分についての不服申立てに関しても，本法82条の教示事項は，不服申立てをすることができる旨ならびに不服申立てをすべき行政庁および不服申立てをすることができる期間に限られるので，不服申立人は，不服申立書の記載事項等，より詳細な情報の提供を欲することは十分に想定される。かかる情報提供を行うことは，行政庁にとっても補正の労力を省くことにつながる。そこで，本条は情報提供の努力義務を行政庁に課している。

> **（公表）**
> **第85条**　不服申立てにつき裁決等をする権限を有する行政庁は，当該行政庁がした裁決等の内容その他当該行政庁における不服申立ての処理状況について公表するよう努めなければならない。

第85条（公表）

（本条の趣旨）
　本条は，裁決等の内容その他当該行政庁における不服申立ての処理状況について公表する努力義務を裁決等をする権限を有する行政庁に課すものである。

(1)　「不服申立てにつき裁決等をする権限を有する行政庁は」
　国の行政機関等を対象とする法律においては，(i)行政機関の長等に，（少なくとも）毎年1回，施行状況の公表を義務づけている例（行政機関が行う政策の評価に関する法律11条，行政手続等における情報通信の技術の利用に関する法律11条，環境情報の提供の推進等による特定事業者等の環境に配慮した事業活動の促進に関する法律6条，次世代育成支援対策推進法19条5項等），(ii)主務大臣への施行状況の報告を行政機関の長等に義務づけたり（行政機関が行う政策の評価に関する法律11条），主務大臣が行政機関の長等に対し施行状況について報告を求めることができるとする例（行政機関情報公開法23条1項，行政機関個人情報保護法49条1項，独立行政法人等の保有する情報の公開に関する法律24条1項，独立行政法人等の保有する個人情報の保護に関する法律48条1項等），(iii)政府または主務大臣が行政機関等の施行状況の結果をとりまとめて（毎年）公表することを義務づけている例（行政機関情報公開法23条2項，行政機関個人情報保護法49条2項，独立行政法人等の保有する情報の公開に関する法律24条2項，独立行政法人等の保有する個人情報の保護に関する法律48条2項，行政機関が行う政策の評価に関する法律19条，環境情報の提供の推進等による特定事業者等の環境に配慮した事業活動の促進に関する法律3条1項），(iv)政府に全体の施行状況に関する報告書の国会への提出を義務づけている例（行政機関が行う政策の評価に関する法律19条）がある。
　旧行政不服審査法においては，施行状況調査の規定は置かれていなかったが，同法を所管する総務省は定期的ではないものの，施行状況調査を行い，その結果をとりまとめて公表してきた（最近の調査は，平成18年度，平成20年度，平成21年度，平成23年度に実施されている）。本法の下においても，総務省が運用上，施行状況調査を行うことは考えられるが，本法でそれを義務づけることはしていない。その理由は，本法は，国，地方公共団体の機関が審査庁になる場合に限らず，日本弁護士連合会のような民間団体が審査庁となる場合にも適用され，それらも含めて網羅的な施行状況調査を行うのは困難なこと，地方公共団体の施行状況調査についても膨大な労力を要し，毎年度実施することは，マンパワ

本論 第6章 補　則

一の点から容易でないこと，国の行政機関に対象を限定した施行状況調査であれば，毎年度施行状況調査を行い，その結果を公表することは実際上も可能と思われるが，国の行政機関のみを対象とした結果を公表する意義は希薄であると考えられたことによる。そこで，本条は，総務大臣による公表ではなく，裁決等をする権限を有する行政庁に施行状況の公表の努力義務を課している。

なお，本法は，旧行政不服審査法の下におけるのと同様，総務省が，運用上，施行状況調査を行うことを否定するものではなく，実際上，可能な範囲で，かかる調査が行われることが期待される。

(2)　「当該行政庁がした裁決等の内容」

判決の多くが公表されているのに対し，裁決等の公表は稀であったが，裁決等の内容を公表することにより，不服申立てをするかを検討している者にとっては，不服申立てにより救済が得られるかについての予測可能性が向上することになるし，裁決等をする権限を有する行政庁は説明責任を履行することになる。また，判決が公表され，判例評釈の対象になることによって，法学の発展が促進されているのと同様，裁決等が公表されることも，法学の発展に寄与するものと思われる。本法79条の規定により，行政不服審査会が答申の内容の公表義務を負うことも重要であるが（国，地方公共団体とも，情報公開審査会，個人情報保護審査会〔または情報公開・個人情報保護審査会〕の答申が一般に公表されており，このことが情報公開・個人情報保護の研究に重要な寄与をしていると考えられる），本条により裁決等の内容が公表されれば，答申の内容と裁決の内容を比較することが可能となる。なお，「裁決等」自体ではなく，「裁決等の内容」としているのは，裁決等にプライバシー情報等の公表すべきでない情報が含まれうるからである。

(3)　「その他当該行政庁における不服申立ての処理状況」

不服申立ての処理状況を公表することは，本法84条の情報提供の規定と相まって，不服申立制度に係る透明性を向上させ，国民・住民に対する説明責任を履行することになり，国民・住民の不服申立制度に対する信頼を確保することにつながる。「その他当該行政庁における不服申立ての処理状況」として想定されるのは，処分の根拠法条単位で(i)不服申立件数，(ii)処理日数，(iii)裁決等

第86条（政令への委任）

の内容別の数（認容，棄却，却下の数，事情裁決の数，申請認容処分の数），(iv)執行停止の申立て数および認容数，(v)行政不服審査会等その他の審議会等の答申から裁決等までの期間，(vi)未処理案件数とその不服申立てからの経過期間等である。(ii)が公表されれば，標準審理期間が公にされている場合には，それとの乖離が明らかになるので，審理の迅速化を促すことにつながると思われるし，他面において，標準審理期間を遅滞なく見直す契機ともなりうる。(vi)の公表も，審理の迅速化の促進につながると思われる。

(4)　「公表するよう努めなければならない」

　不服申立ての処理状況の公表を努力義務にとどめたのは，本法の対象となる不服申立ては，国の行政機関が裁決等の権限を有するものに限られず，地方公共団体の機関や民間団体が裁決等の権限を有するものも含まれるので，相当の事務量を伴う作業を一律に義務づけることは，必ずしも適当でないと考えられたからである。公表の方法は法定されていないので，裁決等の権限を有する行政庁の裁量に委ねられている。ウェブサイトでの公表が，当面，最適の方法と思われる。

> （政令への委任）
> 第86条　この法律に定めるもののほか，この法律の実施のために必要な事項は，政令で定める。

（本条の趣旨）

　本条は，本法の実施のために必要な事項について政令で定めることを規定するものである。

　本法の執行命令（実施命令）として，政令の制定が予定されている。執行命令は委任命令とは異なり，権利義務の具体的内容を定めるものではないから法律の委任を要しないとする説や，憲法73条6号，内閣府設置法7条3項等の一般的授権で足りるとする説によれば，本条の規定は確認的意味を持つにとどまるが，委任命令と執行命令の区別を否定し，全ての法規命令に具体的な法律の根拠を要するとする説（平岡久・行政立法と行政基準〔有斐閣，1995年〕24頁以

本論 第6章 補　則

下参照）によれば，本条の執行命令の規定は創設的意味を持つことになる。本条に基づく執行命令には，2人以上の審理員を指名する場合の事務総括者の指定（本法施行令1条1項），審理員が欠格事由に該当することとなったときの指名の取消し（同条2項），代表者等の資格の証明等（同3条。同18条により再調査の請求に，同19条1項により再審査請求に準用），情報通信技術利用法3条1項の規定に基づく審査請求書の提出（同4条4項。同19条1項により再審査請求に準用），審査請求書の送付（同5条。同19条1項により再審査請求に準用），弁明書，反論書，意見書の提出および送付（同6条，7条。同7条は同19条1項により再審査請求に準用），映像等の送受信による通話の方法による口頭意見陳述等（同8条。同18条により再調査の請求に，同19条1項により再審査請求に準用），提出書類等の写し等の交付の求め（同10条。同19条1項により再審査請求に準用），提出書類等の写し等の交付の方法（同11条。同19条1項により再審査請求に準用），送付による交付（同14条。同19条1項により再審査請求に準用），事件記録の提出（同15条3項・4項。同19条1項により再審査請求に準用），審理員意見書の提出（同16条。同19条1項により再審査請求に準用），不服申立書（同26条），総務省令への委任（同27条）がある。

> **（罰則）**
> **第87条**　第69条第8項の規定に違反して秘密を漏らした者は，1年以下の懲役又は50万円以下の罰金に処する。

（本条の趣旨）
　本条は，行政不服審査会の委員の秘密保持義務違反に対する罰則を定めるものである。

(1)　「第69条第8項の規定に違反して秘密を漏らした者」
　行政不服審査会等の委員であって秘密保持義務に違反して秘密を漏らした者である。

(2) 「1年以下の懲役又は50万円以下の罰金に処する」

　本条の罰則は，一般職の国家公務員の秘密保持義務違反に対する罰則（国家公務員法100条1項・2項，109条12号），総務省の情報公開・個人情報保護審査会委員の秘密保持義務違反に対する罰則（情報公開・個人情報保護審査会設置法4条8項，18条），会計検査院の情報公開・個人情報保護審査会委員の秘密保持義務違反に対する罰則（会計検査院法19条の3第8項，19条の5）と同じものとされている。

附　則

> （施行期日）
> 第1条　この法律は，公布の日から起算して2年を超えない範囲内において政令で定める日から施行する。ただし，次条の規定は，公布の日から施行する。

（本条の趣旨）
本条は，本法の施行期日を定めるものである。

(1)　「この法律は，公布の日から起算して2年を超えない範囲内において政令で定める日から施行する」（本文）

本法改正の大きな柱である審理員制度と行政不服審査会等への諮問制度は，新たに導入されるものであり，国，地方公共団体等において，本法施行までに諸般の準備を行う必要がある。また，本法は，旧行政不服審査法を全部改正するものであり，同じ用語（たとえば「審査請求」）であっても旧行政不服審査法と意味が異なる場合があり，また，審査請求をすべき原則的な行政庁が直近行政庁から最上級行政庁に変わるなど，大幅な改正が行われているので，裁決等の権限を有する行政庁や国民に誤解が生じないように，周知期間を十分に確保し，その間に研修・広報等を積極的に行うことが望まれる。そのため，施行までの準備期間をおおむね2年とし，公布の日（2014〔平成26〕年6月13日）から起算して2年を超えない範囲内において政令で定める日から施行することとされた。行政不服審査法の施行期日を定める政令（平成27年政令第390号）により，本法の施行期日は，2016年4月1日とされた。

(2)　「ただし，次条の規定は，公布の日から施行する」（ただし書）

本法附則2条は，行政不服審査会の委員の任命に関し必要な行為を，本法施行の日前においても行うことができるようにする規定である。可及的速やかに必要な準備を開始できるよう，公布の日（2014〔平成26〕年6月13日）から施

> (準備行為)
> **第2条** 第69条第1項の規定による審査会の委員の任命に関し必要な行為は、この法律の施行の日前においても、同項の規定の例によりすることができる。

(本条の趣旨)

本条は、本法施行日前においても、行政不服審査会の委員の任命に関し必要な行為を行うことができることを定めるものである。

本法施行日に直ちに行政不服審査会への諮問が必要になるわけではないが、本法施行日には行政不服審査会を発足させ、会長の互選、会長代理の指名、運営規則の制定等は、本法施行後、遅滞なく行うことができるようにする必要がある。そのためには、本法施行日までに行政不服審査会の委員の任命に必要な手続を終えておくことが不可欠であり、適任者の人選等の準備は早期に開始すべきである。また、行政不服審査会の委員の任命には両院の同意が必要であるから、そのための手続は、本法施行日前に行う必要がある。そこで、本条は、行政不服審査会の委員の任命に関し必要な行為は、本法施行の日前においても、行うことができることを明確にしている。

なお、平成20年法案附則2条においては、「この法律による改正後の行政不服審査法第62条第1項の規定による審査会の会長及び委員の任命に関し必要な行為は、この法律の施行の日前においても、同項の規定の例により行うことができる」と定められていた。「この法律による改正後の行政不服審査法」という表現が用いられていたのは、同法案附則4条において、いわゆる裁定的関与(宇賀・地方自治法概説364頁以下参照)に係る処分またはその不作為についての不服申立てについては、当分の間、改正後の行政不服審査法の規定を適用しないことを定めていたため、混同を避ける必要があったからである。本法では、いわゆる裁定的関与についても、本法の規定を適用する方針をとっており、旧行政不服審査法の規定を適用することはないので、「この法律による改正後の行政不服審査法」という表現を用いなくても誤解が生ずるおそれはないため、

本論 附則

かかる表現を用いていない。

> （経過措置）
> 第3条　行政庁の処分又は不作為についての不服申立てであって，この法律の施行前にされた行政庁の処分又はこの法律の施行前にされた申請に係る行政庁の不作為に係るものについては，なお従前の例による。

（本条の趣旨）
本条は，本法施行前にされた行政庁の処分または本法施行前にされた申請に係る行政庁の不作為に係る不服申立てについての経過規定を定めるものである。

(1) 「行政庁の処分又は不作為についての不服申立てであって」

「行政庁の処分」とは，本法1条2項に規定する「行政庁の処分その他公権力の行使に当たる行為」である。「行政庁の……不作為」とは，本法3条に規定する「法令に基づく申請に対して何らの処分をもしないこと」を意味する。なお不服申立てに対する裁決等も公権力の行使であり，行政事件訴訟法3条2項では，裁決等を除いたものを処分と定義しているが，本法の処分は裁決等を除いていないので，審査請求に対する裁決も本条の「行政庁の処分」に当たる。したがって，「行政庁の処分……についての不服申立て」には，審査請求に対する裁決（原裁決）を争う再審査請求も含まれる。

(2) 「この法律の施行前にされた行政庁の処分又はこの法律の施行前にされた申請に係る行政庁の不作為に係るものについては」

「この法律の施行前にされた行政庁の処分」とは，処分が本法施行前にされたことを意味し，処分が本法施行前にされたが，処分があったことを知った日が本法施行後である場合も含まれる。「この法律の施行前にされた行政庁の処分又はこの法律の施行前にされた申請に係る行政庁の不作為に係るもの」とは，不服申立ての直接の対象になる処分または不作為に係る申請が，本法施行前にされたものである場合に加え，不服申立ての直接の対象になる裁決等が本法施行後にされた場合であっても，当該裁決等が本法施行前の処分または本法施行

前にされた申請に係る不作為について出されたものである場合も含む。

(3) 「なお従前の例による」

　本法の規定を適用しないで，旧行政不服審査法の規定を適用することを意味する。旧行政不服審査法の制定時附則では，「この法律は，この法律の施行前にされた行政庁の処分及びこの法律の施行前にされた申請に係る行政庁の不作為についても，適用する」（3項），「この法律の施行前に提起された訴願については，この法律の施行後も，なお従前の例による。この法律の施行前にされた訴願の裁決又はこの法律の施行前に提起された訴願につきこの法律の施行後にされる裁決にさらに不服がある場合の不服申立てについても，同様とする」（4項），「訴願，審査の請求，異議の申立てその他の不服申立てにつき，この法律の施行前にされた行政庁の裁決，決定その他の処分については，附則第三項の規定にかかわらず，この法律による審査請求又は異議申立てをすることができない。前項の規定によりこの法律の施行後にされる訴願の裁決についても，同様とする」（5項）と定められていた。旧行政不服審査法が，同法施行前になされた訴願については従前の例によることとしながら，同法施行前にされた処分については同法の規定を適用することとしていたのに対し，本条は，本法施行前にされた処分について従前の例によることとしているのは，かかる処分についても本法の規定を適用することとした場合，旧行政不服審査法57条の規定による教示内容との齟齬が生じ，混乱が生ずるおそれがあること等に配慮したためである。不作為についての教示は，旧行政不服審査法57条の下では行われていないが，処分の場合と不作為の場合で取扱いを異にすることも混乱を招くので，処分の場合と同様，従前の例によることとされている。

第4条①　この法律の施行後最初に任命される審査会の委員の任期は，第69条第4項本文の規定にかかわらず，9人のうち，3人は2年，6人は3年とする。
　②　前項に規定する各委員の任期は，総務大臣が定める。

本論 附　則

(本条の趣旨)
　本条は，本法施行後最初に任命される行政不服審査会の委員の任期が同時に満了することを避けるため，委員の任期の特例を定めるものである。

(1) 「この法律の施行後最初に任命される審査会の委員の任期は」(1項)
　特定個人情報保護委員会（当時）の委員のように，全ての委員が特定個人情報保護委員会設置時に任命されたわけではなく，段階的に任命された例もあるが（行政手続における特定の個人を識別するための番号の利用等に関する法律制定時附則4条。その意味について，宇賀克也・番号法の逐条解説〔第2版〕〔有斐閣，2016年〕287頁以下参照)，行政不服審査会の委員は，本法制定時附則1条本文の規定が定める施行時に全員が新規に任命されることになる。したがって，委員全員の任期が同じであれば，基本的に全員の任期が同時に満了することになる。最初に任命された委員の一部が任期満了前に辞職した場合であっても，補欠の委員の任期は前任者の残任期間とされているから（本法69条4項ただし書)，委員全員の任期が同時に満了することに変わりはない。そのことにより，行政不服審査会の運営に支障が生ずることを避けるために，本条は，最初に任命される委員について，任期の特例を設けている（平成20年法案では，この特例は規定されていなかった）。
　同様の例として，原子力規制委員会の場合，委員長および4名の委員の任期は5年であるが（原子力規制委員会設置法8条1項)，同法施行後最初に任命される委員の任期は，4人のうち2人は2年，2人は3年とされ（同法制定時附則2条1項)，各委員の任期は内閣総理大臣が定めることとしている（同条2項。新規任命委員の任期の特例が設けられた他の例として，社会保険医療協議会法の平成18年法律第83号による改正時附則52条3項，内閣府設置法制定時附則6条参照）。

(2) 「第69条第4項本文の規定にかかわらず，9人のうち，3人は2年，6人は3年とする」(1項)
　本法69条4項本文では，行政不服審査委員の任期は3年とされているが，その特例として，9人のうち，3人は2年とされている。これは，行政不服審査会には3人からなる合議体（部会）が3つ設けられる予定であるので，各合議体のうちの1人の任期を2年とすることにより，いずれの合議体においても，

全員が同時に交代することを避け、継続性を確保する趣旨である。

(3) 「前項に規定する各委員の任期は、総務大臣が定める」(2項)

各委員の任命権者は総務大臣であるから、各委員の任期を定めるのも、総務大臣の責任において行われるべきであり、行政不服審査会が協議して定めるべきものではない。そこで、任命権者たる総務大臣が、各委員の任期を定めることとしている。

> (その他の経過措置の政令への委任)
> 第5条　前二条に定めるもののほか、この法律の施行に関し必要な経過措置は、政令で定める。

(本条の趣旨)

本条は、本法の施行に関し必要な経過措置について政令に委任するものである。

本法制定時附則3条、4条の定める経過措置は、特に重要なものであるので、附則として法律自体において定めたが、本法の施行に関し、それ以外に必要な経過措置については、政令に委任することとした。本条は、関係政令の整備に当たり経過措置を設ける必要が生じた場合に、当該経過措置を政令で規定することを可能とするために置かれたが、実際には、本条の規定に基づき政令で経過措置を定める必要は生じなかった。

> (検討)
> 第6条　政府は、この法律の施行後5年を経過した場合において、この法律の施行の状況について検討を加え、必要があると認めるときは、その結果に基づいて所要の措置を講ずるものとする。

(本条の趣旨)

本条は、本法の施行状況の検討を踏まえた本法の見直しについて定めるもの

本論 附 則

である。

(1) 「政府は……その結果に基づいて所要の措置を講ずるものとする」

「規制改革推進のための3か年計画」(2007年6月22日閣議決定，2009年3月31日改定) において，「法律により新たな制度を創設して規制の新設を行うものについては，各府省は……当該法律に一定期間経過後当該規制の見直しを行う旨の条項 (以下「見直し条項」という。) を盛り込むものとする」(共通的事項11※) とされている。本法は，審理員制度および行政不服審査会等への諮問制度という新たな制度を創設するものではあるが，私人に対する規制を新設する法律とはいいがたい (処分権限を有する民間団体も対象になる場合があるとはいえ，それは行政機能を代替する場合といえる)。そこで，政府提出法案においては，本条の見直し条項は含まれていなかった。しかし，衆議院総務委員会における修正で，本条が設けられることになった。これは，本法が，行政救済のための通則法として重要な位置付けを与えられるものであり，旧行政不服審査法が半世紀以上にわたり施行されてきたとはいえ，本法は，旧行政不服審査法を全部改正して，審理員制度，行政不服審査会等への諮問制度等の新機軸を採用したものであるので，その施行状況を踏まえた見直しの機会を持つことが，重要であるという国会の認識に基づく修正であった。政府が講ずることがありうる「所要の措置」としては，本法改正案の閣議決定と国会への提出，政令の改正，施行通知の改正等がある。

(2) 「この法律の施行後5年を経過した場合において，この法律の施行の状況について検討を加え」

本法の施行状況を踏まえた見直しを行うためには，ある程度の期間の運用実績の蓄積を待つ必要がある。そこで，本法施行後5年を経過した場合に見直しの検討を行うこととした。

(3) 「必要があると認めるときは」

政府が本法の見直しのために所要の措置を講ずるか否かは，本法の施行状況の検討の結果，決まることであるので，検討の結果，見直しの必要があると政府が認めるときに，所要の措置を講ずることとされた。

整備法

Commentary on Administrative Appeal Act

整備法の解説

1 関係法律整備の基本方針

　361の法律を一括して改正した束ね法である行政不服審査法の施行に伴う関係法律の整備等に関する法律（以下，整備法という）は，以下の2つの内容に大別される。1つは，旧行政不服審査法の全部改正に伴い，本法の全部または一部の適用を除外したり，本法の適用を前提としたうえで，そのルールの例外を定めたり，本法に合わせて用語を整備したり，本法の定める手続水準以上の手続にするように関係法律の整備をしたものである。いま1つは，行政訴訟と行政上の不服申立ての関係に関する不服申立前置に係る改正である。これは，旧行政不服審査法の全部改正と関連はするものの，不服審査手続との関連は間接的である。しかし，民主党を中心とした連立政権の下において，行政救済制度検討チームは，2010年から2011年にかけて，旧行政不服審査法の見直しと併せて，不服申立前置の見直しを行い，その成果を踏まえて，整備法において，不服申立前置に係る改正も同時に行われたのである。以下においては，旧行政不服審査法の全部改正の内容と直接に関わる整備部分と不服申立前置の見直しに関わる整備部分に分けて解説する。

2 旧行政不服審査法の全部改正の内容と直接関わる整備部分

(1) 不服申立類型の一元化による用語の整備

　不服申立類型が基本的に審査請求に一元化され，異議申立てという不服申立類型が廃止されたことに伴い，用語の整理が行われた。すなわち，従前，異議申立てと審査請求を併せて「不服申立て」と表記されていた場合または「審査請求又は異議申立て」もしくは「異議申立て又は審査請求」と表記されていた場合であって，審査請求のみが不服申立類型になる場合には「審査請求」という表記に変更された（児童扶養手当法18条等）。他方，審査請求以外の不服申立てである再調査の請求もしくは再審査請求または他の法令に基づく不服申立ても含めて表記する場合には，「不服申立て」という表記が維持されている（地

方税法72条の108等)。

　従前の「異議申立て」については、旧行政不服審査法の全部改正により「審査請求」になる場合には「審査請求」に変更し(裁判外紛争解決手続の利用の促進に関する法律9条1項・10条1項等)、「異議申立て」に対する「決定」は「審査請求」に対する「裁決」に変更された(同法9条1項・3項等)。「異議申立て」が「再調査の請求」になる場合は「再調査の請求」に変更されたが(国税通則法75条3項等)、異議申立てが認められていた場合であって、処分庁に対する不服申立てが廃止されたものもある(石綿による健康被害の救済に関する法律旧76条等)。

　「再審査請求」は個別法で認める場合には存置されることになったが(児童福祉法59条の4第2項等)、廃止されたものもある(地方自治法旧206条6項等)。また、裁定的関与について、従前の審査請求が再審査請求に変更になった場合もある(道路法96条2項等)(個別法における異議申立て、再審査請求に係る規定の整備については、宇賀・解説行政不服審査法関連三法167頁以下も参照)。

(2) 不作為についての審査請求の整備

　旧行政不服審査法の全部改正により、不作為についての審査請求は、迅速な処分を促すにとどまらず、当該申請に対して一定の処分をすべきか否かについての審理も求めるものに性格が変化し、その意味で処分についての審査請求と機能面で類似することになった。その結果、従前、処分についての審査請求についてのみ定められていた特例規定の対象に不作為についての審査請求も含める改正が行われている。

　具体的には、処分についての審査請求について審議会等に諮問する規定が置かれていた場合、不作為についての審査請求も諮問対象に含める改正が行われている(行政機関情報公開法19条1項柱書等)。また、処分についての審査請求のみに公開による意見聴取が保障されていた規定を改正し、不作為についても同じ手続保障を与えている(電気事業法110条1項等)。処分についての審査請求を適用除外とする趣旨は、不作為についての審査請求にも妥当することになるので、後者も適用除外とする改正が行われている(行政手続法27条1項等)。

　なお、不作為についての審査請求をすべき行政庁は、処分についての審査請求をすべき行政庁と同一であるのが原則である(本法4条)。しかし、処分と不

> 整備法

作為で審査請求をすべき行政庁が一致しない場合もある。例えば，弁理士登録簿の登録は日本弁理士会が行い（弁理士法17条），登録を拒否された者は，経済産業大臣に対して審査請求を行うことができるが（同法21条1項），経済産業大臣は日本弁理士会の上級行政庁ではなく，不作為についての審査請求まで経済産業大臣に対して行えることとする必要はないと考えられた。そこで，経済産業大臣への審査請求は，処分についてのみ認められている。不作為についての審査請求は，行政不服審査法の一般原則に従うことになり，上級行政庁がないので，不作為庁である日本弁理士会に対して行うことになる（本法4条1号）。したがって，処分についての審査請求と不作為についての審査請求で，審査請求をすべき行政庁が異なることになる。これに対し，これまで処分についてのみ審査請求先の特例が認められていたケースで，特例としての審査庁を上級行政庁とみなす規定を置くことにより，不作為についての審査請求であっても紛争の一回的解決を可能とすることができるため，不作為についての審査請求も，処分についての審査請求の場合と同じ行政庁に審査請求をすることとした例がある（介護保険法174条）。他方，みなし上級行政庁とすることが適当でない場合には，処分についての審査請求のみに置かれた審査請求をすべき行政庁の特例規定は，改正されることなく維持されている（同法183条）。

審査請求が訴訟における一審代替機能を有する場合には，不作為についての審査請求にもかかる一審代替機能を認めることは適当でないので，処分と不作為で審査請求をすべき行政庁が異なる場合がある。例えば，指定試験機関の処分に不服がある者は総務大臣に対して審査請求をすることができるが（電波法104条の4第1項前段），この審査請求がなされると，総務大臣は，その審査請求を却下する場合を除き，電波監理審議会に付議しなければならず（同法85条），審査請求に対する裁決に対してのみ取消訴訟を提起できるとする裁決主義がとられ（同法96条の2），取消訴訟（審査請求を却下する裁決に対する訴えを除く）は東京高等裁判所の専属管轄とされている（同法97条）。そのため，不作為についての審査請求は総務大臣に対しては認められず，不作為庁である指定試験機関に対して行うことになる（本法4条1号）。

法定受託事務に係る審査請求の場合，審査庁となる各大臣または都道府県知事等は，上級行政庁とみなされるわけではなく，不作為についての審査請求の場合，請求を認容するときには，不作為が違法または不当であることを宣言す

るにとどまり，一定の処分をすべきことを命ずることはできない。他方，不作為庁に対する審査請求であれば，一定の処分を行うことにより，紛争の一回的解決を図ることができるので，各大臣または都道府県知事に対して不作為についての審査請求ができるからといって，不作為庁に対する審査請求に意義がないわけではない。そこで，従前は法定受託事務について不作為庁に対する異議申立ても選択できたことにも照らし，不作為庁に対する審査請求も選択できることとしている（地方自治法 255 条の 2 第 1 項柱書後段。不作為についての審査請求に係る整備法による整備について詳しくは，宇賀・解説行政不服審査法関連三法 183 頁以下参照）。

(3) 行政不服審査法の規定の適用除外
(a) 犯則事件

金融商品取引法 9 章（犯則事件の調査等）の規定に基づき，証券取引等監視委員会，同委員会職員，財務局長もしくは財務支局長または財務局等職員がした処分については，旧行政不服審査法による不服申立てをすることができない旨，金融商品取引法旧 227 条に定められていたが，旧行政不服審査法の全部改正により，行政手続法 3 条 1 項 6 号と平仄を合わせて，本法 7 条 1 項 7 号にその旨規定されたため，金融商品取引法旧 227 条の規定は削除された。

(b) 試験事務に係る処分

整備法による改正前の電気事業法 109 条の 2 は，「指定試験機関が行う試験事務に係る処分（試験の結果についての処分を除く。）又はその不作為について不服がある者は，経済産業大臣に対し，行政不服審査法（昭和 37 年法律第 160 号）による審査請求をすることができる」と定めていた。これは，旧行政不服審査法 4 条 1 項 11 号で「専ら人の学識技能に関する試験又は検定の結果についての処分」については，旧行政不服審査法による異議申立てまたは審査請求をすることができないことを確認的に規定したものである。

指定試験機関，独立行政法人等が行う試験事務に係る処分またはその不作為についての審査請求の場合，かかる確認規定が置かれている例は少なくなかった（ガス事業法旧 49 条の 2 等）。他方において，かかる確認規定を設けていない例も同じぐらい存在した（貸金業法旧 24 条の 24 等）。そのため，かかる確認規定がない場合には，反対解釈をされるおそれがあった。そこで，本法 7 条 1 項

> 整備法

11号で「専ら人の学識技能に関する試験又は検定の結果についての処分」が審査請求の対象外であるとされていることを個別法で確認する規定は削除することとされた。

(4) 行政手続法旧27条2項の規定

　整備法による改正前の行政手続法27条2項は、事前に聴聞手続を経た処分については異議申立てを認めないこととしていた。これは、事前に聴聞という慎重な手続を処分庁がとった場合に、同じ処分庁に対して異議申立てをしても、結論が変わる可能性は乏しく、異議申立人の利益になることはほとんど想定されないし、にもかかわらず、事前と事後の双方で処分庁に手続的負担を課すことは避けるべきという理由によるものであった。しかし、旧行政不服審査法の全部改正により、異議申立制度は廃止され、処分庁に対する不服申立ては原則として審査請求になったが、処分庁に対して審査請求がされる場合であっても、審理員制度と行政不服審査会等への諮問制度等により、審査手続の公正中立性が向上することになる。そのため、事前に聴聞手続を経た処分であっても、処分庁に対する審査請求により結論が変わる可能性が乏しいとはいえなくなるので、行政手続法旧27条2項の規定は削除された。それに伴い、個別法で行政手続法旧27条2項の規定の適用除外を定める規定も削除された（電波法旧84条等）。

(5) 審理員の指名を要しない場合

　行政不服審査法9条1項は、①内閣府設置法49条1項もしくは2項または国家行政組織法3条2項に規定する委員会（1号）、②内閣府設置法37条もしくは54条または国家行政組織法8条に規定する機関（2号）、③地方自治法138条の4第1項に規定する委員会もしくは委員または同条3項に規定する機関（3号）が審査庁となる場合には、専門技術性または政治的中立性を確保する観点から、優れた識見を有する者からなる委員が合議により審査するため、審理員を指名することを要しないとしている。そして、行政不服審査法9条3項・4項および別表において、行政不服審査法の適用関係を規定している。しかし、これ以外の機関が審査庁となる場合であっても、審理員の指名を要しない場合が考えられる。かかる場合については、個別法で審理員の指名を要しな

い旨定めている。すなわち，①優れた識見を有する者からなる委員が合議により審査する審査庁である場合（国家公務員共済組合法103条4項，地方公務員等共済組合法117条4項，私立学校教職員共済法36条3項，独立行政法人農業者年金基金法52条6項，地方公務員災害補償法51条5項等），優れた識見を有する者からなる委員が合議により審査する審査庁となる場合ではないが，処分の性質，第三者機関の審理のあり方等に照らし，審理員による審理が不要と考えられる場合等（行政機関情報公開法18条1項，行政機関個人情報保護法42条1項，独立行政法人等の保有する情報の公開に関する法律18条2項，独立行政法人等の保有する個人情報の保護に関する法律42条2項等）について，審理員の指名を要しないとされている（審理員の指名を要しない場合について詳しくは，宇賀・解説行政不服審査法関連三法192頁以下参照）。

(6) 主観的不服申立期間

(a) 期間の延長

旧行政不服審査法の全部改正により，主観的審査請求期間が処分があったことを知った日の翌日から起算して60日から3か月に延長されたことを受けて（本法18条1項本文），個別法において主観的不服申立期間が60日（または2か月）とされている場合，原則として3か月に延長することとされた（弁護士法14条1項・64条2項等）。ただし，例外的に従前の期間が維持された例もある（農業機械化促進法13条1項等。主観的不服申立期間の整備について詳しくは，宇賀・解説行政不服審査法関連三法200頁以下参照）。

(b) 期間経過の例外

旧行政不服審査法においては，主観的審査請求期間の経過にもかかわらず審査請求が可能な場合の例外は，不変期間として定められていた（同法14条1項ただし書・2項）。これに対し，本法においては，正当な理由があるときに期間経過の例外を認めている（18条1項ただし書）。そこで，個別法においても，これと平仄を合わせた改正が行われている（鉱業等に係る土地利用の調整手続等に関する法律25条1項等）。

(7) 行政不服審査会等への諮問を要しない特例

行政不服審査法は，処分の前または後の少なくとも一方において，有識者等

> 整備法

が合議で審査する機会を保障することにより，公正中立性を確保するという基本方針の下，処分の前後のいずれにおいても，個別法でかかる機会が付与されていない場合には，行政不服審査会等への諮問を原則として義務づけることとしている。同法43条1項1号・2号では，同法9条1項各号に掲げる機関もしくは地方公共団体の議会またはこれらの機関に類するものとして政令で定めるものの議を経るべき旨または経ることができる旨の定めがあり，かつ，当該議を経て当該処分がされた場合には，行政不服審査会等への諮問を要しないこととしている。しかし，それ以外の場合であっても，公正かつ慎重な手続が保障されており，行政不服審査会等への諮問を要しないとしてよいと考えられる場合がある。そこで，かかる場合には，整備法で特例を設けている（じん肺法19条8項，漁業法134条の3等。行政不服審査会への諮問を要しない特例について詳しくは，宇賀・解説行政不服審査法関連三法207頁以下参照）。

3 不服申立前置の見直し

(1) 不服申立前置を許容する基準

(a) 不服申立件数の大量性

行政事件訴訟法制定時における不服申立前置を認める基準は，①大量に行われる処分であって，審査請求に対する裁決により行政の統一を図る必要があるもの，②審査請求に対する裁決が第三者機関によってなされることになっているもの，③専門技術的性質を有するもの，の3つであった。整備法作成に当たっては，これらの基準が再検討され，以下のように，新たに基準が設けられた。

まず，行政事件訴訟法制定時の基準①については，処分の大量性ではなく，不服申立件数の大量性を基準とすることとされた。処分数が多い場合，不服申立てが多くなりうる抽象的な可能性があるとはいえるが，検討チームによる調査の結果，処分が大量であっても，不服申立件数は少ないものが多く見出され，処分の大量性と不服申立件数の大量性が直結するわけではないことが明確になっていた。不服申立件数が少なければ，不服申立前置による行政過程でのスクリーニング効果も小さく，裁判所の負担軽減効果についても，質的な面では効果を認め得る場合があるにしても，量的な面での効果は小さいといえる。そこで，処分数ではなく，不服申立件数に着目することとされたのである。

不服申立件数が大量であると認定する目安は，概ね1000件以上とされた。

その理由は，2008（平成20）年度において，国税通則法に基づく不服申立件数が6000件以上あるが，不服申立人数ベースでとらえても1000件以上であり，労働者災害補償保険法および厚生年金保険法に基づく不服申立件数がそれぞれ1500件以上あるなど，税と社会保障の分野で広く一般に大量的に行われる処分に係る不服申立件数の状況に照らすと，1000件以上を一応の基準とすることが妥当と考えられたからである。具体的には，国税通則法115条1項，国民年金法101条の2（138条および制定時附則9条の3の2第6項において準用する場合を含む），労働者災害補償保険法40条が，不服申立件数が大量であるとして審査請求前置が認められた例である。なお，従前は不服申立前置とされていない処分の中にも，不服申立件数が1000件を超えるものは存在するが，新基準は，不服申立前置を整理縮小するためのものであるので，かかる処分について新たに不服申立前置にすることはしていない。

　また，前記の基準①の「裁決により行政の統一を図る」という根拠については，以下の理由から，合理性が認めがたく，基準として採用されなかった。第1に，行政の統一性は，本来，原処分の段階で実現されるべきものであることである。第2に，国民からの不服申立てがなければ，裁決による行政の統一は実現できず，不確実な前提に基づく基準であることである。第3に，抗告訴訟における認容判決には拘束力があり，行政の統一性の確保は，訴訟を提起することによっても確保され得るといえる（下級審の判決が分かれることはあるが，最終的には，最高裁で統一が図られる）。

(b)　第三者機関の関与および高度に専門技術的性質を有するもの

　前記の基準②については，確かに，一般論としては，第三者機関が不服申立てに裁決機関または諮問機関として関与していることは，不服申立手続において公正中立な立場から専門技術的判断が行われていると推認させる事由といえる。しかし，実際にかかる推認を行うことが妥当であるかを検証する必要がある。そこで，検討チームは，第三者機関の委員や補完的に置かれる者（専門委員等）の専門技術性が制度上確保されているか，第三者機関による関与が形骸化していないか（たとえば，開催頻度・審議時間が十分か，審議案件の内容が形式的なものにとどまっていないか等）を具体的に検証している。また，前記の基準③については，不服申立ての審理に高度の専門技術性を要する場合には，第三者機関の関与の仕組みが設けられることが多いと考えられるし，専門技術性の内

> 整備法

容は多様であるが，制度の複雑さや行政の特殊性等を内容とする専門技術性は，行政事務に広く認められるものであることから，それのみをもって不服申立前置を正当化することはできず，不服申立てが前置されないと，司法審査に特別の支障が生ずるおそれがあると認められる場合に限り，不服申立前置の根拠となる専門技術性があるといえる。そこで，前記の基準②③を併せて，第三者機関が高度に専門技術的判断を行うもの等については，不服申立前置を認めることとされている。

　具体的には，高度な専門家（医師等）による審理が必要なものについては，不服申立前置を認める方針が採られた。医師を構成員とする第三者機関が診断を行うような場合であり，公害健康被害の補償等に関する法律108条（医学，法律学その他公害に係る健康被害の補償に関する学識経験者からなる公害健康被害補償不服審査会〔同法113条1項〕に対する審査請求〔同法106条2項〕が行われるため，医師等からなる第三者機関が裁決を行う），じん肺法20条（中央じん肺審査医または地方じん肺審査医の診断または審査に基づいて裁決が行われる。同法19条1項・2項）がその例である。

　ただし，整備法による改正前の恩給法15条の2，戦傷病者戦没者遺族等援護法42条の2のように，医師を委員に含む第三者機関が関与する場合であっても，不服申立数が少なく，また，対象者が高齢者に限定されるものについては，不服申立前置は廃止されている。他方，原子力関連の処分のように，原処分段階で第三者機関が審理している場合には，不服申立段階で改めて第三者機関の審理を義務づける必要はないので，不服申立前置としていない。たとえば，核原料物質，核燃料物質及び原子炉の規制に関する法律70条の規定に基づく指定保障措置検査等実施機関が行う保障措置検査の業務に係る処分についての審査請求は原子力規制委員会に対して行われるが，原子力規制委員会は保障措置検査の業務に係る処分を指定保障措置検査等実施機関に行わせるので（同法61条の23の2），不服申立前置を定めた整備法による改正前の同法70条2項は削除された（放射性同位元素等による放射線障害の防止に関する法律45条2項も同様の理由により削除）。自然科学の専門性に限らず，高度の専門性が必要なために設けられている第三者機関が関与するものとして，関税等不服審査会があり，関税法上の処分に対する不服申立件数は年間数百件程度で1000件に満たないが，司法審査の前に行政過程で争点および証拠の整理を行う必要性が高いと思

われることから，不服申立前置が認められている（関税法93条）。

　なお，第三者機関が関与する場合であって，処分の名あて人または処分庁と処分の名あて人の関係の特殊性にかんがみ，司法審査の前に行政過程において，第三者機関の関与により当該特殊性を斟酌した審査がなされることが適切と考えられるものについても，不服申立前置が認められている。処分の名あて人の特殊性にかんがみ，不服申立前置が認められたものとして，暴力団員による不当な行為の防止等に関する法律37条3項がある。指定暴力団の指定の取消しは，市民生活の安全に重大な影響を与えるおそれがあるので，「国の公安に係る警察運営をつかさどり……個人の権利と自由を保護し，公共の安全と秩序を維持することを任務とする」（警察法5条1項）国家公安委員会による裁決を訴訟提起前に経ることを義務づけることに合理的理由が認められ，審査請求前置とされた。また，宗教法人の認証，その規則の変更，宗教法人の合併，宗教法人の任意解散の認証に係る申請に対する処分，宗教法人による公益事業以外の事業の停止命令，宗教法人の認証または合併の認証の取消しについての審査請求に対する裁決は，当該審査請求を却下する場合を除き，あらかじめ宗教法人審議会に諮問した後にしなければならないこととされており（宗教法人法80条の2第1項），訴訟提起前に，信教の自由の侵害にならないかを多様な宗教・宗派を代表する委員の意見を踏まえて宗教法人審議会において慎重に審議することには合理的理由があると考えられるので，審査請求前置が認められている（同法87条）。

　処分の名あて人と行政庁との特殊な関係を斟酌して審査請求前置が認められた例として，国家公務員に対する不利益処分についての審査請求がある。かかる審査請求の場合，人事院に設置される公平委員会による審査が行われるが（詳しくは，宇賀・行政法概説Ⅲ352頁，456頁参照），公務員に対する懲戒処分，分限処分等は，人事管理の一環として行われるものであり，訴訟において長期間にわたり紛争が継続すると，当該公務員の職場復帰が困難になるおそれがあり，また，公務の適正な遂行にも支障を与える懸念があるため，人事行政について専門的な知見を有し，職権行使の独立性を保障された人事院に対する審査請求を前置することとしている（国家公務員法92条の2）。更生保護法96条で規定された中央更生保護審査会に対する審査請求前置については，裁判の執行を受けた者に対する処遇について更生保護官署が責任を負う仕組みに合理性が認

> 整備法

められることが，前置の存続を容認する根拠の1つとされている。

(c) 不服申立手続による一審代替機能

　行政事件訴訟法制定時の不服申立前置を認める基準には含まれていなかったが，不服申立手続が訴訟の一審代替機能を有する場合にあっては，行政争訟手続全般を通じて，手続的負担の緩和が図られているものと評価できるため，不服申立前置を存置することとしている。電波法96条の2は，同法または同法に基づく命令の規定による総務大臣の処分に不服がある者は，当該処分についての審査請求に対する裁決に対してのみ，取消訴訟を提起できるとする裁決主義を採っているので，審査請求前置が義務づけられていることになるが，裁決に対する取消訴訟（審査請求を却下する裁決に対する訴訟を除く）は，東京高等裁判所の専属管轄とされているので（同法97条），審査請求に対する審理が一審代替機能を果たしているとして，審査請求前置とされた。特許法178条6項も，審判を請求することができる事項に関する訴訟は，審決に対するものでなければ提起することができないとしており，裁決主義をとっているので，不服申立てを前置しなければならないが，審決に対する訴えは，東京高等裁判所の専属管轄とされているので（同条1項），審判における審理が一審代替機能を果たしているとして，不服申立前置とされた。

(d) 個別具体的事情の考慮

　不服申立前置の存廃の判断基準については，前記①②③に掲げる基準のみを排他的基準とするわけでは必ずしもなく，個別具体的事情を考慮する余地を否定しているわけではない。たとえば，犯罪被害財産等による被害回復給付金の支給に関する法律46条で規定された検察庁の長に対する審査の申立てについては，刑事裁判で被告人から没収して国庫に帰属した犯罪被害財産等を原資とする給付金の被害者への支給に当たって，原則として全ての被害者の支給資格裁定が確定していることが要件とされているため，複数の犯罪被害者間における利害調整を早期に実現する仕組みとして機能していることが，前置の存続を容認する根拠の1つとされている。

　さらに，地方議会議員の被選挙権の有無または関係私企業への就職の制限に係る議会の決定（地方自治法127条1項）は，議員の資格を喪失させる処分であり，当該議員個人の権利利益の保護にとどまらず，当該議会の議決にも影響が及びうるので，議長等の選挙に係る争訟と同様の性格を併有しているといえる

ので，地方議会における投票による選挙の効力についての異議に対する議会の決定（同法118条1項）に不服があるときの決定についての不服申立手続（不服がある者は，決定があった日から21日以内に，都道府県にあっては総務大臣，市町村にあっては都道府県知事に審査を申し立て，その裁決に不服がある者は，裁決のあった日から21日以内に出訴することができる）と同様の手続によることが適切と判断され，不服申立前置とされた（同法127条4項による同法118条5項の規定の準用）。

普通地方公共団体の執行機関がした使用料または手数料の徴収に関する処分に不服がある者は，当該普通地方公共団体の長に審査請求をすることができるが（地方自治法229条1項），普通地方公共団体の長は，当該処分についての審査請求があったときは，議会に諮問してこれを決定しなければならない（同条4項）。かかる処分については，司法審査の前に議会での審議を行うことが，地方公共団体における民主的で能率的な行政に資すると考えられることから，審査請求前置としている（同条6項）。同様に，分担金，使用料，加入金，手数料および過料その他の普通地方公共団体の歳入を納期限までに納付しない者に対する督促，地方税の滞納処分の例による処分についての審査請求があったときは，議会に諮問してこれを決定しなければならないので（同法231条の3第7項），審査請求前置とされている（同条9項）。

(2) 二重前置の廃止

一段階の不服申立前置ですら，厳格な基準でその合理性を検証すべきとする以上，二段階の不服申立てを経なければ取消訴訟を提起できないとされている二重前置については，その正当化は，一層困難と考えられ，整備法では，従前は二重前置とされている場合にあっては，不服申立前置を存置するとしても，一段階にとどめる方針を採用している。たとえば，厚生年金保険法は，被保険者の資格，標準報酬または保険給付に関する処分について，社会保険審査官に対する審査請求および社会保険審査会に対する再審査請求の二重前置の仕組みを採用していたが（整備法による改正前の厚生年金保険法90条1項，91条の3），整備法においては，社会保険審査官に対する審査請求前置を存置するものの，社会保険審査会に対する再審査請求については，前置の義務付けはしないこととしている。

> 整備法

(3) 見直しの結果

　以上の方針に基づく見直しの結果，不服申立前置を定めていた96法律のうち68法律について，不服申立前置の全部または一部の見直しが行われた。具体的には，96法律のうち47法律（建築基準法，子ども・子育て支援法，児童扶養手当法，農地法等）で不服申立前置が全部廃止され，21法律で不服申立前置が一部廃止され一部は存置することとなり（自衛隊法では訓練海域漁業補償については廃止，隊員懲戒処分については存置，特許法では方式審査については廃止，実体審査〔審判〕については存置等），28法律で不服申立前置が全部存置されることとなった（国家公務員法，生活保護法，電波法等）。二重前置を定めていた法律は21存在したが，このうち5法律では不服申立前置が全廃され（住民基本台帳法，労働保険の保険料の徴収等に関する法律等），16法律では一段階の不服申立前置になった。この中には，再審査請求の前置を廃止したものと，異議申立てに代えて再調査の請求制度を導入し，再調査の請求と審査請求の選択制としたものがある。前者の例として，労働者災害補償保険法は，保険給付に関する決定について，労働保険審査官に対する審査請求と労働保険審査会に対する再審査請求の二重前置（整備法による改正前の38条1項，40条）について定めていたが，整備法においては，労働保険審査官に対する審査請求前置を存置するものの，労働保険審査会に対する再審査請求については，前置を義務づけないこととしている。国民年金法も再審査請求の前置を廃止している。後者の例として，公害健康被害の補償等に関する法律，国税通則法がある。

　不服申立前置は，行政不服審査法と行政事件訴訟法の双方に関わる問題であり，かつ，個別法の問題でもあるため，行政不服審査法の見直しにおいても，行政事件訴訟法の見直しにおいても，中心的論点としては位置づけられにくいものといえよう。整備法により，不服申立前置を定める個別法について，不服申立前置の許否を判断するための新たな指針の下で全面的に見直しが行われたことの意義は大きいと思われる（不服申立前置の見直しについて詳しくは，宇賀・解説行政不服審査法関連三法216頁以下参照）。

資料

Commentary on Administrative Appeal Act

行政不服審査法　（352）
行政不服審査法施行令　（373）

行政不服審査法（平成26年6月13日 法律第68号）

施行　平成28・4・1（附則参照）

第1章　総則

（目的等）

第1条① この法律は，行政庁の違法又は不当な処分その他公権力の行使に当たる行為に関し，国民が簡易迅速かつ公正な手続の下で広く行政庁に対する不服申立てをすることができるための制度を定めることにより，国民の権利利益の救済を図るとともに，行政の適正な運営を確保することを目的とする。

② 行政庁の処分その他公権力の行使に当たる行為（以下単に「処分」という。）に関する不服申立てについては，他の法律に特別の定めがある場合を除くほか，この法律の定めるところによる。

（処分についての審査請求）

第2条　行政庁の処分に不服がある者は，第4条及び第5条第2項の定めるところにより，審査請求をすることができる。

（不作為についての審査請求）

第3条　法令に基づき行政庁に対して処分についての申請をした者は，当該申請から相当の期間が経過したにもかかわらず，行政庁の不作為（法令に基づく申請に対して何らの処分をもしないことをいう。以下同じ。）がある場合には，次条の定めるところにより，当該不作為についての審査請求をすることができる。

（審査請求をすべき行政庁）

第4条　審査請求は，法律（条例に基づく処分については，条例）に特別の定めがある場合を除くほか，次の各号に掲げる場合の区分に応じ，当該各号に定める行政庁に対してするものとする。

1　処分庁等（処分をした行政庁（以下「処分庁」という。）又は不作為に係る行政庁（以下「不作為庁」という。）をいう。以下同じ。）に上級行政庁がない場合又は処分庁等が主任の大臣若しくは宮内庁長官若しくは内閣府設置法（平成11年法律第89号）第49条第1項若しくは第2項若しくは国家行政組織法（昭和23年法律第120号）第3条第2項に規定する庁の長である場合　当該処分庁等

2　宮内庁長官又は内閣府設置法第49条第1項若しくは第2項若しくは国家行政組織法第3条第2項に規定する庁の長が処分庁等の上級行政庁である場合　宮内庁長官又は当該庁の長

3　主任の大臣が処分庁等の上級行政庁である場合（前二号に掲げる場合を除く。）　当該主任の大臣

4　前三号に掲げる場合以外の場合　当該処分庁等の最上級行政庁

（再調査の請求）

第5条① 行政庁の処分につき処分庁以外の行政庁に対して審査請求をすることができる場合において，法律に再調査の請求をすることができる旨の定めがあるときは，当該処分に不服がある者は，処分庁に対して再調査の請求をすることができる。ただし，当該処分について第2条の規定により審査請求をしたときは，この限りでない。

② 前項本文の規定により再調査の請求をし

たときは，当該再調査の請求についての決定を経た後でなければ，審査請求をすることができない。ただし，次の各号のいずれかに該当する場合は，この限りでない。
1 当該処分につき再調査の請求をした日（第61条において読み替えて準用する第23条の規定により不備を補正すべきことを命じられた場合にあっては，当該不備を補正した日）の翌日から起算して3月を経過しても，処分庁が当該再調査の請求につき決定をしない場合
2 その他再調査の請求についての決定を経ないことにつき正当な理由がある場合

（再審査請求）
第6条① 行政庁の処分につき法律に再審査請求をすることができる旨の定めがある場合には，当該処分についての審査請求の裁決に不服がある者は，再審査請求をすることができる。
② 再審査請求は，原裁決（再審査請求をすることができる処分についての審査請求の裁決をいう。以下同じ。）又は当該処分（以下「原裁決等」という。）を対象として，前項の法律に定める行政庁に対してするものとする。

（適用除外）
第7条① 次に掲げる処分及びその不作為については，第2条及び第3条の規定は，適用しない。
1 国会の両院若しくは一院又は議会の議決によってされる処分
2 裁判所若しくは裁判官の裁判により，又は裁判の執行としてされる処分
3 国会の両院若しくは一院若しくは議会の議決を経て，又はこれらの同意若しくは承認を得た上でされるべきものとされている処分
4 検査官会議で決すべきものとされている処分

5 当事者間の法律関係を確認し，又は形成する処分で，法令の規定により当該処分に関する訴えにおいてその法律関係の当事者の一方を被告とすべきものと定められているもの
6 刑事事件に関する法令に基づいて検察官，検察事務官又は司法警察職員がする処分
7 国税又は地方税の犯則事件に関する法令（他の法令において準用する場合を含む。）に基づいて国税庁長官，国税局長，税務署長，収税官吏，税関長，税関職員又は徴税吏員（他の法令の規定に基づいてこれらの職員の職務を行う者を含む。）がする処分及び金融商品取引の犯則事件に関する法令（他の法令において準用する場合を含む。）に基づいて証券取引等監視委員会，その職員（当該法令においてその職員とみなされる者を含む。），財務局長又は財務支局長がする処分
8 学校，講習所，訓練所又は研修所において，教育，講習，訓練又は研修の目的を達成するために，学生，生徒，児童若しくは幼児若しくはこれらの保護者，講習生，訓練生又は研修生に対してされる処分
9 刑務所，少年刑務所，拘置所，留置施設，海上保安留置施設，少年院，少年鑑別所又は婦人補導院において，収容の目的を達成するためにされる処分
10 外国人の出入国又は帰化に関する処分
11 専ら人の学識技能に関する試験又は検定の結果についての処分
12 この法律に基づく処分（第5章第1節第1款の規定に基づく処分を除く。）

② 国の機関又は地方公共団体その他の公共団体若しくはその機関に対する処分で，これらの機関又は団体がその固有の資格において当該処分の相手方となるもの及びその

> 資料

不作為については，この法律の規定は，適用しない。

（特別の不服申立ての制度）
第8条 前条の規定は，同条の規定により審査請求をすることができない処分又は不作為につき，別に法令で当該処分又は不作為の性質に応じた不服申立ての制度を設けることを妨げない。

第2章 審査請求
第1節 審査庁及び審理関係人

（審理員）
第9条① 第4条又は他の法律若しくは条例の規定により審査請求がされた行政庁（第14条の規定により引継ぎを受けた行政庁を含む。以下「審査庁」という。）は，審査庁に所属する職員（第17条に規定する名簿を作成した場合にあっては，当該名簿に記載されている者）のうちから第3節に規定する審理手続（この節に規定する手続を含む。）を行う者を指名するとともに，その旨を審査請求人及び処分庁等（審査庁以外の処分庁等に限る。）に通知しなければならない。ただし，次の各号のいずれかに掲げる機関が審査庁である場合若しくは条例に基づく処分について条例に特別の定めがある場合又は第24条の規定により当該審査請求を却下する場合は，この限りでない。
1 内閣府設置法第49条第1項若しくは第2項又は国家行政組織法第3条第2項に規定する委員会
2 内閣府設置法第37条若しくは第54条又は国家行政組織法第8条に規定する機関
3 地方自治法（昭和22年法律第67号）第138条の4第1項に規定する委員会若しくは委員又は同条第3項に規定する機関

② 審査庁が前項の規定により指名する者は，次に掲げる者以外の者でなければならない。
1 審査請求に係る処分若しくは当該処分に係る再調査の請求についての決定に関与した者又は審査請求に係る不作為に係る処分に関与し，若しくは関与することとなる者
2 審査請求人
3 審査請求人の配偶者，4親等内の親族又は同居の親族
4 審査請求人の代理人
5 前二号に掲げる者であった者
6 審査請求人の後見人，後見監督人，保佐人，保佐監督人，補助人又は補助監督人
7 第13条第1項に規定する利害関係人

③ 審査庁が第1項各号に掲げる機関である場合又は同項ただし書の特別の定めがある場合においては，別表第1の上欄に掲げる規定の適用については，これらの規定中同表の中欄に掲げる字句は，それぞれ同表の下欄に掲げる字句に読み替えるものとし，第17条，第40条，第42条及び第50条第2項の規定は，適用しない。

④ 前項に規定する場合において，審査庁は，必要があると認めるときは，その職員（第2項各号（第1項各号に掲げる機関の構成員にあっては，第1号を除く。）に掲げる者以外の者に限る。）に，前項において読み替えて適用する第31条第1項の規定による審査請求人若しくは第13条第4項に規定する参加人の意見の陳述を聴かせ，前項において読み替えて適用する第34条の規定による参考人の陳述を聴かせ，同項において読み替えて適用する第35条第1項の規定による検証をさせ，前項において読み替えて適用する第36条の規定による第28条に規定する審理関係人に対する質問をさせ，又は同項において読み替えて適用

する第37条第1項若しくは第2項の規定による意見の聴取を行わせることができる。
（法人でない社団又は財団の審査請求）
第10条　法人でない社団又は財団で代表者又は管理人の定めがあるものは、その名で審査請求をすることができる。
（総代）
第11条①　多数人が共同して審査請求をしようとするときは、3人を超えない総代を互選することができる。
②　共同審査請求人が総代を互選しない場合において、必要があると認めるときは、第9条第1項の規定により指名された者（以下「審理員」という。）は、総代の互選を命ずることができる。
③　総代は、各自、他の共同審査請求人のために、審査請求の取下げを除き、当該審査請求に関する一切の行為をすることができる。
④　総代が選任されたときは、共同審査請求人は、総代を通じてのみ、前項の行為をすることができる。
⑤　共同審査請求人に対する行政庁の通知その他の行為は、2人以上の総代が選任されている場合においても、1人の総代に対してすれば足りる。
⑥　共同審査請求人は、必要があると認める場合には、総代を解任することができる。
（代理人による審査請求）
第12条①　審査請求は、代理人によってすることができる。
②　前項の代理人は、各自、審査請求人のために、当該審査請求に関する一切の行為をすることができる。ただし、審査請求の取下げは、特別の委任を受けた場合に限り、することができる。
（参加人）
第13条①　利害関係人（審査請求人以外の者であって審査請求に係る処分又は不作為に係る処分の根拠となる法令に照らし当該処分につき利害関係を有するものと認められる者をいう。以下同じ。）は、審理員の許可を得て、当該審査請求に参加することができる。
②　審理員は、必要があると認める場合には、利害関係人に対し、当該審査請求に参加することを求めることができる。
③　審査請求への参加は、代理人によってすることができる。
④　前項の代理人は、各自、第1項又は第2項の規定により当該審査請求に参加する者（以下「参加人」という。）のために、当該審査請求への参加に関する一切の行為をすることができる。ただし、審査請求への参加の取下げは、特別の委任を受けた場合に限り、することができる。
（行政庁が裁決をする権限を有しなくなった場合の措置）
第14条　行政庁が審査請求がされた後法令の改廃により当該審査請求につき裁決をする権限を有しなくなったときは、当該行政庁は、第19条に規定する審査請求書又は第21条第2項に規定する審査請求録取書及び関係書類その他の物件を新たに当該審査請求につき裁決をする権限を有することとなった行政庁に引き継がなければならない。この場合において、その引継ぎを受けた行政庁は、速やかに、その旨を審査請求人及び参加人に通知しなければならない。
（審理手続の承継）
第15条①　審査請求人が死亡したときは、相続人その他法令により審査請求の目的である処分に係る権利を承継した者は、審査請求人の地位を承継する。
②　審査請求人について合併又は分割（審査請求の目的である処分に係る権利を承継させるものに限る。）があったときは、合併後存続する法人その他の社団若しくは財団

資 料

若しくは合併により設立された法人その他の社団若しくは財団又は分割により当該権利を承継した法人は，審査請求人の地位を承継する。

③　前二項の場合には，審査請求人の地位を承継した相続人その他の者又は法人その他の社団若しくは財団は，書面でその旨を審査庁に届け出なければならない。この場合には，届出書には，死亡若しくは分割による権利の承継又は合併の事実を証する書面を添付しなければならない。

④　第1項又は第2項の場合において，前項の規定による届出がされるまでの間において，死亡者又は合併前の法人その他の社団若しくは財団若しくは分割をした法人に宛ててされた通知が審査請求人の地位を承継した相続人その他の者又は合併後の法人その他の社団若しくは財団若しくは分割により審査請求人の地位を承継した法人に到達したときは，当該通知は，これらの者に対する通知としての効力を有する。

⑤　第1項の場合において，審査請求人の地位を承継した相続人その他の者が2人以上あるときは，その1人に対する通知その他の行為は，全員に対してされたものとみなす。

⑥　審査請求の目的である処分に係る権利を譲り受けた者は，審査庁の許可を得て，審査請求人の地位を承継することができる。

（標準審理期間）

第16条　第4条又は他の法律若しくは条例の規定により審査庁となるべき行政庁（以下「審査庁となるべき行政庁」という。）は，審査請求がその事務所に到達してから当該審査請求に対する裁決をするまでに通常要すべき標準的な期間を定めるよう努めるとともに，これを定めたときは，当該審査庁となるべき行政庁及び関係処分庁（当該審査請求の対象となるべき処分の権限を有する行政庁であって当該審査庁となるべき行政庁以外のものをいう。次条において同じ。）の事務所における備付けその他の適当な方法により公にしておかなければならない。

（審理員となるべき者の名簿）

第17条　審査庁となるべき行政庁は，審理員となるべき者の名簿を作成するよう努めるとともに，これを作成したときは，当該審査庁となるべき行政庁及び関係処分庁の事務所における備付けその他の適当な方法により公にしておかなければならない。

第2節　審査請求の手続

（審査請求期間）

第18条　①　処分についての審査請求は，処分があったことを知った日の翌日から起算して3月（当該処分について再調査の請求をしたときは，当該再調査の請求についての決定があったことを知った日の翌日から起算して1月）を経過したときは，することができない。ただし，正当な理由があるときは，この限りでない。

②　処分についての審査請求は，処分（当該処分について再調査の請求をしたときは，当該再調査の請求についての決定）があった日の翌日から起算して1年を経過したときは，することができない。ただし，正当な理由があるときは，この限りでない。

③　次条に規定する審査請求書を郵便又は民間事業者による信書の送達に関する法律（平成14年法律第99号）第2条第6項に規定する一般信書便事業者若しくは同条第9項に規定する特定信書便事業者による同条第2項に規定する信書便で提出した場合における前二項に規定する期間（以下「審査請求期間」という。）の計算については，送付に要した日数は，算入しない。

行政不服審査法

(審査請求書の提出)
第19条① 審査請求は、他の法律(条例に基づく処分については、条例)に口頭ですることができる旨の定めがある場合を除き、政令で定めるところにより、審査請求書を提出してしなければならない。
② 処分についての審査請求書には、次に掲げる事項を記載しなければならない。
　1 審査請求人の氏名又は名称及び住所又は居所
　2 審査請求に係る処分の内容
　3 審査請求に係る処分(当該処分について再調査の請求についての決定を経たときは、当該決定)があったことを知った年月日
　4 審査請求の趣旨及び理由
　5 処分庁の教示の有無及びその内容
　6 審査請求の年月日
③ 不作為についての審査請求書には、次に掲げる事項を記載しなければならない。
　1 審査請求人の氏名又は名称及び住所又は居所
　2 当該不作為に係る処分についての申請の内容及び年月日
　3 審査請求の年月日
④ 審査請求人が、法人その他の社団若しくは財団である場合、総代を互選した場合又は代理人によって審査請求をする場合には、審査請求書には、第2項各号又は前項各号に掲げる事項のほか、その代表者若しくは管理人、総代又は代理人の氏名及び住所又は居所を記載しなければならない。
⑤ 処分についての審査請求書には、第2項及び前項に規定する事項のほか、次の各号に掲げる場合においては、当該各号に定める事項を記載しなければならない。
　1 第5条第2項第1号の規定により再調査の請求についての決定を経ないで審査請求をする場合　再調査の請求をした年月日
　2 第5条第2項第2号の規定により再調査の請求についての決定を経ないで審査請求をする場合　その決定を経ないことについての正当な理由
　3 審査請求期間の経過後において審査請求をする場合　前条第1項ただし書又は第2項ただし書に規定する正当な理由

(口頭による審査請求)
第20条　口頭で審査請求をする場合には、前条第2項から第5項までに規定する事項を陳述しなければならない。この場合において、陳述を受けた行政庁は、その陳述の内容を録取し、これを陳述人に読み聞かせて誤りのないことを確認し、陳述人に押印させなければならない。

(処分庁等を経由する審査請求)
第21条① 審査請求をすべき行政庁が処分庁等と異なる場合における審査請求は、処分庁等を経由してすることができる。この場合において、審査請求人は、処分庁等に審査請求書を提出し、又は処分庁等に対し第19条第2項から第5項までに規定する事項を陳述するものとする。
② 前項の場合には、処分庁等は、直ちに、審査請求書又は審査請求録取書(前条後段の規定により陳述の内容を録取した書面をいう。第29条第1項及び第55条において同じ。)を審査庁となるべき行政庁に送付しなければならない。
③ 第1項の場合における審査請求期間の計算については、処分庁に審査請求書を提出し、又は処分庁に対し当該事項を陳述した時に、処分についての審査請求があったものとみなす。

(誤った教示をした場合の救済)
第22条① 審査請求をすることができる処分につき、処分庁が誤って審査請求をすべき行政庁でない行政庁を審査請求をすべき

> 資料

行政庁として教示した場合において，その教示された行政庁に書面で審査請求がされたときは，当該行政庁は，速やかに，審査請求書を処分庁又は審査庁となるべき行政庁に送付し，かつ，その旨を審査請求人に通知しなければならない。

② 前項の規定により処分庁に審査請求書が送付されたときは，処分庁は，速やかに，これを審査庁となるべき行政庁に送付し，かつ，その旨を審査請求人に通知しなければならない。

③ 第1項の処分のうち，再調査の請求をすることができない処分につき，処分庁が誤って再調査の請求をすることができる旨を教示した場合において，当該処分庁に再調査の請求がされたときは，処分庁は，速やかに，再調査の請求書（第61条において読み替えて準用する第19条に規定する再調査の請求書をいう。以下この条において同じ。）又は再調査の請求録取書（第61条において準用する第20条後段の規定により陳述の内容を録取した書面をいう。以下この条において同じ。）を審査庁となるべき行政庁に送付し，かつ，その旨を再調査の請求人に通知しなければならない。

④ 再調査の請求をすることができる処分につき，処分庁が誤って審査請求をすることができる旨を教示しなかった場合において，当該処分庁に再調査の請求がされた場合であって，再調査の請求人から申立てがあったときは，処分庁は，速やかに，再調査の請求書又は再調査の請求録取書及び関係書類その他の物件を審査庁となるべき行政庁に送付しなければならない。この場合において，その送付を受けた行政庁は，速やかに，その旨を再調査の請求人及び第61条において読み替えて準用する第13条第1項又は第2項の規定により当該再調査の請求に参加する者に通知しなければならない。

⑤ 前各項の規定により審査請求書又は再調査の請求書若しくは再調査の請求録取書が審査庁となるべき行政庁に送付されたときは，初めから審査庁となるべき行政庁に審査請求がされたものとみなす。

（審査請求書の補正）

第23条 審査請求書が第19条の規定に違反する場合には，審査庁は，相当の期間を定め，その期間内に不備を補正すべきことを命じなければならない。

（審理手続を経ないでする却下裁決）

第24条① 前条の場合において，審査請求人が同条の期間内に不備を補正しないときは，審査庁は，次節に規定する審理手続を経ないで，第45条第1項又は第49条第1項の規定に基づき，裁決で，当該審査請求を却下することができる。

② 審査請求が不適法であって補正することができないことが明らかなときも，前項と同様とする。

（執行停止）

第25条① 審査請求は，処分の効力，処分の執行又は手続の続行を妨げない。

② 処分庁の上級行政庁又は処分庁である審査庁は，必要があると認める場合には，審査請求人の申立てにより又は職権で，処分の効力，処分の執行又は手続の続行の全部又は一部の停止その他の措置（以下「執行停止」という。）をとることができる。

③ 処分庁の上級行政庁又は処分庁のいずれでもない審査庁は，必要があると認める場合には，審査請求人の申立てにより，処分庁の意見を聴取した上，執行停止をすることができる。ただし，処分の効力，処分の執行又は手続の続行の全部又は一部の停止以外の措置をとることはできない。

④ 前二項の規定による審査請求人の申立てがあった場合において，処分，処分の執行又は手続の続行により生ずる重大な損害を

避けるために緊急の必要があると認めるときは，審査庁は，執行停止をしなければならない。ただし，公共の福祉に重大な影響を及ぼすおそれがあるとき，又は本案について理由がないとみえるときは，この限りでない。

⑤ 審査庁は，前項に規定する重大な損害を生ずるか否かを判断するに当たっては，損害の回復の困難の程度を考慮するものとし，損害の性質及び程度並びに処分の内容及び性質をも勘案するものとする。

⑥ 第2項から第4項までの場合において，処分の効力の停止は，処分の効力の停止以外の措置によって目的を達することができるときは，することができない。

⑦ 執行停止の申立てがあったとき，又は審理員から第40条に規定する執行停止をすべき旨の意見書が提出されたときは，審査庁は，速やかに，執行停止をするかどうかを決定しなければならない。

（執行停止の取消し）

第26条 執行停止をした後において，執行停止が公共の福祉に重大な影響を及ぼすことが明らかとなったとき，その他事情が変更したときは，審査庁は，その執行停止を取り消すことができる。

（審査請求の取下げ）

第27条① 審査請求人は，裁決があるまでは，いつでも審査請求を取り下げることができる。

② 審査請求の取下げは，書面でしなければならない。

第3節 審理手続

（審理手続の計画的進行）

第28条 審査請求人，参加人及び処分庁等（以下「審理関係人」という。）並びに審理員は，簡易迅速かつ公正な審理の実現のため，審理において，相互に協力するとともに，審理手続の計画的な進行を図らなければならない。

（弁明書の提出）

第29条① 審理員は，審査庁から指名されたときは，直ちに，審査請求書又は審査請求録取書の写しを処分庁等に送付しなければならない。ただし，処分庁等が審査庁である場合には，この限りでない。

② 審理員は，相当の期間を定めて，処分庁等に対し，弁明書の提出を求めるものとする。

③ 処分庁等は，前項の弁明書に，次の各号の区分に応じ，当該各号に定める事項を記載しなければならない。

1 処分についての審査請求に対する弁明書 処分の内容及び理由

2 不作為についての審査請求に対する弁明書 処分をしていない理由並びに予定される処分の時期，内容及び理由

④ 処分庁が次に掲げる書面を保有する場合には，前項第1号に掲げる弁明書にこれを添付するものとする。

1 行政手続法（平成5年法律第88号）第24条第1項の調書及び同条第3項の報告書

2 行政手続法第29条第1項に規定する弁明書

⑤ 審理員は，処分庁等から弁明書の提出があったときは，これを審査請求人及び参加人に送付しなければならない。

（反論書等の提出）

第30条① 審査請求人は，前条第5項の規定により送付された弁明書に記載された事項に対する反論を記載した書面（以下「反論書」という。）を提出することができる。この場合において，審理員が，反論書を提出すべき相当の期間を定めたときは，その期間内にこれを提出しなければならない。

② 参加人は，審査請求に係る事件に関する

> 資料

意見を記載した書面（第40条及び第42条第1項を除き，以下「意見書」という。）を提出することができる。この場合において，審理員が，意見書を提出すべき相当の期間を定めたときは，その期間内にこれを提出しなければならない。
③　審理員は，審査請求人から反論書の提出があったときはこれを参加人及び処分庁等に，参加人から意見書の提出があったときはこれを審査請求人及び処分庁等に，それぞれ送付しなければならない。

（口頭意見陳述）
第31条①　審査請求人又は参加人の申立てがあった場合には，審理員は，当該申立てをした者（以下この条及び第41条第2項第2号において「申立人」という。）に口頭で審査請求に係る事件に関する意見を述べる機会を与えなければならない。ただし，当該申立人の所在その他の事情により当該意見を述べる機会を与えることが困難であると認められる場合には，この限りでない。
②　前項本文の規定による意見の陳述（以下「口頭意見陳述」という。）は，審理員が期日及び場所を指定し，全ての審理関係人を招集してさせるものとする。
③　口頭意見陳述において，申立人は，審理員の許可を得て，補佐人とともに出頭することができる。
④　口頭意見陳述において，審理員は，申立人のする陳述が事件に関係のない事項にわたる場合その他相当でない場合には，これを制限することができる。
⑤　口頭意見陳述に際し，申立人は，審理員の許可を得て，審査請求に係る事件に関し，処分庁等に対して，質問を発することができる。

（証拠書類等の提出）
第32条①　審査請求人又は参加人は，証拠書類又は証拠物を提出することができる。
②　処分庁等は，当該処分の理由となる事実を証する書類その他の物件を提出することができる。
③　前二項の場合において，審理員が，証拠書類若しくは証拠物又は書類その他の物件を提出すべき相当の期間を定めたときは，その期間内にこれを提出しなければならない。

（物件の提出要求）
第33条　審理員は，審査請求人若しくは参加人の申立てにより又は職権で，書類その他の物件の所持人に対し，相当の期間を定めて，その物件の提出を求めることができる。この場合において，審理員は，その提出された物件を留め置くことができる。

（参考人の陳述及び鑑定の要求）
第34条　審理員は，審査請求人若しくは参加人の申立てにより又は職権で，適当と認める者に，参考人としてその知っている事実の陳述を求め，又は鑑定を求めることができる。

（検証）
第35条①　審理員は，審査請求人若しくは参加人の申立てにより又は職権で，必要な場所につき，検証をすることができる。
②　審理員は，審査請求人又は参加人の申立てにより前項の検証をしようとするときは，あらかじめ，その日時及び場所を当該申立てをした者に通知し，これに立ち会う機会を与えなければならない。

（審理関係人への質問）
第36条　審理員は，審査請求人若しくは参加人の申立てにより又は職権で，審査請求に係る事件に関し，審理関係人に質問することができる。

（審理手続の計画的遂行）
第37条①　審理員は，審査請求に係る事件について，審理すべき事項が多数であり又は錯綜しているなど事件が複雑であること

その他の事情により、迅速かつ公正な審理を行うため、第31条から前条までに定める審理手続を計画的に遂行する必要があると認める場合には、期日及び場所を指定して、審理関係人を招集し、あらかじめ、これらの審理手続の申立てに関する意見の聴取を行うことができる。
② 審理員は、審理関係人が遠隔の地に居住している場合その他相当と認める場合には、政令で定めるところにより、審理員及び審理関係人が音声の送受信により通話をすることができる方法によって、前項に規定する意見の聴取を行うことができる。
③ 審理員は、前二項の規定による意見の聴取を行ったときは、遅滞なく、第31条から前条までに定める審理手続の期日及び場所並びに第41条第1項の規定による審理手続の終結の予定時期を決定し、これらを審理関係人に通知するものとする。当該予定時期を変更したときも、同様とする。

（審査請求人等による提出書類等の閲覧等）
第38条① 審査請求人又は参加人は、第41条第1項又は第2項の規定により審理手続が終結するまでの間、審理員に対し、提出書類等（第29条第4項各号に掲げる書面又は第32条第1項若しくは第2項若しくは第33条の規定により提出された書類その他の物件をいう。次項において同じ。）の閲覧（電磁的記録（電子的方式、磁気的方式その他人の知覚によっては認識することができない方式で作られる記録であって、電子計算機による情報処理の用に供されるものをいう。以下同じ。）にあっては、記録された事項を審査庁が定める方法により表示したものの閲覧）又は当該書面若しくは当該書類の写し若しくは当該電磁的記録に記録された事項を記載した書面の交付を求めることができる。この場合において、審理員は、第三者の利益を害するおそれが

あると認めるとき、その他正当な理由があるときでなければ、その閲覧又は交付を拒むことができない。
② 審理員は、前項の規定による閲覧をさせ、又は同項の規定による交付をしようとするときは、当該閲覧又は交付に係る提出書類等の提出人の意見を聴かなければならない。ただし、審理員が、その必要がないと認めるときは、この限りでない。
③ 審理員は、第1項の規定による閲覧について、日時及び場所を指定することができる。
④ 第1項の規定による交付を受ける審査請求人又は参加人は、政令で定めるところにより、実費の範囲内において政令で定める額の手数料を納めなければならない。
⑤ 審理員は、経済的困難その他特別の理由があると認めるときは、政令で定めるところにより、前項の手数料を減額し、又は免除することができる。
⑥ 地方公共団体（都道府県、市町村及び特別区並びに地方公共団体の組合に限る。以下同じ。）に所属する行政庁が審査庁である場合における前二項の規定の適用については、これらの規定中「政令」とあるのは、「条例」とし、国又は地方公共団体に所属しない行政庁が審査庁である場合におけるこれらの規定の適用については、これらの規定中「政令で」とあるのは、「審査庁が」とする。

（審理手続の併合又は分離）
第39条 審理員は、必要があると認める場合には、数個の審査請求に係る審理手続を併合し、又は併合された数個の審査請求に係る審理手続を分離することができる。

（審理員による執行停止の意見書の提出）
第40条 審理員は、必要があると認める場合には、審査庁に対し、執行停止をすべき旨の意見書を提出することができる。

> 資料

（審理手続の終結）
第41条① 審理員は，必要な審理を終えたと認めるときは，審理手続を終結するものとする。
② 前項に定めるもののほか，審理員は，次の各号のいずれかに該当するときは，審理手続を終結することができる。
1 次のイからホまでに掲げる規定の相当の期間内に，当該イからホまでに定める物件が提出されない場合において，更に一定の期間を示して，当該物件の提出を求めたにもかかわらず，当該提出期間内に当該物件が提出されなかったとき。
 イ 第29条第2項 弁明書
 ロ 第30条第1項後段 反論書
 ハ 第30条第2項後段 意見書
 ニ 第32条第3項 証拠書類若しくは証拠物又は書類その他の物件
 ホ 第33条前段 書類その他の物件
2 申立人が，正当な理由なく，口頭意見陳述に出頭しないとき。
③ 審理員が前二項の規定により審理手続を終結したときは，速やかに，審理関係人に対し，審理手続を終結した旨並びに次条第1項に規定する審理員意見書及び事件記録（審査請求書，弁明書その他審査請求に係る事件に関する書類その他の物件のうち政令で定めるものをいう。同条第2項及び第43条第2項において同じ。）を審査庁に提出する予定時期を通知するものとする。当該予定時期を変更したときも，同様とする。

（審理員意見書）
第42条① 審理員は，審理手続を終結したときは，遅滞なく，審査庁がすべき裁決に関する意見書（以下「審理員意見書」という。）を作成しなければならない。
② 審理員は，審理員意見書を作成したときは，速やかに，これを事件記録とともに，審査庁に提出しなければならない。

第4節 行政不服審査会等への諮問

第43条① 審査庁は，審理員意見書の提出を受けたときは，次の各号のいずれかに該当する場合を除き，審査庁が主任の大臣又は宮内庁長官若しくは内閣府設置法第49条第1項若しくは第2項若しくは国家行政組織法第3条第2項に規定する庁の長である場合にあっては行政不服審査会に，審査庁が地方公共団体の長（地方公共団体の組合にあっては，長，管理者又は理事会）である場合にあっては第81条第1項又は第2項の機関に，それぞれ諮問しなければならない。
1 審査請求に係る処分をしようとするときに他の法律又は政令（条例に基づく処分については，条例）に第9条第1項各号に掲げる機関若しくは地方公共団体の議会又はこれらの機関に類するものとして政令で定めるもの（以下「審議会等」という。）の議を経るべき旨又は経ることができる旨の定めがあり，かつ，当該議を経て当該処分がされた場合
2 裁決をしようとするときに他の法律又は政令（条例に基づく処分については，条例）に第9条第1項各号に掲げる機関若しくは地方公共団体の議会又はこれらの機関に類するものとして政令で定めるものの議を経るべき旨又は経ることができる旨の定めがあり，かつ，当該議を経て裁決をしようとする場合
3 第46条第3項又は第49条第4項の規定により審議会等の議を経て裁決をしようとする場合
4 審査請求人から，行政不服審査会又は第81条第1項若しくは第2項の機関（以下「行政不服審査会等」という。）への諮問を希望しない旨の申出がされている場合（参加人から，行政不服審査会等

に諮問しないことについて反対する旨の申出がされている場合を除く。）
5　審査請求が、行政不服審査会等によって、国民の権利利益及び行政の運営に対する影響の程度その他当該事件の性質を勘案して、諮問を要しないものと認められたものである場合
6　審査請求が不適法であり、却下する場合
7　第46条第1項の規定により審査請求に係る処分（法令に基づく申請を却下し、又は棄却する処分及び事実上の行為を除く。）の全部を取り消し、又は第47条第1号若しくは第2号の規定により審査請求に係る事実上の行為の全部を撤廃すべき旨を命じ、若しくは撤廃することとする場合（当該処分の全部を取り消すこと又は当該事実上の行為の全部を撤廃すべき旨を命じ、若しくは撤廃することについて反対する旨の意見書が提出されている場合及び口頭意見陳述においてその旨の意見が述べられている場合を除く。）
8　第46条第2項各号又は第49条第3項各号に定める措置（法令に基づく申請の全部を認容すべき旨を命じ、又は認容するものに限る。）をとることとする場合（当該申請の全部を認容することについて反対する旨の意見書が提出されている場合及び口頭意見陳述においてその旨の意見が述べられている場合を除く。）
②　前項の規定による諮問は、審理員意見書及び事件記録の写しを添えてしなければならない。
③　第1項の規定により諮問をした審査庁は、審理関係人（処分庁等が審査庁である場合にあっては、審査請求人及び参加人）に対し、当該諮問をした旨を通知するとともに、審理員意見書の写しを送付しなければならない。

第5節　裁　決

（裁決の時期）
第44条　審査庁は、行政不服審査会等から諮問に対する答申を受けたとき（前条第1項の規定による諮問を要しない場合（同項第2号又は第3号に該当する場合を除く。）にあっては審理員意見書が提出されたとき、同項第2号又は第3号に該当する場合にあっては同項第2号又は第3号に規定する議を経たとき）は、遅滞なく、裁決をしなければならない。

（処分についての審査請求の却下又は棄却）
第45条①　処分についての審査請求が法定の期間経過後にされたものである場合その他不適法である場合には、審査庁は、裁決で、当該審査請求を却下する。
②　処分についての審査請求が理由がない場合には、審査庁は、裁決で、当該審査請求を棄却する。
③　審査請求に係る処分が違法又は不当ではあるが、これを取り消し、又は撤廃することにより公の利益に著しい障害を生ずる場合において、審査請求人の受ける損害の程度、その損害の賠償又は防止の程度及び方法その他一切の事情を考慮した上、処分を取り消し、又は撤廃することが公共の福祉に適合しないと認めるときは、審査庁は、裁決で、当該審査請求を棄却することができる。この場合には、審査庁は、裁決の主文で、当該処分が違法又は不当であることを宣言しなければならない。

（処分についての審査請求の認容）
第46条①　処分（事実上の行為を除く。以下この条及び第48条において同じ。）についての審査請求が理由がある場合（前条第3項の規定の適用がある場合を除く。）には、審査庁は、裁決で、当該処分の全部若しくは一部を取り消し、又はこれを変更す

る。ただし、審査庁が処分庁の上級行政庁又は処分庁のいずれでもない場合には、当該処分を変更することはできない。
② 前項の規定により法令に基づく申請を却下し、又は棄却する処分の全部又は一部を取り消す場合において、次の各号に掲げる審査庁は、当該申請に対して一定の処分をすべきものと認めるときは、当該各号に定める措置をとる。
　1　処分庁の上級行政庁である審査庁　当該処分庁に対し、当該処分をすべき旨を命ずること。
　2　処分庁である審査庁　当該処分をすること。
③ 前項に規定する一定の処分に関し、第43条第1項第1号に規定する議を経るべき旨の定めがある場合において、審査庁が前項各号に定める措置をとるために必要があると認めるときは、審査庁は、当該定めに係る審議会等の議を経ることができる。
④ 前項に規定する定めがある場合のほか、第2項に規定する一定の処分に関し、他の法令に関係行政機関との協議の実施その他の手続をとるべき旨の定めがある場合において、審査庁が同項各号に定める措置をとるために必要があると認めるときは、審査庁は、当該手続をとることができる。

第47条　事実上の行為についての審査請求が理由がある場合（第45条第3項の規定の適用がある場合を除く。）には、審査庁は、裁決で、当該事実上の行為が違法又は不当である旨を宣言するとともに、次の各号に掲げる審査庁の区分に応じ、当該各号に定める措置をとる。ただし、審査庁が処分庁の上級行政庁以外の審査庁である場合には、当該事実上の行為を変更すべき旨を命ずることはできない。
　1　処分庁以外の審査庁　当該処分庁に対し、当該事実上の行為の全部若しくは一部を撤廃し、又はこれを変更すべき旨を命ずること。
　2　処分庁である審査庁　当該事実上の行為の全部若しくは一部を撤廃し、又はこれを変更すること。

（不利益変更の禁止）
第48条　第46条第1項本文又は前条の場合において、審査庁は、審査請求人の不利益に当該処分を変更し、又は当該事実上の行為を変更すべき旨を命じ、若しくはこれを変更することはできない。

（不作為についての審査請求の裁決）
第49条① 不作為についての審査請求が当該不作為に係る処分についての申請から相当の期間が経過しないでされたものである場合その他不適法である場合には、審査庁は、裁決で、当該審査請求を却下する。
② 不作為についての審査請求が理由がない場合には、審査庁は、裁決で、当該審査請求を棄却する。
③ 不作為についての審査請求が理由がある場合には、審査庁は、裁決で、当該不作為が違法又は不当である旨を宣言する。この場合において、次の各号に掲げる審査庁は、当該申請に対して一定の処分をすべきものと認めるときは、当該各号に定める措置をとる。
　1　不作為庁の上級行政庁である審査庁　当該不作為庁に対し、当該処分をすべき旨を命ずること。
　2　不作為庁である審査庁　当該処分をすること。
④ 審査請求に係る不作為に係る処分に関し、第43条第1項第1号に規定する議を経るべき旨の定めがある場合において、審査庁が前項各号に定める措置をとるために必要があると認めるときは、審査庁は、当該定めに係る審議会等の議を経ることができる。
⑤ 前項に規定する定めがある場合のほか、

審査請求に係る不作為に係る処分に関し，他の法令に関係行政機関との協議の実施その他の手続をとるべき旨の定めがある場合において，審査庁が第3項各号に定める措置をとるために必要があると認めるときは，審査庁は，当該手続をとることができる。

（裁決の方式）

第50条① 裁決は，次に掲げる事項を記載し，審査庁が記名押印した裁決書によりしなければならない。
1 主文
2 事案の概要
3 審理関係人の主張の要旨
4 理由（第1号の主文が審理員意見書又は行政不服審査会等若しくは審議会等の答申書と異なる内容である場合には，異なることとなった理由を含む。）

② 第43条第1項の規定による行政不服審査会等への諮問を要しない場合には，前項の裁決書には，審理員意見書を添付しなければならない。

③ 審査庁は，再審査請求をすることができる裁決をする場合には，裁決書に再審査請求をすることができる旨並びに再審査請求をすべき行政庁及び再審査請求期間（第62条に規定する期間をいう。）を記載して，これらを教示しなければならない。

（裁決の効力発生）

第51条① 裁決は，審査請求人（当該審査請求が処分の相手方以外の者のしたものである場合における第46条第1項及び第47条の規定による裁決にあっては，審査請求人及び処分の相手方）に送達された時に，その効力を生ずる。

② 裁決の送達は，送達を受けるべき者に裁決書の謄本を送付することによってする。ただし，送達を受けるべき者の所在が知れない場合その他裁決書の謄本を送付することができない場合には，公示の方法によってすることができる。

③ 公示の方法による送達は，審査庁が裁決書の謄本を保管し，いつでもその送達を受けるべき者に交付する旨を当該審査庁の掲示場に掲示し，かつ，その旨を官報その他の公報又は新聞紙に少なくとも1回掲載してするものとする。この場合において，その掲示を始めた日の翌日から起算して2週間を経過した時に裁決書の謄本の送付があったものとみなす。

④ 審査庁は，裁決書の謄本を参加人及び処分庁等（審査庁以外の処分庁等に限る。）に送付しなければならない。

（裁決の拘束力）

第52条① 裁決は，関係行政庁を拘束する。

② 申請に基づいてした処分が手続の違法若しくは不当を理由として裁決で取り消され，又は申請を却下し，若しくは棄却した処分が裁決で取り消された場合には，処分庁は，裁決の趣旨に従い，改めて申請に対する処分をしなければならない。

③ 法令の規定により公示された処分が裁決で取り消され，又は変更された場合には，処分庁は，当該処分が取り消され，又は変更された旨を公示しなければならない。

④ 法令の規定により処分の相手方以外の利害関係人に通知された処分が裁決で取り消され，又は変更された場合には，処分庁は，その通知を受けた者（審査請求人及び参加人を除く。）に，当該処分が取り消され，又は変更された旨を通知しなければならない。

（証拠書類等の返還）

第53条 審査庁は，裁決をしたときは，速やかに，第32条第1項又は第2項の規定により提出された証拠書類若しくは証拠物又は書類その他の物件及び第33条の規定による提出要求に応じて提出された書類その他の物件をその提出人に返還しなければれ

資料

ならない。

第3章 再調査の請求

（再調査の請求期間）

第54条① 再調査の請求は，処分があったことを知った日の翌日から起算して3月を経過したときは，することができない。ただし，正当な理由があるときは，この限りでない。

② 再調査の請求は，処分があった日の翌日から起算して1年を経過したときは，することができない。ただし，正当な理由があるときは，この限りでない。

（誤った教示をした場合の救済）

第55条① 再調査の請求をすることができる処分につき，処分庁が誤って再調査の請求をすることができる旨を教示しなかった場合において，審査請求がされた場合であって，審査請求人から申立てがあったときは，審査庁は，速やかに，審査請求書又は審査請求録取書を処分庁に送付しなければならない。ただし，審査請求人に対し弁明書が送付された後においては，この限りでない。

② 前項本文の規定により審査請求書又は審査請求録取書の送付を受けた処分庁は，速やかに，その旨を審査請求人及び参加人に通知しなければならない。

③ 第1項本文の規定により審査請求書又は審査請求録取書が処分庁に送付されたときは，初めから処分庁に再調査の請求がされたものとみなす。

（再調査の請求についての決定を経ずに審査請求がされた場合）

第56条 第5条第2項ただし書の規定により審査請求がされたときは，同項の再調査の請求は，取り下げられたものとみなす。ただし，処分庁において当該審査請求がされた日以前に再調査の請求に係る処分（事実上の行為を除く。）を取り消す旨の第60条第1項の決定書の謄本を発している場合又は再調査の請求に係る事実上の行為を撤廃している場合は，当該審査請求（処分（事実上の行為を除く。）の一部を取り消す旨の第59条第1項の決定がされている場合又は事実上の行為の一部が撤廃されている場合にあっては，その部分に限る。）が取り下げられたものとみなす。

（3月後の教示）

第57条 処分庁は，再調査の請求がされた日（第61条において読み替えて準用する第23条の規定により不備を補正すべきことを命じた場合にあっては，当該不備が補正された日）の翌日から起算して3月を経過しても当該再調査の請求が係属しているときは，遅滞なく，当該処分について直ちに審査請求をすることができる旨を書面でその再調査の請求人に教示しなければならない。

（再調査の請求の却下又は棄却の決定）

第58条① 再調査の請求が法定の期間経過後にされたものである場合その他不適法である場合には，処分庁は，決定で，当該再調査の請求を却下する。

② 再調査の請求が理由がない場合には，処分庁は，決定で，当該再調査の請求を棄却する。

（再調査の請求の認容の決定）

第59条① 処分（事実上の行為を除く。）についての再調査の請求が理由がある場合には，処分庁は，決定で，当該処分の全部若しくは一部を取り消し，又はこれを変更する。

② 事実上の行為についての再調査の請求が理由がある場合には，処分庁は，決定で，当該事実上の行為が違法又は不当である旨を宣言するとともに，当該事実上の行為の全部若しくは一部を撤廃し，又はこれを変

更する。

③　処分庁は、前二項の場合において、再調査の請求人の不利益に当該処分又は当該事実上の行為を変更することはできない。
（決定の方式）
第60条①　前二条の決定は、主文及び理由を記載し、処分庁が記名押印した決定書によりしなければならない。

②　処分庁は、前項の決定書（再調査の請求に係る処分の全部を取り消し、又は撤廃する決定に係るものを除く。）に、再調査の請求に係る処分につき審査請求をすることができる旨（却下の決定である場合にあっては、当該却下の決定が違法な場合に限り審査請求をすることができる旨）並びに審査請求をすべき行政庁及び審査請求期間を記載して、これらを教示しなければならない。
（審査請求に関する規定の準用）
第61条　第9条第4項、第10条から第16条まで、第18条第3項、第19条（第3項並びに第5項第1号及び第2号を除く。）、第20条、第23条、第24条、第25条（第3項を除く。）、第26条、第27条、第31条（第5項を除く。）、第32条（第2項を除く。）、第39条、第51条及び第53条の規定は、再調査の請求について準用する。この場合において、別表第2の上欄に掲げる規定中同表の中欄に掲げる字句は、それぞれ同表の下欄に掲げる字句に読み替えるものとする。

第4章　再審査請求

（再審査請求期間）
第62条①　再審査請求は、原裁決があったことを知った日の翌日から起算して1月を経過したときは、することができない。ただし、正当な理由があるときは、この限りでない。

②　再審査請求は、原裁決があった日の翌日から起算して1年を経過したときは、することができない。ただし、正当な理由があるときは、この限りでない。
（裁決書の送付）
第63条　第66条第1項において読み替えて準用する第11条第2項に規定する審理員又は第66条第1項において準用する第9条第1項各号に掲げる機関である再審査庁（他の法律の規定により再審査請求がされた行政庁（第66条第1項において読み替えて準用する第14条の規定により引継ぎを受けた行政庁を含む。）をいう。以下同じ。）は、原裁決をした行政庁に対し、原裁決に係る裁決書の送付を求めるものとする。
（再審査請求の却下又は棄却の裁決）
第64条①　再審査請求が法定の期間経過後にされたものである場合その他不適法である場合には、再審査庁は、裁決で、当該再審査請求を却下する。

②　再審査請求が理由がない場合には、再審査庁は、裁決で、当該再審査請求を棄却する。

③　再審査請求に係る原裁決（審査請求を却下し、又は棄却したものに限る。）が違法又は不当である場合において、当該審査請求に係る処分が違法又は不当のいずれでもないときは、再審査庁は、裁決で、当該再審査請求を棄却する。

④　前項に規定する場合のほか、再審査請求に係る原裁決等が違法又は不当ではあるが、これを取り消し、又は撤廃することにより公の利益に著しい障害を生ずる場合において、再審査請求人の受ける損害の程度、その損害の賠償又は防止の程度及び方法その他一切の事情を考慮した上、原裁決等を取り消し、又は撤廃することが公共の福祉に適合しないと認めるときは、再審査庁は、

> 資料

裁決で，当該再審査請求を棄却することができる。この場合には，再審査庁は，裁決の主文で，当該原裁決等が違法又は不当であることを宣言しなければならない。

（再審査請求の認容の裁決）

第65条① 原裁決等（事実上の行為を除く。）についての再審査請求が理由がある場合（前条第3項に規定する場合及び同条第4項の規定の適用がある場合を除く。）には，再審査庁は，裁決で，当該原裁決等の全部又は一部を取り消す。

② 事実上の行為についての再審査請求が理由がある場合（前条第4項の規定の適用がある場合を除く。）には，裁決で，当該事実上の行為が違法又は不当である旨を宣言するとともに，処分庁に対し，当該事実上の行為の全部又は一部を撤廃すべき旨を命ずる。

（審査請求に関する規定の準用）

第66条① 第2章（第9条第3項，第18条（第3項を除く。），第19条第3項並びに第5項第1号及び第2号，第22条，第25条第2項，第29条（第1項を除く。），第30条第1項，第41条第2項第1号イ及びロ，第4節，第45条から第49条まで並びに第50条第3項を除く。）の規定は，再審査請求について準用する。この場合において，別表第3の上欄に掲げる規定中同表の中欄に掲げる字句は，それぞれ同表の下欄に掲げる字句に読み替えるものとする。

② 再審査庁が前項において準用する第9条第1項各号に掲げる機関である場合には，前項において準用する第17条，第40条，第42条及び第50条第2項の規定は，適用しない。

第5章　行政不服審査会等
第1節　行政不服審査会
第1款　設置及び組織

（設置）

第67条① 総務省に，行政不服審査会（以下「審査会」という。）を置く。

② 審査会は，この法律の規定によりその権限に属させられた事項を処理する。

（組織）

第68条① 審査会は，委員9人をもって組織する。

② 委員は，非常勤とする。ただし，そのうち3人以内は，常勤とすることができる。

（委員）

第69条① 委員は，審査会の権限に属する事項に関し公正な判断をすることができ，かつ，法律又は行政に関して優れた識見を有する者のうちから，両議院の同意を得て，総務大臣が任命する。

② 委員の任期が満了し，又は欠員を生じた場合において，国会の閉会又は衆議院の解散のために両議院の同意を得ることができないときは，総務大臣は，前項の規定にかかわらず，同項に定める資格を有する者のうちから，委員を任命することができる。

③ 前項の場合においては，任命後最初の国会で両議院の事後の承認を得なければならない。この場合において，両議院の事後の承認が得られないときは，総務大臣は，直ちにその委員を罷免しなければならない。

④ 委員の任期は，3年とする。ただし，補欠の委員の任期は，前任者の残任期間とする。

⑤ 委員は，再任されることができる。

⑥ 委員の任期が満了したときは，当該委員は，後任者が任命されるまで引き続きその職務を行うものとする。

⑦ 総務大臣は，委員が心身の故障のために

職務の執行ができないと認める場合又は委員に職務上の義務違反その他委員たるに適しない非行があると認める場合には，両議院の同意を得て，その委員を罷免することができる。

⑧　委員は，職務上知ることができた秘密を漏らしてはならない。その職を退いた後も同様とする。

⑨　委員は，在任中，政党その他の政治的団体の役員となり，又は積極的に政治運動をしてはならない。

⑩　常勤の委員は，在任中，総務大臣の許可がある場合を除き，報酬を得て他の職務に従事し，又は営利事業を営み，その他金銭上の利益を目的とする業務を行ってはならない。

⑪　委員の給与は，別に法律で定める。

（会長）

第70条①　審査会に，会長を置き，委員の互選により選任する。

②　会長は，会務を総理し，審査会を代表する。

③　会長に事故があるときは，あらかじめその指名する委員が，その職務を代理する。

（専門委員）

第71条①　審査会に，専門の事項を調査させるため，専門委員を置くことができる。

②　専門委員は，学識経験のある者のうちから，総務大臣が任命する。

③　専門委員は，その者の任命に係る当該専門の事項に関する調査が終了したときは，解任されるものとする。

④　専門委員は，非常勤とする。

（合議体）

第72条①　審査会は，委員のうちから，審査会が指名する者3人をもって構成する合議体で，審査請求に係る事件について調査審議する。

②　前項の規定にかかわらず，審査会が定める場合においては，委員の全員をもって構成する合議体で，審査請求に係る事件について調査審議する。

（事務局）

第73条①　審査会の事務を処理させるため，審査会に事務局を置く。

②　事務局に，事務局長のほか，所要の職員を置く。

③　事務局長は，会長の命を受けて，局務を掌理する。

第2款　審査会の調査審議の手続

（審査会の調査権限）

第74条　審査会は，必要があると認める場合には，審査請求に係る事件に関し，審査請求人，参加人又は第43条第1項の規定により審査会に諮問をした審査庁（以下この款において「審査関係人」という。）にその主張を記載した書面（以下この款において「主張書面」という。）又は資料の提出を求めること，適当と認める者にその知っている事実の陳述又は鑑定を求めることその他必要な調査をすることができる。

（意見の陳述）

第75条①　審査会は，審査関係人の申立てがあった場合には，当該審査関係人に口頭で意見を述べる機会を与えなければならない。ただし，審査会が，その必要がないと認める場合には，この限りでない。

②　前項本文の場合において，審査請求人又は参加人は，審査会の許可を得て，補佐人とともに出頭することができる。

（主張書面等の提出）

第76条　審査関係人は，審査会に対し，主張書面又は資料を提出することができる。この場合において，審査会が，主張書面又は資料を提出すべき相当の期間を定めたときは，その期間内にこれを提出しなければならない。

［資　料］

（委員による調査手続）
第77条　審査会は，必要があると認める場合には，その指名する委員に，第74条の規定による調査をさせ，又は第75条第1項本文の規定による審査関係人の意見の陳述を聴かせることができる。

（提出資料の閲覧等）
第78条①　審査関係人は，審査会に対し，審査会に提出された主張書面若しくは資料の閲覧（電磁的記録にあっては，記録された事項を審査会が定める方法により表示したものの閲覧）又は当該主張書面若しくは当該資料の写し若しくは当該電磁的記録に記録された事項を記載した書面の交付を求めることができる。この場合において，審査会は，第三者の利益を害するおそれがあると認めるとき，その他正当な理由があるときでなければ，その閲覧又は交付を拒むことができない。
②　審査会は，前項の規定による閲覧をさせ，又は同項の規定による交付をしようとするときは，当該閲覧又は交付に係る主張書面又は資料の提出人の意見を聴かなければならない。ただし，審査会が，その必要がないと認めるときは，この限りでない。
③　審査会は，第1項の規定による閲覧について，日時及び場所を指定することができる。
④　第1項の規定による交付を受ける審査請求人又は参加人は，政令で定めるところにより，実費の範囲内において政令で定める額の手数料を納めなければならない。
⑤　審査会は，経済的困難その他特別の理由があると認めるときは，政令で定めるところにより，前項の手数料を減額し，又は免除することができる。

（答申書の送付等）
第79条　審査会は，諮問に対する答申をしたときは，答申書の写しを審査請求人及び参加人に送付するとともに，答申の内容を公表するものとする。

第3款　雑　則

（政令への委任）
第80条　この法律に定めるもののほか，審査会に関し必要な事項は，政令で定める。

第2節　地方公共団体に置かれる機関

第81条①　地方公共団体に，執行機関の附属機関として，この法律の規定によりその権限に属させられた事項を処理するための機関を置く。
②　前項の規定にかかわらず，地方公共団体は，当該地方公共団体における不服申立ての状況等に鑑み同項の機関を置くことが不適当又は困難であるときは，条例で定めるところにより，事件ごとに，執行機関の附属機関として，この法律の規定によりその権限に属させられた事項を処理するための機関を置くこととすることができる。
③　前節第2款の規定は，前二項の機関について準用する。この場合において，第78条第4項及び第5項中「政令」とあるのは，「条例」と読み替えるものとする。
④　前三項に定めるもののほか，第1項又は第2項の機関の組織及び運営に関し必要な事項は，当該機関を置く地方公共団体の条例（地方自治法第252条の7第1項の規定により共同設置する機関にあっては，同項の規約）で定める。

第6章　補　則

（不服申立てをすべき行政庁等の教示）
第82条①　行政庁は，審査請求若しくは再調査の請求又は他の法令に基づく不服申立て（以下この条において「不服申立て」と総称する。）をすることができる処分をする場合には，処分の相手方に対し，当該処

分につき不服申立てをすることができる旨並びに不服申立てをすべき行政庁及び不服申立てをすることができる期間を書面で教示しなければならない。ただし，当該処分を口頭でする場合は，この限りでない。

② 行政庁は，利害関係人から，当該処分が不服申立てをすることができる処分であるかどうか並びに当該処分が不服申立てをすることができるものである場合における不服申立てをすべき行政庁及び不服申立てをすることができる期間につき教示を求められたときは，当該事項を教示しなければならない。

③ 前項の場合において，教示を求めた者が書面による教示を求めたときは，当該教示は，書面でしなければならない。

（教示をしなかった場合の不服申立て）

第83条① 行政庁が前条の規定による教示をしなかった場合には，当該処分について不服がある者は，当該処分庁に不服申立書を提出することができる。

② 第19条（第5項第1号及び第2号を除く。）の規定は，前項の不服申立書について準用する。

③ 第1項の規定により不服申立書の提出があった場合において，当該処分が処分庁以外の行政庁に対し審査請求をすることができる処分であるときは，処分庁は，速やかに，当該不服申立書を当該行政庁に送付しなければならない。当該処分が他の法令に基づき，処分庁以外の行政庁に不服申立てをすることができる処分であるときも，同様とする。

④ 前項の規定により不服申立書が送付されたときは，初めから当該行政庁に審査請求又は当該法令に基づく不服申立てがされたものとみなす。

⑤ 第3項の場合を除くほか，第1項の規定により不服申立書が提出されたときは，初めから当該処分庁に審査請求又は当該法令に基づく不服申立てがされたものとみなす。

（情報の提供）

第84条 審査請求，再調査の請求若しくは再審査請求又は他の法令に基づく不服申立て（以下この条及び次条において「不服申立て」と総称する。）につき裁決，決定その他の処分（同条において「裁決等」という。）をする権限を有する行政庁は，不服申立てをしようとする者又は不服申立てをした者の求めに応じ，不服申立書の記載に関する事項その他の不服申立てに必要な情報の提供に努めなければならない。

（公表）

第85条 不服申立てにつき裁決等をする権限を有する行政庁は，当該行政庁がした裁決等の内容その他当該行政庁における不服申立ての処理状況について公表するよう努めなければならない。

（政令への委任）

第86条 この法律に定めるもののほか，この法律の実施のために必要な事項は，政令で定める。

（罰則）

第87条 第69条第8項の規定に違反して秘密を漏らした者は，1年以下の懲役又は50万円以下の罰金に処する。

附　則

（施行期日）

第1条 この法律は，公布の日から起算して2年を超えない範囲内において政令で定める日〈平成28・4・1―平成27政390〉から施行する。ただし，次条の規定は，公布の日から施行する。

（準備行為）

第2条 第69条第1項の規定による審査会の委員の任命に関し必要な行為は，この法律の施行の日前においても，同項の規定の

> 資料

例によりすることができる。

（経過措置）
第3条 行政庁の処分又は不作為についての不服申立てであって，この法律の施行前にされた行政庁の処分又はこの法律の施行前にされた申請に係る行政庁の不作為に係るものについては，なお従前の例による。

第4条① この法律の施行後最初に任命される審査会の委員の任期は，第69条第4項本文の規定にかかわらず，9人のうち，3人は2年，6人は3年とする。
② 前項に規定する各委員の任期は，総務大臣が定める。

（その他の経過措置の政令への委任）
第5条 前二条に定めるもののほか，この法律の施行に関し必要な経過措置は，政令で定める。

（検討）
第6条 政府は，この法律の施行後5年を経過した場合において，この法律の施行の状況について検討を加え，必要があると認めるときは，その結果に基づいて所要の措置を講ずるものとする。

別表（略）

行政不服審査法施行令（平成27年11月26日政令第391号）

施行　平成28・4・1（附則参照）

第1章　審査請求

（審理員）

第1条①　審査庁は，行政不服審査法（以下「法」という。）第9条第1項の規定により2人以上の審理員を指名する場合には，そのうち1人を，当該2人以上の審理員が行う事務を総括する者として指定するものとする。

②　審査庁は，審理員が法第9条第2項各号に掲げる者のいずれかに該当することとなったときは，当該審理員に係る同条第1項の規定による指名を取り消さなければならない。

（法第9条第3項に規定する場合の読替え等）

第2条　法第9条第3項に規定する場合においては，別表第1の上欄に掲げる規定の適用については，これらの規定中同表の中欄に掲げる字句は，それぞれ同表の下欄に掲げる字句とし，前条，第15条及び第16条の規定は，適用しない。

（代表者等の資格の証明等）

第3条①　審査請求人の代表者若しくは管理人，総代又は代理人の資格は，次条第3項の規定の適用がある場合のほか，書面で証明しなければならない。法第12条第2項ただし書に規定する特別の委任についても，同様とする。

②　審査請求人は，代表者若しくは管理人，総代又は代理人がその資格を失ったときは，書面でその旨を審査庁（審理員が指名されている場合において，審理手続が終結するまでの間は，審理員）に届け出なければならない。

③　前二項の規定は，参加人の代表者若しくは管理人又は代理人の資格について準用する。この場合において，第1項中「次条第3項の規定の適用がある場合のほか，書面」とあるのは「書面」と，「第12条第2項ただし書」とあるのは「第13条第4項ただし書」と，前項中「審査請求人」とあるのは「参加人」と，「，総代又は」とあるのは「又は」と読み替えるものとする。

（審査請求書の提出）

第4条①　審査請求書は，審査請求をすべき行政庁が処分庁等でない場合には，正副2通を提出しなければならない。

②　審査請求書には，審査請求人（審査請求人が法人その他の社団又は財団である場合にあっては代表者又は管理人，審査請求人が総代を互選した場合にあっては総代，審査請求人が代理人によって審査請求をする場合にあっては代理人）が押印しなければならない。

③　審査請求書の正本には，審査請求人が法人その他の社団又は財団である場合にあっては代表者又は管理人の資格を証する書面を，審査請求人が総代を互選した場合にあっては総代の資格を証する書面を，審査請求人が代理人によって審査請求をする場合にあっては代理人の資格を証する書面を，それぞれ添付しなければならない。

④　第1項の規定にかかわらず，行政手続等における情報通信の技術の利用に関する法律（平成14年法律第151号。以下「情報

資 料

通信技術利用法」という。）第3条第1項の規定により同項に規定する電子情報処理組織を使用して審査請求がされた場合（審査請求をすべき行政庁が処分庁等でない場合に限る。）には，第1項の規定に従って審査請求書が提出されたものとみなす。

（審査請求書の送付）

第5条① 法第29条第1項本文の規定による審査請求書の送付は，審査請求書の副本（法第22条第3項若しくは第4項又は第83条第3項の規定の適用がある場合にあっては，審査請求書の写し。次項において同じ。）によってする。

② 前条第4項に規定する場合において，当該審査請求に係る電磁的記録については，審査請求書の副本とみなして，前項の規定を適用する。

（弁明書の提出）

第6条① 弁明書は，正本並びに当該弁明書を送付すべき審査請求人及び参加人の数に相当する通数の副本を提出しなければならない。

② 前項の規定にかかわらず，情報通信技術利用法第3条第1項の規定により同項に規定する電子情報処理組織を使用して弁明がされた場合には，前項の規定に従って弁明書が提出されたものとみなす。

③ 法第29条第5項の規定による弁明書の送付は，弁明書の副本によってする。

④ 第2項に規定する場合において，当該弁明に係る電磁的記録については，弁明書の副本とみなして，前項の規定を適用する。

（反論書等の提出）

第7条① 反論書は，正本並びに当該反論書を送付すべき参加人及び処分庁等の数に相当する通数の副本を，法第30条第2項に規定する意見書（以下この条及び第15条において「意見書」という。）は，正本並びに当該意見書を送付すべき審査請求人及び処分庁等の数に相当する通数の副本を，それぞれ提出しなければならない。

② 前項の規定にかかわらず，情報通信技術利用法第3条第1項の規定により同項に規定する電子情報処理組織を使用して反論がされ，又は意見が述べられた場合には，前項の規定に従って反論書又は意見書が提出されたものとみなす。

③ 法第30条第3項の規定による反論書又は意見書の送付は，反論書又は意見書の副本によってする。

④ 第2項に規定する場合において，当該反論又は当該意見に係る電磁的記録については，反論書又は意見書の副本とみなして，前項の規定を適用する。

（映像等の送受信による通話の方法による口頭意見陳述等）

第8条 審理員は，口頭意見陳述の期日における審理を行う場合において，遠隔の地に居住する審理関係人があるとき，その他相当と認めるときは，総務省令で定めるところにより，審理員及び審理関係人が映像と音声の送受信により相手の状態を相互に認識しながら通話をすることができる方法によって，審理を行うことができる。

（通話者等の確認）

第9条 審理員は，法第37条第2項の規定による意見の聴取を行う場合には，通話者及び通話先の場所の確認をしなければならない。

（交付の求め）

第10条 法第38条第1項の規定による交付の求めは，次に掲げる事項を記載した書面を提出してしなければならない。

1 交付に係る法第38条第1項に規定する書面若しくは書類（以下「対象書面等」という。）又は交付に係る同項に規定する電磁的記録（以下「対象電磁的記録」という。）を特定するに足りる事項

2 対象書面等又は対象電磁的記録について求める交付の方法（次条各号に掲げる交付の方法をいう。）
3 対象書面等又は対象電磁的記録について第14条に規定する送付による交付を求める場合にあっては、その旨

（交付の方法）
第11条 法第38条第1項の規定による交付は、次の各号のいずれかの方法によってする。
1 対象書面等の写しの交付にあっては、当該対象書面等を複写機により用紙の片面又は両面に白黒又はカラーで複写したものの交付
2 対象電磁的記録に記録された事項を記載した書面の交付にあっては、当該事項を用紙の片面又は両面に白黒又はカラーで出力したものの交付
3 情報通信技術利用法第4条第1項の規定により同項に規定する電子情報処理組織を使用して行う方法

（手数料の額等）
第12条① 法第38条第4項（同条第6項の規定により読み替えて適用する場合を除く。）の規定により納付しなければならない手数料（以下この条及び次条において「手数料」という。）の額は、次の各号に掲げる交付の方法の区分に応じ、当該各号に定める額とする。
1 前条第1号又は第2号に掲げる交付の方法　用紙1枚につき10円（カラーで複写され、又は出力された用紙にあっては、20円）。この場合において、両面に複写され、又は出力された用紙については、片面を1枚として手数料の額を算定する。
2 前条第3号に掲げる交付の方法　同条第1号又は第2号に掲げる交付の方法（用紙の片面に複写し、又は出力する方法に限る。）によってするとしたならば、複写され、又は出力される用紙1枚につき10円
② 手数料は、審査庁が定める書面に収入印紙を貼って納付しなければならない。ただし、次に掲げる場合は、この限りでない。
1 手数料の納付について収入印紙によることが適当でない審査請求として審査庁がその範囲及び手数料の納付の方法を官報により公示した場合において、公示された方法により手数料を納付する場合（第3号に掲げる場合を除く。）
2 審査庁の事務所において手数料の納付を現金ですることが可能である旨及び当該事務所の所在地を当該審査庁が官報により公示した場合において、手数料を当該事務所において現金で納付する場合（次号に掲げる場合を除く。）
3 情報通信技術利用法第3条第1項の規定により同項に規定する電子情報処理組織を使用して法第38条第1項の規定による交付を求める場合において、総務省令で定める方法により手数料を納付する場合

（手数料の減免）
第13条① 審理員は、法第38条第1項の規定による交付を受ける審査請求人又は参加人（以下この条及び次条において「審査請求人等」という。）が経済的困難により手数料を納付する資力がないと認めるときは、同項の規定による交付の求め1件につき2000円を限度として、手数料を減額し、又は免除することができる。
② 手数料の減額又は免除を受けようとする審査請求人等は、法第38条第1項の規定による交付を求める際に、併せて当該減額又は免除を求める旨及びその理由を記載した書面を審理員に提出しなければならない。
③ 前項の書面には、審査請求人等が生活保

> 資料

護法（昭和25年法律第144号）第11条第1項各号に掲げる扶助を受けていることを理由とする場合にあっては当該扶助を受けていることを証明する書面を、その他の事実を理由とする場合にあっては当該事実を証明する書面を、それぞれ添付しなければならない。

（送付による交付）

第14条① 法第38条第1項の規定による交付を受ける審査請求人等は、同条第4項の規定により納付しなければならない手数料のほか送付に要する費用を納付して、対象書面等の写し又は対象電磁的記録に記録された事項を記載した書面の送付を求めることができる。この場合において、当該送付に要する費用は、総務省令で定める方法により納付しなければならない。

② 国に所属しない行政庁が審査庁である場合における前項の規定の適用については、同項中「総務省令で」とあるのは、「審査庁が」とする。

（事件記録）

第15条① 法第41条第3項の政令で定めるものは、次に掲げるものとする。
1 審査請求録取書
2 法第29条第4項各号に掲げる書面
3 反論書
4 意見書
5 口頭意見陳述若しくは特定意見聴取、法第34条の陳述若しくは鑑定、法第35条第1項の検証、法第36条の規定による質問又は法第37条第1項若しくは第2項の規定による意見の聴取の記録
6 法第32条第1項又は第2項の規定により提出された証拠書類若しくは証拠物又は書類その他の物件
7 法第33条の規定による提出要求に応じて提出された書類その他の物件

② 前項第5号の「特定意見聴取」とは、審理手続において審理員が次に掲げる規定による意見の聴取を行った場合における当該意見の聴取をいう。

1 外国為替及び外国貿易法（昭和24年法律第228号）第56条第1項
2 肥料取締法（昭和25年法律第127号）第34条第2項（同法第33条の5第4項において準用する場合を含む。）
3 火薬類取締法（昭和25年法律第149号）第55条第1項
4 漁船法（昭和25年法律第178号）第48条第1項
5 文化財保護法（昭和25年法律第214号）第156条第1項
6 鉱業法（昭和25年法律第289号）第126条（採石法（昭和25年法律第291号）第38条、砂利採取法（昭和43年法律第74号）第30条第3項及び金属鉱業等鉱害対策特別措置法（昭和48年法律第26号）第35条において準用する場合を含む。）
7 採石法第34条の5第1項
8 高圧ガス保安法（昭和26年法律第204号）第78条第1項
9 税理士法（昭和26年法律第237号）第35条第3項
10 航空機製造事業法（昭和27年法律第237号）第20条第1項
11 輸出入取引法（昭和27年法律第299号）第39条の2第1項
12 飼料の安全性の確保及び品質の改善に関する法律（昭和28年法律第35号）第63条第1項
13 有線電気通信法（昭和28年法律第96号）第10条第1項（同法第11条において読み替えて準用する場合を含む。）
14 商工会議所法（昭和28年法律第143号）第83条第1項
15 武器等製造法（昭和28年法律第145

号）第30条第1項

16　臨時船舶建造調整法（昭和28年法律第149号）第6条第1項

17　農業機械化促進法（昭和28年法律第252号）第13条第2項

18　ガス事業法（昭和29年法律第51号）第50条第1項

19　家畜取引法（昭和31年法律第123号）第31条第1項

20　工業用水法（昭和31年法律第146号）第27条第1項

21　工業用水道事業法（昭和33年法律第84号）第26条第1項

22　小売商業調整特別措置法（昭和34年法律第155号）第20条第1項

23　商工会法（昭和35年法律第89号）第59条第1項

24　割賦販売法（昭和36年法律第159号）第44条第1項

25　電気用品安全法（昭和36年法律第234号）第51条第1項

26　電気事業法（昭和39年法律第170号）第110条第1項

27　液化石油ガスの保安の確保及び取引の適正化に関する法律（昭和42年法律第149号）第92条第1項

28　砂利採取法第39条第1項

29　電気工事業の業務の適正化に関する法律（昭和45年法律第96号）第31条第1項

30　熱供給事業法（昭和47年法律第88号）第30条第1項

31　石油パイプライン事業法（昭和47年法律第105号）第38条第1項

32　消費生活用製品安全法（昭和48年法律第31号）第50条第1項

33　化学物質の審査及び製造等の規制に関する法律（昭和48年法律第117号）第51条第1項

34　揮発油等の品質の確保等に関する法律（昭和51年法律第88号）第22条第1項

35　日本国と大韓民国との間の両国に隣接する大陸棚の南部の共同開発に関する協定の実施に伴う石油及び可燃性天然ガス資源の開発に関する特別措置法（昭和53年法律第81号）第46条第1項

36　深海底鉱業暫定措置法（昭和57年法律第64号）第38条第1項

37　電気通信事業法（昭和59年法律第86号）第171条第1項

38　特定物質の規制等によるオゾン層の保護に関する法律（昭和63年法律第53号）第28条第1項

39　資源の有効な利用の促進に関する法律（平成3年法律第48号）第38条第1項

40　計量法（平成4年法律第51号）第164条第1項

41　特定有害廃棄物等の輸出入等の規制に関する法律（平成4年法律第108号）第18条第1項

42　民間事業者による信書の送達に関する法律（平成14年法律第99号）第40条第1項

③　法第42条第2項の規定による事件記録（審査請求書、弁明書、反論書及び意見書に限る。）の提出は、審査請求書、弁明書、反論書又は意見書の正本によってする。

④　第4条第4項、第6条第2項又は第7条第2項に規定する場合において、当該審査請求、当該弁明、当該反論又は当該意見に係る電磁的記録については、それぞれ審査請求書、弁明書、反論書又は意見書の正本とみなして、前項の規定を適用する。

（審理員意見書の提出）

第16条　審理員は、法第42条第2項の規定により審理員意見書を提出するときは、事件記録のほか、法第13条第1項の許可に関する書類その他の総務省令で定める書類

> 資料

を審査庁に提出しなければならない。

（審議会等）

第17条① 法第43条第1項第1号の政令で定めるものは，次のとおりとする。

1 公認会計士法（昭和23年法律第103号）第46条の11に規定する資格審査会
2 地方社会保険医療協議会
3 司法書士法（昭和25年法律第197号）第67条に規定する登録審査会
4 港湾法（昭和25年法律第218号）第24条の2に規定する地方港湾審議会
5 土地家屋調査士法（昭和25年法律第228号）第62条に規定する登録審査会
6 行政書士法（昭和26年法律第4号）第18条の4に規定する資格審査会
7 税理士法第49条の16に規定する資格審査会
8 土地区画整理法（昭和29年法律第119号）第71条の4に規定する土地区画整理審議会
9 社会保険労務士法（昭和43年法律第89号）第25条の37に規定する資格審査会
10 都市再開発法（昭和44年法律第38号）第7条の19，第43条及び第50条の14に規定する審査委員並びに同法第59条に規定する市街地再開発審査会
11 大都市地域における住宅及び住宅地の供給の促進に関する特別措置法（昭和50年法律第67号）第60条に規定する住宅街区整備審議会
12 密集市街地における防災街区の整備の促進に関する法律（平成9年法律第49号）第131条，第161条及び第177条に規定する審査委員並びに同法第190条に規定する防災街区整備審査会
13 弁理士法（平成12年法律第49号）第70条に規定する登録審査会
14 マンションの建替え等の円滑化に関する法律（平成14年法律第78号）第37条，第53条及び第136条に規定する審査委員
15 裁判外紛争解決手続の利用の促進に関する法律（平成16年法律第151号）第10条に規定する認証審査参与員
16 郵政民営化委員会
17 地方年金記録訂正審議会

② 法第43条第1項第2号の政令で定めるものは，裁判外紛争解決手続の利用の促進に関する法律第10条に規定する認証審査参与員とする。

第2章　再調査の請求

第18条 第3条，第4条第2項及び第3項並びに第8条の規定は，再調査の請求について準用する。この場合において，別表第2の上欄に掲げる規定中同表の中欄に掲げる字句は，それぞれ同表の下欄に掲げる字句に読み替えるものとする。

第3章　再審査請求

第19条① 第1章（第2条，第6条，第15条第1項第2号及び第3号並びに第2項並びに第17条を除く。）の規定は，再審査請求について準用する。この場合において，別表第3の上欄に掲げる規定中同表の中欄に掲げる字句は，それぞれ同表の下欄に掲げる字句に読み替えるものとする。

② 再審査庁が法第66条第1項において準用する法第9条第1項各号に掲げる機関である場合には，前項において読み替えて準用する第1条，第15条（第1項第2号及び第3号並びに第2項を除く。）及び第16条の規定は，適用しない。

第4章　行政不服審査会

（議事）

第20条① 法第72条第1項の合議体は，こ

れを構成する全ての委員の、同条第2項の合議体は、過半数の委員の出席がなければ、会議を開き、議決することができない。

② 法第72条第1項の合議体の議事は、その合議体を構成する委員の過半数をもって決する。

③ 法第72条第2項の合議体の議事は、出席した委員の過半数をもって決し、可否同数のときは、会長の決するところによる。

④ 委員又は専門委員は、自己の利害に関係する議事に参与することができない。

（調査審議の手続の併合又は分離）

第21条① 行政不服審査会（以下「審査会」という。）は、必要があると認める場合には、数個の事件に係る調査審議の手続を併合し、又は併合された数個の事件に係る調査審議の手続を分離することができる。

② 審査会は、前項の規定により、事件に係る調査審議の手続を併合し、又は分離したときは、審査関係人にその旨を通知しなければならない。

（映像等の送受信による通話の方法による意見の陳述等）

第22条 第8条の規定は、法第75条第1項の規定による意見の陳述について準用する。この場合において、第8条中「審理員は」とあるのは「審査会は」と、「審理を」とあるのは「調査審議を」と、「審理関係人」とあるのは「審査関係人」と、「、審理員」とあるのは「、委員」と読み替えるものとする。

（提出資料の交付）

第23条 第10条から第14条まで（第12条第2項第1号及び第14条第2項を除く。）の規定は、法第78条第1項の規定による交付について準用する。この場合において、第10条第1号中「第38条第1項」とあるのは「第78条第1項」と、「書面若しくは書類」とあるのは「主張書面若しくは資料」と、「対象書面等」とあるのは「対象主張書面等」と、同条第2号及び第3号並びに第11条第1号中「対象書面等」とあるのは「対象主張書面等」と、第12条第1項中「第38条第4項（同条第6項の規定により読み替えて適用する場合を除く。）」とあるのは「第78条第4項」と、「以下この条及び次条において」とあるのは「以下」と、同条第2項中「審査庁」とあり、並びに第13条第1項及び第2項中「審理員」とあるのは「審査会」と、第14条第1項中「同条第4項の規定により納付しなければならない手数料」とあるのは「手数料」と、「対象書面等」とあるのは「対象主張書面等」と読み替えるものとする。

（審査会の事務局長等）

第24条① 審査会の事務局長は、関係のある他の職を占める者をもって充てられるものとする。

② 審査会の事務局に、課を置く。

③ 前項に定めるもののほか、審査会の事務局の内部組織の細目は、総務省令で定める。

（審査会の調査審議の手続）

第25条 この政令に定めるもののほか、審査会の調査審議の手続に関し必要な事項は、会長が審査会に諮って定める。

第5章 補 則

（不服申立書）

第26条① 法第83条第2項において法第19条（第5項第1号及び第2号を除く。）の規定を準用する場合には、同条第1項中「審査請求は、他の法律（条例に基づく処分については、条例）に口頭ですることができる旨の定めがある場合を除き」とあるのは「不服申立て（第82条第1項に規定する不服申立てをいう。以下同じ。）は」と、同条第2項第1号中「審査請求人」と

> 資料

あるのは「不服申立人」と、同項第2号中「審査請求」とあるのは「不服申立て」と、同項第3号中「審査請求に係る処分（当該処分について再調査の請求についての決定を経たときは、当該決定）」とあるのは「不服申立てに係る処分」と、同項第4号及び第6号中「審査請求」とあるのは「不服申立て」と、同条第4項中「審査請求人」とあるのは「不服申立人」と、「審査請求を」とあるのは「不服申立てを」と、「第2項各号又は前項各号」とあるのは「第2項各号」と、同条第5項第3号中「審査請求期間」とあるのは「不服申立てをすることができる期間」と、「審査請求を」とあるのは「不服申立てを」と、前条第1項ただし書又は第2項ただし書に規定する」とあるのは「当該期間内に不服申立てをしなかったことについての」と読み替えるものとする。

② 第4条第2項及び第3項の規定は、法第83条第1項の不服申立書について準用する。この場合において、これらの規定中「審査請求人」とあるのは「不服申立人」と、「審査請求を」とあるのは「不服申立てを」と読み替えるものとする。

（総務省令への委任）

第27条　この政令に定めるもののほか、法及びこの政令の実施のために必要な手続その他の事項は、総務省令で定める。

　　　附　則

この政令は、法の施行の日（平成28年4月1日）から施行する。

別表（略）

判例索引

〈最高裁判所〉

最判昭和 29・10・14 民集 8 巻 10 号 1858 頁 …………………………… 150
最判昭和 35・8・30 民集 14 巻 10 号 1977 頁 …………………………… 106
最判昭和 36・7・21 民集 15 巻 7 号 1966 頁 …………………………… 33, 256
最判昭和 47・4・20 民集 26 巻 3 号 507 頁 ……………………………… 47
最判昭和 49・7・19 民集 28 巻 5 号 790 頁 ……………………………… 48
最判昭和 53・3・14 民集 32 巻 2 号 211 頁 ……………………………… 17
最大判昭和 53・10・4 民集 32 巻 7 号 1223 頁 ………………………… 49
最判昭和 56・3・27 民集 35 巻 2 号 417 頁 ……………………………… 236
最判昭和 59・3・27 刑集 38 巻 5 号 2307 頁 …………………………… 47
最判平成 4・11・26 民集 46 巻 8 号 2658 頁 …………………………… 47

〈高等裁判所〉

東京高判昭和 48・3・14 行集 24 巻 3 号 115 頁 ………………………… 213
名古屋高金沢支判昭和 56・2・4 行集 32 巻 2 号 179 頁 ……………… 33, 142
東京高判平成 7・5・30 行集 46 巻 4=5 号 553 頁 ……………………… 71

〈地方裁判所〉

東京地判昭和 39・11・4 判時 389 号 3 頁 ……………………………… 228
長崎地判昭和 44・10・20 行集 20 巻 10 号 1260 頁 …………………… 142
東京地判昭和 45・5・27 行集 21 巻 5 号 836 頁 ………………………… 95
長崎地判昭和 51・6・28 行集 27 巻 6 号 950 頁 ………………………… 97
広島地判昭和 62・6・9 労判 501 号 40 頁 ……………………………… 96
東京地判平成 6・3・25 行集 45 巻 3 号 811 頁 ………………………… 70

事項索引

あ 行

- 委　員 …………………………… 277, 330
- 委員会 ……………………………… 63, 191
- 異議申立て ………………………… 4, 17, 339
- 異議申立前置 ………………………… 30, 33
- 意見書 ……………………………………… 140
  - 執行停止をすべき旨の── ……… 180
- 一部事務組合 ……………………… 194, 311
- 一定の処分 ……………… 217, 218, 229, 253
- 一般概括主義 ………………… 1, 15, 18, 42
- 一般的教示規定 ……………………………110
- 一般的教示制度 ………………………… 315
- 委任命令 ………………………………… 327
- インカメラ審理 ………………………… 276
- 写しの交付 ……………………… 163, 166, 301
  - ──請求権 ……………………………… 7
- 閲　覧 …………………………………… 301
  - ──請求権 ……………………………… 7

か 行

- 概括的列記主義 ……………………… 1, 15
- 外　局 …………………………………… 191
- 会　長 ……………………………… 278, 284
- 合併特例区 ……………………………… 177
- 勧　告 …………………………………… 276
- 鑑　定 …………………………………… 151
- 監督権 ……………………………………… 22
- 管理者 …………………………………… 196
- 機関（等）の共同設置 ……………… 311, 314
- 棄　却 ……………………… 212, 229, 252
- 却　下 ……………… 120, 204, 212, 228, 251, 266
- 協議会 …………………………………… 312
- 教　示 ……… 2, 3, 15, 35, 95, 101, 109, 234, 244, 249, 255, 261, 315
- 行政運営上の会合 ………………………… 63
- 行政救済 ………………………… 12, 15, 226
- 行政救済制度検討チーム ………… 4, 166
- 行政事件訴訟特例法 ……………………… 1
- 行政事件訴訟法 …………………………… 2, 14
- 行政庁 ……………………………………… 12
  - 審査請求をすべき── ………… 21, 339
  - 審査庁となるべき── …………… 87, 91
- 行政手続法 ………………………………… 2, 14
- 行政手続法草案 …………………………… 2
- 行政統制 …………………………… 12, 15, 226
- 行政不服審査会（等）…… 5, 51, 190, 191, 274, 330, 343
- 行政不服審査制度研究会 ………………… 3
- 行政不服審査制度検討会 … 3, 34, 65, 88, 91, 142, 159, 166, 180, 191, 274
- 宮内庁 ……………………………………… 64
- 宮内庁長官 ………………………………… 25
- 国の機関 …………………………………… 52
- 計画的審理 ………………………………… 9
- 経過措置 ………………………………… 332
- 形式的当事者訴訟 ………………………… 46
- 形成力 …………………………………… 239
- 経由機関 …………………………………… 87
- 決　定 …………………………………… 251
- 権限の委任 ………………………………… 37
- 原告適格 ………………………………… 17, 19
- 原裁決 ……………………… 40, 260, 262, 263
- 検　証 …………………………………… 152
- 広域連携 ………………………………… 311
- 広域連合 ………………………… 194, 312
- 合議制 ……………………………… 191, 193
- 公共団体 ………………………………… 52
- 公　示 …………………………………… 239
- 公示送達 ………………………………… 236
- 拘束力 …………………………………… 238
- 口頭意見陳述 ……………… 7, 117, 141, 296
- 公　表 …………………………………… 324

合理的再編成 …………………… 277
国　民 …………………………… 14
国会同意人事 ………… 279, 281, 282
固有の資格 ……………………… 53

　　　　　さ　行

裁　決 ………………… 209, 231, 326
裁決主義 ………………… 340, 348
再々審査請求 …………………… 38
財産区 …………………… 176, 195
再上級行政庁 …………………… 28
再審査請求 ………… 5, 36, 234, 260, 339
再審査請求前置 ………………… 37
再調査の請求 …… 5, 29, 94, 102, 112, 242, 339
　　──録取書 ……………… 113
再調査の請求期間 ……………… 242
　客観的── …………………… 243
　主観的── …………………… 243
再調査の請求前置 ……………… 113
裁定的関与 ………… 31, 37, 38, 331, 339
参加人 ………… 67, 79, 116, 203, 206, 207, 247
参考人 …………………………… 151
参与機関 ………………………… 221
指揮監督 ………………………… 22
指揮監督権 ……………………… 217
指揮権 …………………………… 22
事件記録 ……………… 185, 188, 207
施行期日 ………………………… 330
施行状況調査 …………………… 325
事後救済制度調査研究委員会 …… 3
事実行為 ………………… 15, 215
　継続的── …………………… 13
　権力的── …………………… 13
事実上の行為 …… 205, 215, 224, 253, 269
事情決定 ………………………… 252
事情裁決 ………… 213, 216, 224, 229, 267, 269
執行機関 …………………… 65, 193, 310
執行停止 ……………… 3, 123, 179
　義務的── …………………… 125
　裁量的── …………………… 123
執行停止原則 …………………… 123

事項索引

執行不停止原則 ………………… 123
執行命令 ………………………… 327
実施命令 ………………………… 327
質　問 …………………………… 153
質問権 ……………………… 7, 145
私的諮問機関 …………………… 63
事務局 …………………………… 290
事務局長 ………………………… 291
事務処理の特例 ………………… 38
事務の委託 ………………… 311, 312
事務の代替執行 ………………… 312
指名委員 ………………………… 299
諮問機関 ………………………… 221
重大な損害 ……………………… 126
収入印紙 ………………… 170, 305
主観争訟 …………………… 15, 17
主観的再審査請求期間 ………… 260
主観的出訴期間 ………………… 94
主観的不服申立期間 …………… 343
主任の大臣 ……………………… 24
主　文 …………………………… 232
受　理 …………………………… 132
上級行政庁 ……………………… 22
　みなし── …………………… 340
証拠書類 ………………………… 147
証拠物 …………………………… 147
情報開示請求制度
　客観的── ………………… 169, 304
　主観的── ………………… 169, 305
情報公開・個人情報保護審査会 …… 277, 278
情報提供 …………………… 8, 322
除斥事由 ………………… 5, 65, 289
職権主義 ………………………… 213
職権探知 ………………… 150, 212
職権による教示 ………………… 317
初日不算入の原則 ……………… 93
処　分 ……………… 15, 215, 332
　──についての審査請求 …… 17, 100
処分権主義 ……………………… 128
処分性 …………………………… 13
処分庁（等） …………………… 22

383

関係──	89
書面審理主義	142
処理状況	8
審議会等	63, 192, 221, 275
審査会	275
審査関係人	294
審査請求	4, 17
口頭による──	104
審査請求期間	6, 92, 116
客観的──	96
主観的──	6, 93, 343
審査請求資格	74
審査請求書	97, 118
審査請求前置	34, 37, 94
審査請求人	67
審査請求録取書	107
審査庁	59
審尋	154
申請型義務付け訴訟	6, 218, 229
審理員	5, 58, 262, 341
審理員意見書	187, 207, 233
審理員名簿	60
審理関係人	7
審理手続	
──の計画的な進行	129, 154, 182
──の併合・分離	178
請願規則	1
政治的行為	283
正本	132, 135, 139, 140, 188
専門委員	286
総代	75
相当の期間	19
訴願	333
訴願制度改善要綱	2
訴願制度調査会	1
訴願前置主義	1
訴願法	1, 15

た 行

| 大臣委員会 | 26, 63 |
| 代理人 | 68, 78, 118 |

地方開発事業団	195
地方公共団体	52, 176, 193, 309
──の議会	198
──の組合	176, 194, 311, 313
庁	191
聴聞主宰者	5, 60
聴聞調書	137, 165
通告処分	47
提出書類等の閲覧	163
適用除外	341
手数料	169, 304, 313
撤廃	225
撤廃裁決	267
テレビ会議システム	143, 297
電子情報処理組織	133, 135, 139, 140, 141, 165, 188, 298
電磁的記録	165, 302
答申書	307
到達主義	97
謄本	236
特定意見聴取	186
特定承継	86
独任制	191, 193
特別区	176, 194
特別地方公共団体	176, 193
取消し	216
取消裁決	267
取消訴訟	7, 316

な 行

二重前置	349
認容	216
認容裁決	252

は 行

発信主義	97
罰則	328
犯則調査	47
反論書	139
秘密保持義務	283, 328
標準処理期間	8, 19, 86

事項索引

標準審理期間 …………………… 8, 86
部会長 ……………………………… 288
複合的一部事務組合 …………… 196
副　本 ………………… 132, 135, 140, 141
不作為 ………………… 18, 19, 43, 332
　　──についての審査請求 …… 18, 36, 101, 227, 339
　　──の違法確認訴訟 …… 6, 19, 228
附属機関 …………………… 196, 310
附帯決議 …………………………… 165
普通地方公共団体 ………… 176, 193
不　当 ……………………………… 13
不服申立て ………………… 315, 323, 338
不服申立資格 ……………………… 74
不服申立前置 ……………… 32, 344
不服申立適格 ……………………… 17
部分社会論 ………………………… 48
不変期間 …………………………… 95
不利益変更禁止原則 …… 2, 15, 226
分担管理原則 ……………………… 275
変　更 ……………………………… 216
変更裁決 …………………………… 268

弁明書 ………………… 131, 137, 246
　　弁明の機会の付与における── ……… 165
弁論主義 …………………………… 213
包括承継 …………………………… 84
法規命令 …………………………… 327
報告書（聴聞主宰者が作成する） …… 137, 165
法人でない社団または財団 ……… 74
法定受託事務 ………… 31, 38, 340
　　第1号── …………………… 39
補佐人 ………………………… 144, 297
補　正 ………………… 118, 120, 212, 251

ま 行

無効等確認訴訟 ………………… 316

や 行

容　認 ……………………………… 216

ら 行

利害関係人 …………………… 68, 80
理事会 ……………………………… 196
理由提示 …………………… 135, 233

行政不服審査法の逐条解説〔第 2 版〕
Commentary on Administrative Appeal Act, 2nd ed.

2015 年 3 月 10 日　初　版第 1 刷発行
2017 年 2 月 28 日　第 2 版第 1 刷発行

著者　宇　賀　克　也
発行者　江　草　貞　治
発行所　株式会社　有　斐　閣

郵便番号 101-0051
東京都千代田区神田神保町 2-17
電話 (03) 3264-1314 〔編集〕
　　 (03) 3265-6811 〔営業〕
http://www.yuhikaku.co.jp/

印刷／株式会社理想社・製本／大口製本印刷株式会社
©2017, Katsuya Uga. Printed in Japan
落丁・乱丁本はお取替えいたします。
★定価はカバーに表示してあります。
ISBN 978-4-641-22721-7

JCOPY　本書の無断複写（コピー）は、著作権法上での例外を除き、禁じられています。複写される場合は、そのつど事前に、(社)出版者著作権管理機構（電話03-3513-6969、FAX03-3513-6979、e-mail:info@jcopy.or.jp）の許諾を得てください。

本書のコピー，スキャン，デジタル化等の無断複製は著作権法上での例外を除き禁じられています。本書を代行業者等の第三者に依頼してスキャンやデジタル化することは，たとえ個人や家庭内での利用でも著作権法違反です。